SUR MESURE
de Catherine McKenzie
Traduit de l'anglais (Canada) par Sophie Bérubé

CATHERINE McKENZIE

SUR MESURE

Traduit de l'anglais (Canada)
par Sophie Bérubé

Les Éditions Goélette

De la même auteure :

Spin, roman (anglais), Harper Collins, 2010
Arranged, roman (anglais), Harper Collins, 2011
Ivresse (version française de *Spin*), roman, Les Éditions Goélette, 2011
Forgotten, roman (anglais), Harper Collins, 2012

Graphisme : Marjolaine Pageau
Couverture : Jessica Papineau-Lapierre
Traduction : Sophie Bérubé
Révision : Fleur Neesham et Corinne De Vailly
Correction : Élaine Parisien

Photographies de la couverture : Shutterstock
Photographie de l'auteure : Karine Patry

Dépôt légal : 2e trimestre 2012
Bibliothèque et Archives nationales du Québec
Bibliothèque nationale du Canada

Les Éditions Goélette bénéficient du soutien financier de la SODEC
pour son programme d'aide à l'édition et à la promotion.

Nous remercions le gouvernement du Québec de l'aide financière
accordée par l'entremise du Programme de crédit d'impôt pour
l'édition de livres, administré par la SODEC.

 Patrimoine   Canadian
canadien   Heritage

Nous reconnaissons l'aide financière du gouvernement du Canada par l'entremise du
Fonds du livre du Canada pour nos activités d'édition.

 **Conseil des Arts   Canada Council
du Canada   for the Arts**

Nous remercions de son soutien le Conseil des Arts du Canada
par son programme d'aide à l'édition de livres.

Nous reconnaissons l'aide financière du gouvernement du Canada par l'entremise
du Programme national de traduction pour l'édition du livre pour nos activités de
traduction.

 Membre de l'Association nationale des éditeurs de livres

Imprimé au Canada

ISBN : 978-2-89690-205-7

À David

PREMIÈRE PARTIE

CHAPITRE 1

ASSEZ, C'EST ASSEZ

– J'ai lu tes courriels, dis-je à Stuart.

Sa tête émerge subitement de son magazine *Maxim*. Ses pieds sont appuyés sur la table à café placée devant le divan de cuir que nous avons acheté six mois plus tôt. Une pose innocente, bien qu'il n'y ait pas plus coupable que lui.

– Tu as fait quoi?

– Tu m'as entendue.

Les traits de son visage angulaire se durcissent.

– J'aurais mieux fait de ne pas t'avoir entendue.

J'ai un moment de culpabilité. Puis, je me souviens de ce que j'ai lu.

– J'ai lu tes courriels. Tous tes courriels.

Il ouvre la bouche pour parler, mais je l'interromps.

– Comment ai-je pu violer ta vie privée? C'est bien ce que tu allais me dire? N'ose surtout pas me parler de violation, Stuart. Tu es très mal placé pour ça.

Sa bouche se referme tellement vite que ses dents s'entre-choquent. Ses méninges s'activent. Je peux presque voir le mouvement derrière ses yeux, qui peuvent être si doux, si chaleureux, si sexy, si tout, mais qui, en ce moment, sont si froids, si durs et si terriblement bleus.

– Qu'est-ce que tu penses avoir lu? finit-il par dire, d'une voix rigide et impassible.

– Vas-tu vraiment m'obliger à le dire tout haut?

Il garde le silence. La lumière de la lampe de lecture se reflète sur ses cheveux noirs et droits. Le tic tac de l'horloge sur le manteau du foyer mesure les secondes qu'il me reste à passer ici.

Je prends une grande inspiration.

– Je sais que tu as couché avec Christy. Je sais que tu couches avec elle depuis un bon moment.

Voilà. C'est dit. Et même si je savais que c'était vrai, même si je l'ai lu, le fait de le dire à haute voix concrétise le tout d'une manière que je n'avais pas anticipée. C'est devenu tellement plus gros maintenant que c'est dit. Tellement plus grave. Comme si Christy était dans la pièce avec nous. Comme si elle répétait les mots qu'elle lui a écrits, ces mots que je ne peux effacer, avec sa voix douce, sulfureuse. Cette voix que j'ai déjà entendue sur notre répondeur.

Les secondes passent. Je me sens prisonnière, en attendant qu'il dise ou fasse quelque chose.

Dis quelque chose, bordel. Dis quelque chose!

Il se lève, comme s'il m'avait entendue. Son magazine échoue sur le plancher de bois franc.

– Eh bien, bravo, Anne, tu m'as pris en flagrant délit. Que vas-tu faire, maintenant?

Ne serait-il pas merveilleux de pouvoir filmer les gens pendant leur rupture? Ne serait-il pas génial d'avoir accès à cet enregistrement au *début* de la relation? Regarde comment ce gars te traitera dans six, huit, ou dix mois. Regarde comment il a traité la fille avec qui il a passé trois ans ! Sauve-toi ! Sauve-toi !

Ma respiration grince un peu dans ma gorge, mais j'arrive à prononcer les mots.

– Je m'en vais.

– Tu t'en vas, répète-t-il, sans que je puisse distinguer s'il s'agit d'une affirmation ou d'une question. Un peu comme s'il n'arrivait pas tout à fait à y croire.

– T'attends-tu vraiment à ce que je reste ? Après ce que tu as fait ? Est-ce même ça que tu voudrais ?

Il détourne le regard. Premier signe de faiblesse.

– Je ne sais pas.

– Allez, Stuart, avoue. C'est exactement ce que tu veux. Tu veux seulement éviter de passer pour le méchant. Alors, tu t'es assuré que je sois celle qui prenne la décision. Et j'ai été trop stupide pour m'en rendre compte avant aujourd'hui.

– Tu te crois intelligente, n'est-ce pas ?

– Je viens juste de te dire que j'ai été stupide. Mais aujourd'hui, oui, je me trouve intelligente.

– Eh bien, je ne quitterai pas l'appartement, si c'est ce que tu crois.

– Mon Dieu, après toutes ces années, tu ne me connais vraiment pas du tout.

Il prend un ton sarcastique.

– Oh, je te connais, Anne. Ne t'inquiète surtout pas pour ça.

Je l'observe : sa beauté, sa colère, cet homme que je pensais un jour épouser.

– Je crois qu'on n'a plus rien à se dire, dis-je.

Parce que c'est ce que les gens disent toujours dans ce genre de situation. À tout le moins, c'est ce qu'on dit dans les films, et en ce moment, ma vie a l'air d'une fiction.

Il ne me répond pas. Il me regarde plutôt marcher vers le placard du couloir où je prends un sac de voyage préalablement rempli de tout ce que j'ai besoin dans le futur immédiat.

Je me retourne pour lui faire face. Je le regarde droit dans les yeux, à la recherche de quelque chose, je ne sais pas quoi.

– Bye, Stuart.

– Bye, Anne.

J'hésite, attendant qu'il me dise quelque chose de plus, qu'il me supplie de rester, qu'il me dise : « Je t'aime, c'était une erreur, je suis un salaud, je ne peux pas vivre sans toi, je t'en supplie, chérie, je t'en supplie. » Mais il ne me fera pas ce cadeau. Pas maintenant que je lui ai donné ce qu'il voulait. Parce qu'il *est* un salaud, et je suis une idiote d'espérer quoi que ce soit de lui, peu importe ce que c'est.

Alors, avant qu'il puisse saisir l'occasion de me rappeler mon idiotie ou de me demander ce que je fais encore là, je mets le sac sur mon épaule et je pars.

Dehors, je monte dans le taxi qui m'attend et lui donne l'adresse de mon nouvel appartement.

Je ne remarque pas les vingt minutes qui séparent mon ancienne vie de la nouvelle. Les rues de la ville sont des lumières embrouillées contrastant sur le ciel noir.

Le chauffeur tape contre la vitre qui nous sépare pour attirer mon attention. Je sors du taxi et regarde mon nouvel immeuble. Quatre étages, de la brique rouge, des plafonds hauts et des planchers de bois franc à l'intérieur, avec plusieurs boutiques à proximité. La petite annonce paraissait trop bien pour être vraie quand je l'ai vue sur Internet hier. Le loyer est plus élevé que ce que je peux me permettre, mais j'avais besoin d'un nouvel endroit pour vivre, pronto. Par le passé, je serais sûrement allée chez une amie ou, pire, chez mes parents. À trente-trois ans, je pense que je suis un peu trop vieille pour ça. Trop vieille pour beaucoup de choses.

Je monte les épaisses marches de béton conduisant à ma porte d'entrée. L'endroit où on inscrit le nom du locataire est vide, prêt à être rempli. Mon appartement aussi est vide. Il n'y a rien sur les murs blanc-crème, sauf la poussière qui délimite les endroits où il y avait des cadres. L'air a une odeur différente, étrangère. Mes yeux s'attardent sur le coin situé sous la baie vitrée qui forme une courbe. C'est l'endroit idéal pour mettre mon bureau de travail que j'ai laissé à l'autre bout de la ville. Je ressens soudainement cette démangeaison qui me prend toujours lorsque j'ai besoin d'écrire. Mais je ne sais pas si je peux écrire à propos de ce qui s'est passé aujourd'hui. Pas encore, en tout cas.

À travers les murs (en haut? en bas? à côté? Je ne connais pas encore la sonorité des lieux), j'entends la voix d'une femme qui invite amoureusement son homme à passer à table et cela me scie les jambes. Je me retrouve à genoux, avec des pleurs étouffés dans la gorge.

Mon Dieu, comment ça peut m'arriver à moi? Comment ç'a pu me prendre autant de temps avant de voir dans son jeu? Comment ai-je pu me placer, placer mon *cœur*, entre les mains d'un homme qui me trahirait? Encore?

Mon téléphone cellulaire sonne. Un coup d'œil à l'écran me révèle qu'il s'agit de Stuart. Il appelle trop tard. Il n'y a rien qu'il puisse dire pour effacer ce que j'ai lu, ce qu'il a fait.

Je lance le téléphone aussi fort que possible. Il heurte le cadre de la porte, un son dur dans cet espace silencieux, vide. Un éclat de peinture se détache du bois et la sonnerie s'arrête. Je serre mes genoux contre ma poitrine et je fixe le téléphone rendu muet.

Le temps passe. Au bout d'un moment, je recommence à respirer. La surface dure du plancher de bois commence à se faire sentir.

Mon téléphone sonne à nouveau. La force de ma colère n'était pas suffisante pour le faire taire définitivement. Cette fois, la personne qui appelle est une vraie bouée de sauvetage. Ma meilleure amie, Sarah.

– Salut, c'est moi. On prend toujours un verre? me demande-t-elle, inquiète.

Ma voix est plus forte que je ne l'aurais pensé.

– Absolument. Je serai là dans dix minutes.

Je me lave le visage et j'attrape un imperméable dans mon sac. Mon nouveau quartier m'attend à l'extérieur. Les immeubles en brique s'arrêtent là où le trottoir commence, sans transition, et les seuls arbres qu'on peut y voir se trouvent dans les petits parcs qui ponctuent les coins de rue ici et là. Leurs feuilles aux couleurs changeantes bruissent dans la brise automnale. L'air est dense, épaissi par la pollution des voitures et le mélange d'odeurs provenant des restaurants. Les rues donnent une impression à la fois de vie et de claustrophobie.

J'aimais le silence de mon ancien quartier, où le bruit de la ville n'était qu'un murmure lointain. Mais j'aime l'énergie qui se dégage ici des bruits environnants, des gens, et la sensation qu'il pourrait arriver quelque chose à tout moment.

À un coin de rue du bar, quelque chose sur le sol attire mon regard. Est-ce bien mon nom de famille? Je me penche pour la ramasser et effectivement, je constate qu'il s'agit d'une carte de visite, qui se lit comme suit:

Blythe & Compagnie
Arrangements sur mesure

♀♂

4300, rue Cunningham
20ᵉ étage
(555) 458-4239

Quelque chose dans le fait de voir mon nom sur la carte me donne le frisson. Sans vraiment y réfléchir, je la mets dans la poche avant de mes jeans et je continue à marcher.

J'entre dans le bar et parcours du regard la pièce sombre à la recherche de Sarah. Le White Lion est à mi-chemin d'être branché, avec ses tabourets en cuir rouge sous le bar en bois d'acajou usé. De minuscules lampes blanches encadrent les miroirs fixés derrière. On entend une chanson de Taylor Swift par-dessus le bruit de la clientèle du mardi soir.

Sarah est assise sur une des banquettes rembourrées, en train de taper furieusement sur les touches de son BlackBerry. Elle porte un tailleur bleu marine et ses cheveux blonds bouclés sont attachés sur la nuque. Sa peau claire semble presque diaphane sous la lumière tamisée.

Elle me sourit alors que je m'assois en face d'elle. Ses dents sont petites et égales.

– Alors ?

– Je l'ai fait, dis-je en faisant signe à la serveuse.

– Merci *mon Dieu* !

– Tu le détestes tant que ça ?

– Oui, tant que ça.

Je commande un gin-tonic.

– Et la raison pour laquelle tu ne me l'as jamais dit, c'est ?

Ses yeux cobalt affichent une incrédulité totale.

– De quoi tu parles ? Premièrement, je te l'ai déjà dit. Et deuxièmement, je me suis dit qu'il valait mieux que je demeure près de toi pour m'assurer que tu allais bien, plutôt que de m'engager dans une grosse dispute avec toi et ne plus jamais te revoir.

Sarah est avocate, et elle dresse toujours des listes. C'est comme ça qu'elle pense : de manière organisée. Elle est comme ça depuis que je la connais, c'est-à-dire depuis la maternelle.

– Merci beaucoup.

– Ça me fait plaisir. Si seulement je ne t'avais pas entraînée dans cette fête.

J'ai rencontré Stuart dans une fête, il y a trois ans. J'étais sur le point d'avoir trente ans et je me remettais encore difficilement d'avoir été jetée par celui que je croyais à l'époque être l'homme de ma vie, John. Sarah m'avait convaincue que ce serait bon pour moi de « retourner sur le terrain ». Je n'étais pas certaine qu'il s'agisse d'une bonne idée, mais Sarah n'est pas une personne à qui l'on dit non.

J'ai repéré Stuart peu de temps après notre arrivée. Des cheveux noirs raides, des yeux bleu clair, faisant plus d'un mètre quatre-vingts, mince; il était exactement le genre d'homme qui me fait craquer, et ce, depuis mon premier béguin pour un garçon. Un cercle de filles autour de lui se disputaient son attention. Mais les filles ne m'intimidaient pas. J'étais habituée. Il faut l'être quand on a un faible pour les très beaux hommes.

J'étais en train d'élaborer une stratégie pour qu'il me remarque quand Sarah s'en est chargée accidentellement en renversant son verre de vin rouge directement sur mon chandail blanc. J'ai saisi l'occasion et j'ai réagi de façon dramatique. Cela a eu l'effet escompté, puisque tous les yeux, incluant ceux de Stuart, se sont tournés vers moi. J'en ai profité pour soutenir son regard brièvement, puis j'ai détourné le regard.

Quand Sarah et moi sommes sorties de la salle de bains après l'opération nettoyage, nous avons trouvé une place sur un divan pour nous asseoir. Je me suis placée de façon à ne pas pouvoir regarder en direction de Stuart. Mais je savais que lui me regardait.

Plus tard, quand les garçons se sont regroupés pour boire des triples shooters de Jack Daniel's, j'y ai vu une occasion et je me suis mêlée au groupe. Certains ont protesté que je n'étais pas assez forte pour tenir le coup. J'ai relevé mes longs cheveux roux en queue de cheval et je leur ai dit que j'étais capable de prendre soin de moi-même, qu'ils n'avaient qu'à verser. Nous avons trinqué et ouvert nos gorges. Seulement quelques-uns d'entre eux ont réussi à boire leur verre d'un seul coup, mais moi, j'ai retourné mon verre vide en le brandissant et l'ai posé fermement sur le plateau que tenait Stuart. Je l'ai regardé, rougissante, décelant l'intérêt dans ses yeux.

– Qu'est-ce qui t'a enfin décidée à le quitter? me demande Sarah.

– As-tu déjà remarqué que toutes les histoires qui commencent par « J'ai lu ses courriels » ne finissent jamais par « J'avais complètement tort. Il ne m'a pas trompée » ?

Elle retrousse son petit nez.

– Alors, il te trompait ?

– Évidemment. Comme tu me l'avais dit.

– Oui, bon. Ça ne m'a pas fait plaisir de te l'annoncer.

Elle joue avec la tranche de lime sur le bord de son verre.

– Je sais, Sarah.

– Tant mieux. En passant, tu as l'air de prendre ça plutôt bien.

Bien sûr, elle ne m'a pas vue en larmes sur mon plancher.

– Je réussis à te berner, toi aussi ?

– Presque.

– C'est quand même extraordinaire, ce qu'une colère extrême te donne la force d'accomplir.

Elle sourit.

– Si on pouvait mettre en bouteille « Femme-qui-a-été-trahie », on ferait fortune.

– Ce dont j'ai réellement besoin, c'est plutôt d'un élixir pour réparer les cœurs brisés.

– Je crois qu'on appelle ça de l'alcool.

J'essaie de sourire, mais je finis plutôt par pleurer. Des larmes salées, silencieuses.

Sarah glisse sa main sur la mienne.

– Ça ira mieux, Anne. Avec le temps.

– Je sais. Ça finit toujours par aller mieux.

J'essuie mes larmes du revers de la main et je me force à sourire.

– Assez. Nous sommes ici pour célébrer ma nouvelle vie.

Je lève mon verre. Sarah trinque avec moi.

– À la nouvelle vie d'Anne Blythe !

– Tiens, ça me fait penser. Regarde ce que j'ai trouvé dans la rue.

Je sors la carte de ma poche et la lui tends.

– Pourquoi as-tu ramassé ça ?

– Parce qu'il y avait mon nom dessus, j'imagine. Je me demande ce qu'ils font.

– « Arrangements sur mesure », avec les symboles de l'homme et de la femme… ça doit être une sorte d'agence de rencontre.

– Tu as sûrement raison. Peut-être que si je suis vraiment désespérée, je les appellerai pour vérifier.

Sarah rougit.

– Tu n'as pas besoin d'être désespérée pour utiliser les services d'une agence de rencontre.

– L'as-tu déjà fait ?

– Non, mais j'y ai pensé avant de rencontrer Mike.

Elle sourit, de cette façon qu'elle a de sourire chaque fois qu'elle évoque le nom de Mike. Il est courtier financier et travaille dans la même tour immobilière qu'elle. Ils se sont rencontrés six mois auparavant, dans un 5 à 7. Jusqu'à maintenant, il contredit ma théorie selon laquelle tous les hommes encore célibataires à trente-cinq ans sont célibataires pour une raison.

Quant à moi, nouvellement célibataire à trente-trois ans… J'ai toutes sortes de théories.

– Tu as de la chance de l'avoir, lui dis-je.

– Je sais. Et toi aussi, tu auras de la chance, Anne.

– Oui, peut-être. Mais, pour le moment, je crois que je vais demeurer seule pendant un temps pour voir comment c'est.

J'essaie d'avoir l'air de penser ce que je dis, même si être seule n'a jamais été ma force. Pas celle de l'ancienne Anne, en tout cas. Mais la Anne qui a été assez courageuse pour quitter Stuart aujourd'hui *va* être seule pendant un moment. Du moins, elle va essayer.

Nous terminons nos verres, payons et sortons dans la nuit. L'automne s'est installé et il fait plus froid que quelques heures auparavant. J'enfonce mes mains soudainement froides dans mes poches, serrant mon manteau plus près contre moi. Sarah hèle un taxi et y grimpe.

Elle ouvre la fenêtre.

– Ça ira bien, Anne. Tu n'as qu'à y croire et ça arrivera.

Pendant que son taxi disparaît dans le trafic, je me demande si elle a raison. Puis-je réellement aller mieux si je le souhaite assez fort ?

Je ferme les yeux et fais claquer mes talons ensemble, lentement, trois fois. Ça ira bien. Ça ira bien. Ça ira bien. J'ouvre les yeux et j'aperçois l'étoile Polaire qui brille au-dessus de moi, la seule visible dans le ciel de la ville. Me sentant ridicule, je scelle mon vœu sur l'étoile et me dirige vers chez moi.

De retour dans mon nouvel appartement, je parcours les pièces vides qui me renvoient l'écho de mes pas, en essayant de déterminer où je dormirai. Le gars qui m'a cédé son bail a laissé son lit et son divan. Je me demande sur lequel il est moins sinistre de me coucher. J'opte pour le divan et vais à la salle de bains pour me brosser les dents. Je sors la monnaie de mes poches de jeans, avec la carte de Blythe & Compagnie. Je glisse mes doigts sur les lettres en surimpression et je sens la curiosité s'emparer de moi. « Arrangements sur mesure ». Ça semble si formel, démodé.

Devrais-je téléphoner pour savoir ce qu'ils font? Si c'est une agence de rencontre, devrais-je l'utiliser? Non, ce serait ridicule. Est-ce que je ne viens pas tout juste de décider qu'il me fallait rester seule? Exactement, c'est ce que j'ai décidé. Donc, je serai seule. Et ensuite, je trouverai un nouvel homme, le bon, toute seule.

Je jette la carte dans la direction où se trouvait la poubelle de mon ancienne salle de bains. Elle s'abat sur les tuiles de céramique dans un claquement aigu. Je la ramasse et la lit de nouveau. Je ressens le même frisson que plus tôt dans la soirée. Quelque chose dans cette carte semble porter chance, comme le message de ce biscuit chinois que j'avais ouvert qui disait: «Vous êtes né pour écrire», et qui est maintenant encadré au-dessus de mon bureau au magazine *Twist*.

J'ai besoin de quelque chose qui porte chance en ce moment.

J'insère la carte dans le cadre noir du miroir au-dessus du lavabo blanc.

Ça ne peut pas faire de mal de la garder encore quelque temps.

CHAPITRE 2

C'EST TOUJOURS
LA MÊME HISTOIRE

J'appelle Blythe & Compagnie deux mois et dix-sept jours après avoir trouvé la carte sur le trottoir.

Pourquoi, mais pourquoi est-ce que je fais ça?

Eh, bien ... vous vous souvenez du vœu que j'ai fait sous l'étoile Polaire devant le White Lion? Il semblerait qu'il ait réussi à changer ma chance. Pour le pire.

Tout a commencé quand j'ai croisé un de mes ex, Tadd.

C'était environ six semaines après ma rupture avec Stuart. Grâce à une volonté de fer, j'avais réussi à ne pas lui adresser la parole pendant tout ce temps. Je m'étais plutôt évertuée à passer à travers les trois premières étapes du deuil d'une relation: le «Bon-débarras», le «J'ai-pris-la-bonne-décision-hein?» et le «Peut-être-que-je-devrais-l'appeler-pour-voir-s'il-va-bien?», pour finalement adopter le «Je-serai-seule-le-restant-de-mes-jours-et-c'est-parfait-comme-ça».

J'avais passé la fin de semaine à retravailler mon livre, en fonction de la tonne de commentaires envoyés par mon agente littéraire. J'avais du mal à effectuer les changements qu'elle me demandait et, arrivée au dimanche, je me sentais déçue de moi-même et déconnectée. La constante pluie froide et le fait que j'avais passé toute la fin de semaine en pyjama ne m'aidaient probablement pas. Lorsque j'ai entendu le météorologue dire qu'il allait neiger, j'ai décidé d'aller m'acheter un nouveau manteau d'hiver. Mon ancien semblait avoir disparu au cours du déménagement. En espérant que ce soit la dernière fois que je doive envoyer deux hommes baraqués chercher mes affaires à ma place.

Correction : je n'aurai plus *jamais* à faire ça. C'est compris, Anne ? Bien. Continuons.

Donc, ce jour-là, je me baladais dans le Banana Republic lorsque j'ai carrément foncé dans Tadd. Le souffle court, j'ai levé le regard sur ses yeux bleus, bleus, bleus. J'ai absorbé chaque détail de son visage, la façon dont son chandail gris avec un col en V tombait parfaitement sur ses épaules droites, et j'ai senti mon estomac se nouer. Puis, je me suis rendu compte de qui il s'agissait. En fait, j'ai réalisé qui c'était quand Tadd a dit :

– Anne, allo !

Comment ce bel homme connaissait-il mon nom ? Je l'ai regardé de plus près.

– Ah. Tadd. Allo.

– Ça fait longtemps.

Ça faisait longtemps, en effet. J'avais vingt-quatre ans quand on s'est rencontrés. Je travaillais pour un petit hebdomadaire. Le propriétaire avait engagé Tadd comme avocat lorsqu'une grosse compagnie avait proposé d'acheter le journal. Tadd avait passé quelques jours dans les bureaux pour en apprendre plus sur l'entreprise et c'est moi qui avais été assignée à la tâche de lui montrer les lieux. Il était le plus bel homme que j'avais vu depuis la fin de mes études et je me suis assurée qu'il sache que j'étais libre et intéressée. Nous nous sommes fréquentés pendant plus d'un an et je l'ai quitté, pour une raison qui m'échappait en ce moment.

– Oui, ça fait longtemps.

– Oui.

– Alors, ai je dit après une longue pause, qu'est-ce que tu fais de bon?

– La routine... le travail... l'entraînement...

Pendant que Tadd blablatait sur sa vie, je me suis souvenue pourquoi j'avais rompu avec lui. Il est l'homme le plus ennuyant de la planète. En fait, si je suis totalement honnête, je dirais que la seule chose intéressante à propos de Tadd est à quel point il est attirant.

Mon Dieu, comment ai-je fait pour sortir avec lui aussi longtemps? N'y avait-il vraiment que son physique qui me liait à lui? Qu'est-ce qui n'allait pas avec moi?

Dans le brouillard de son blabla, je l'ai entendu dire: «Et je me suis marié l'an dernier.»

– Pardon?

– Je me suis marié l'an dernier. Ma femme est en train d'essayer des vêtements à l'arrière.

Il a gesticulé en direction des salles d'essayage.

– Tu es marié?

Je me suis sentie bizarre, comme si j'avais encore le souffle court.

– Ça va?

J'ai tenté d'avoir l'air calme.

– Ça va.

– Tu as l'air pâle.

Tentative ratée.

– C'est la maladie du magasinage, je pense. Je déteste les centres commerciaux.

– Ah, oui?

Merde. Tadd adore le magasinage, et dans les premiers temps de notre relation, nous avions passé plusieurs fins de semaine dans des magasins comme celui-ci, à essayer des vêtements et à sourire quand les vendeuses nous disaient à quel point nous formions un joli couple. Tadd a l'air encore plus beau dans un miroir de magasin que dans la vraie vie et j'aimais le regarder sous cet angle, légèrement déformé. Mais ça n'aurait servi à rien de lui expliquer cela. Je n'arrive même pas à me l'expliquer à moi-même.

– Oui, quand je suis fatiguée. J'ai eu une grosse semaine.

– Ah, bon. OK.

– Alors, dis-moi, comment as-tu rencontré ta femme?

Son visage s'illumine.

– Elle est avocate dans le même bureau que moi …

J'essayais d'avoir l'air intéressée, mais tout ce à quoi je pensais, c'est que le Roi de l'Ennui était marié et que moi, j'étais toujours célibataire. Bon, peut-être qu'elle en avait après son argent. Hum, non, elle est aussi avocate et elle en gagne autant que lui. Bon, peut-être qu'elle est aussi ennuyante que lui et qu'elle n'a pas su trouver mieux. Oui, il fallait que ce soit ça!

Sans vouloir m'attarder plus longtemps pour le savoir, j'ai dit au revoir à Tadd et je suis sortie rapidement du magasin, la tête dans la brume, en oubliant complètement mon nouveau manteau d'hiver.

Plus tard ce soir-là, j'étais encore perturbée en allant à la rencontre de mon ami William, qui est aussi éditeur au magazine *Twist*, dans un bar glauque du centre-ville. Il vit à quelques rues de là, dans un condominium ultramoderne construit dans une ancienne usine d'emballage de viande. William insiste pour dire que son quartier est en voie de changer, pour le mieux. Mais comme ce n'est pas encore le cas, je me suis assurée que le taxi s'arrête juste en face de la porte du bar. J'ai tenté d'ignorer les adolescents aux chandails surdimensionnés et aux culottes tombantes qui semblaient guetter l'arrivée imminente de policiers.

À l'intérieur, le bar était sombre et un peu kitsch. Une chanson de Steve Earle montait d'un juke-box sorti des années cinquante, et les tables étaient faites de morceaux de bois grossièrement équarris. Le barman en service était un homme charpenté, dans la cinquantaine, avec un bras entièrement tatoué. Il y avait quelques bouteilles d'alcool fort à moitié vides sur une étagère derrière lui. L'air avait une odeur d'arachides et de bière éventée.

La prochaine fois, je rencontrerai William dans mon quartier.

J'ai commandé une pinte de Harp et l'ai apportée à la table de William, tout près du juke-box. Il portait un chandail marine avec un imprimé blanc sur le devant. Comme toujours, ses cheveux couleur paille se dressaient dans les airs.

– Yo, A.B., quoi de neuf?

– Est-ce que tu as encore le droit de parler comme ça à ton âge?

Il a levé ses yeux vert vif au ciel.

– Wow, merci de me faire sentir heureux de mes trente-six ans.

– Merde, c'était ton anniversaire?

– Je suis pas mal certain de t'avoir vue manger deux morceaux de gâteau lorsqu'on m'a fêté au bureau il y a deux jours.

J'ai souri.

– En fait, c'étaient trois morceaux.

– Les autres filles doivent te détester.

– Ça leur arrive, des fois.

J'ai avalé une bonne gorgée et j'ai essuyé la mousse sur ma lèvre supérieure. J'ai fixé le liquide ambré dans mon verre, regardant la lumière des plafonniers danser à sa surface.

– Qu'est-ce qui se passe, Anne ? Tu as l'air... morose.

– J'imagine que moi aussi je sens le poids de mon âge ces temps-ci.

– À cause de Monsieur Infidélité ?

C'est le nom qu'il a donné à Stuart depuis la rupture.

– Oui, ça et ... je ne sais pas... Est-ce qu'il t'arrive parfois de croire que tu vas demeurer célibataire le restant de ta vie ?

William a soupiré.

– Je sens que je vais regretter de t'avoir posé la question, mais... dis-moi, qu'est-ce qui se passe, vraiment ?

J'ai repensé à la confusion et à mon souffle court lorsque j'ai appris que Tadd était marié. Au fait que j'ai déjà eu ce sentiment auparavant. Et que peut-être que c'était la raison pour laquelle je n'avais pas quitté Stuart plus tôt.

– J'ai l'impression que je ne rencontrerai jamais l'homme avec qui je suis censée être. Je crois toujours l'avoir rencontré, mais au final, ça ne fonctionne jamais.

– Combien de fois ça t'est arrivé de penser ça ?

– Quatre.

– Ça fait beaucoup, quand même.

– Je sais.

William a pris une pleine poignée d'arachides dans le bol devant lui.

– Peux-tu m'expliquer une chose ? Pourquoi les femmes pensent-elles toujours qu'il y a un homme en particulier avec qui elles sont censées être ?

– Les hommes ne pensent pas comme ça ?

– Euh, non.

– Pfff.

– Alors, m'a-t-il demandé de nouveau, vas-tu m'éclairer ? J'ai haussé les épaules.

– Je ne connais pas l'excuse des autres, mais moi, je blâme ma mère.

Il a éclaté de rire.

– Évidemment.

– C'est *elle* qui m'a nommée d'après le personnage principal d'*Anne... la maison aux pignons verts.*

– Et alors ?

– Alors... Porter le nom d'un personnage d'une histoire d'amour prédestiné est la recette parfaite pour croire que la vie doit imiter l'art, et encore plus quand tu lui ressembles aussi physiquement.

J'avais un ton moqueur, mais il s'agit quand même un peu de la vérité. Je ressemble vraiment à Anne de *La maison aux pignons verts* (cheveux roux, yeux verts, teint pâle, des taches de rousseur sur le nez), et j'ai vraiment grandi en pensant que l'homme parfait pour moi existait, que ce n'était qu'une question de temps avant que je ne le rencontre.

– C'est seulement un livre, Anne, a dit William, pragmatique.

– Je sais, mais… tu ne crois pas que ce genre d'histoire peut parfois arriver dans la vraie vie?

– Tu es un cas désespéré, tu sais ça?

– Tu n'as pas besoin de me le rappeler.

Malgré mes meilleures intentions, je n'arrivais pas à me débarrasser du sentiment d'être en train de rater ma vie. Et ça s'est aggravé lorsque je suis tombée par hasard sur John, l'homme que j'essayais d'oublier quand j'ai commencé à fréquenter Stuart.

John et moi nous sommes rencontrés à mes débuts au magazine *Twist*, il y a six ans. *Twist* est un mensuel urbain. C'est John qui écrivait les articles de fond. Moi, j'étais contente du seul fait d'y posséder un bureau. J'ai remarqué John dès ma deuxième journée, quand je l'ai croisé dans la salle des photocopieuses. Il ressemblait tellement au prochain James Bond potentiel qui posait en couverture ce mois-là que mon cœur n'a fait qu'un bond. Quelques semaines plus tard, j'ai fait des recherches pour son article sur les candidats à la mairie. Ç'a cliqué entre nous, on s'est mis à flirter, et peu de temps après, nous sortions ensemble.

Il m'a laissée deux ans plus tard. Le jour de mon anniversaire. Apparemment, l'engagement n'était pas son fort. En fait, il n'a jamais fréquenté une fille plus de deux ans. C'est ce qu'il appelait avec charme sa «date de péremption».

Ça n'a pas été joli. Une de ces ruptures remplies de «Mais pourquooooi? Je ne compreeeennds paaaas!» Et il n'avait pas d'autre réponse que: «Je t'ai dit que je n'étais pas un adepte des relations à long terme.» «Mais, tu as diiiit que tu m'aimaaaais!», etc., etc., jusqu'à ce qu'il me convainque pour de bon qu'il n'allait pas changer d'avis et que je déménage sur le canapé de Sarah. Peu de temps après, on lui offrait un poste d'éditorialiste au *Daily Chronicle*. Je ne l'ai pas revu depuis.

Un mois s'était écoulé depuis ma rencontre inopinée avec Tadd et j'étais en retard pour terminer la rédaction d'un article. Je tiens la chronique de consommation du magazine depuis un an. L'article était au sujet des liseuses de livres numériques. Je n'arrivais pas à trouver un angle. En fait, la vérité est que j'attends encore le moment où la vie ressemblera à ce qu'on voyait dans *Les Jetsons*.

J'ai croisé John à l'extérieur du café situé au coin de ma rue. Je portais mes vieux jeans délavés, un chandail trop grand (qui appartenait probablement à Tadd) et une casquette de baseball. Cette fois, c'est moi qui l'ai reconnu.

– John ! Allo !

Ça lui a pris un peu de temps pour faire le lien.

– Anne... Je ne t'ai presque pas reconnue.

Pourquoi, mais pourquoi fallait-il que je tombe sur lui habillée comme ça ? Et évidemment, lui, il avait l'air parfait avec sa veste de chasse beige.

J'ai ajusté ma casquette de baseball nerveusement.

– Ah, je suis juste venue me chercher un café. Je suis en pleine séance d'écriture. Et toi, comment vas-tu ?

– Ça va...

Il a levé sa main gauche pour replacer ses cheveux. De magnifiques cheveux noirs, épais. J'ai suivi le mouvement de sa main. Et c'est là que j'ai remarqué un éclair de platine.

– Tu es marié ?!

– Ben oui. Pas toi ?

– Non, je ne suis pas mariée.

– Désolé. Je croyais qu'on m'avait dit que tu l'étais.

Il a entendu dire que j'étais mariée! Peut-être qu'il a entendu ça et que ça lui a brisé le cœur et qu'il a ensuite épousé la première fille qui s'est pointée, par pur dépit, et que...

– La Terre appelle Anne.

Il a secoué sa main baguée devant mes yeux.

– Désolée, j'étais dans la lune pendant un instant. Ça fait longtemps que tu es marié?

– Trois ans.

– Trois ans?!

Plusieurs personnes ont tourné la tête vers nous au son de ma voix aiguë.

– Anne, calme-toi.

– Tu te fous de moi ou quoi? ai-je dit, avec exactement le même ton de voix.

Ses yeux bleu poudre affichaient désormais de l'irritation.

– C'est quoi ton problème?

– *C'est quoi mon problème?* Monsieur Je-romps-avec-les-gens-le-jour-de-leur-anniversaire me demande c'est quoi mon problème?

Le ton de ma voix montait d'un cran à chaque battement de mon cœur.

– Peux-tu parler moins fort?

– Tu me niaises?!

Il avait l'air honteux.

– Écoute, Anne, je suis désolé si je t'ai fait du mal, et crois-moi, j'ai eu des regrets à propos de cette histoire d'anniversaire, mais il manquait quelque chose entre nous. Pas comme maintenant avec Sasha. Je suis désolé d'être aussi cru, mais c'est la vérité.

Je savais exactement ce qu'il voulait dire. Je ne connaissais pas Sasha, ni quoi que ce soit concernant leur relation, mais lui et moi, nous n'étions pas faits l'un pour l'autre. Ça n'allait pas au-delà de la surface. Ce qui semble être mon problème, d'ailleurs. Ces foutues belles surfaces qui font monter mon rythme cardiaque tout en ralentissant celui de mon cerveau.

– Alors, tu as rencontré la bonne fille et tu as soudainement été prêt à t'engager?

– Oui.

– C'est aussi simple que ça?

– L'amour n'a pas besoin d'être compliqué, Anne, m'a-t-il répondu en essayant d'avoir l'air éloquent et sage.

Peut-être qu'il *était* vraiment sage et éloquent. Ou peut-être qu'il était totalement hypocrite. Mais son alliance, elle, était réelle. Il était vraiment marié.

– Il y a un homme pour toi quelque part, Anne.

– Ben oui. C'est sûr.

Son téléphone cellulaire a sonné. Il l'a sorti de sa poche et a regardé le numéro. Puis, il a eu ce sourire dévastateur, heureux. Ça m'a donné des papillons dans le ventre même s'il ne m'était manifestement pas destiné.

Il m'a fait signe de patienter quelques instants.

– Allo, bébé.

Mon cœur s'est glacé. Il avait l'habitude de m'appeler «bébé» en utilisant ce même ton de voix.

– Oui, j'arrive dans quelques minutes. Je viens de croiser Anne, on se donne des nouvelles.

Je viens de croiser Anne? Pas d'explications sur qui je suis, ni de cachette non plus. Tellement frustrant. Je ne pourrais pas au moins être un secret qu'il aurait eu à garder?

John a éteint son téléphone.

– Je dois y aller, mais c'était super de te revoir.

– Vraiment?

– Bien sûr. Je me suis souvent demandé ce que tu étais devenue.

– Ça semble si formel.

– Désolé. Tu vois ce que je veux dire.

Je ne le voyais pas vraiment, mais j'ai laissé tomber.

– Eh bien, je m'occupe de la chronique consommation maintenant, et j'ai déniché une agente littéraire pour mon livre. Tu sais, le livre que j'avais commencé quand...

Mon Dieu, j'avais l'air d'une imbécile !

– C'est super, Anne.

– Et j'ai eu d'autres amoureux depuis toi...

Correction: j'avais l'air d'une *idiote*, désespérée et pathétique.

– Bien sûr que t'en as eu.

– Ce que je veux dire, c'est que je ne t'ai pas attendu pendant tout ce temps.

– Une chance, parce que j'ai été un salaud.

– Oui, tu as été un salaud.

Il a souri.

– Tu vois, on arrive à s'entendre sur quelque chose.

– On dirait que oui.

– Alors, on reste amis?

Ses pieds s'agitaient, anxieux de s'éloigner pour de bon.

J'ai croisé ses yeux oh-si-bleus, et j'ai senti ma colère fondre. Peut-être que c'était une excuse, mais pourquoi ne pas lui pardonner? Ce n'était pas vraiment sa faute si ça n'avait pas fonctionné entre nous. Il m'avait parlé dès le début de sa « date de péremption ». J'étais celle qui avait été assez stupide pour croire qu'elle ne s'appliquerait pas à moi.

– Oui, on reste amis.

Il a eu l'air soulagé.

– Je suis content. Prends soin de toi.

Il m'a pris dans ses bras un petit moment et je l'ai regardé s'éloigner jusqu'à ce qu'il soit avalé par la foule. Ensuite, je me suis tout de suite dirigée vers le bureau de Sarah. J'ai réussi de justesse à contenir ma crise de nerfs jusqu'à ce qu'elle referme la porte derrière nous.

– Il ne voulait pas me marieeeeeer. C'est quoi mon problèèèèèèème? ai-je gémi doucement.

– Tu n'as pas de problème, Anne.

Je me suis mouchée bruyamment.

– Alors, pourquoi je me retrouve toujours toute seule?

– Tu devrais peut-être plutôt te demander pourquoi tu choisis toujours le mauvais gars.

– D'accord, docteur, pourquoi je choisis toujours le mauvais gars?

Elle a fait une grimace.

– Je ne sais pas, mais tu réalises que c'est ce que tu fais, non?

– Eh bien, ce serait difficile de ne pas m'en rendre compte puisque je semble être prise dans un engrenage du genre *Le Jour de la Marmotte*.

– Je n'ai jamais compris l'attrait de ce film.

– Moi non plus.

– Alors, qu'est-ce que tu vas faire pour t'en sortir? m'a demandé Sarah, toujours aussi pragmatique.

– Essayer de ne pas flancher pour le premier venu aux yeux bleus et aux cheveux noirs qui me sourit ?

Elle s'est mise à rire.

– Ça serait peut-être un bon début.

Quelques semaines plus tard, je suis au travail en train d'écrire un article sur une série de nouveaux téléphones cellulaires censés révolutionner le monde des communications. Mon poste de travail, délimité par des panneaux de tissu beige, est enseveli sous les notes et les brouillons. J'ai déjà avalé trois tasses de café extrêmement corsé et je n'arrive pas à arrêter le mouvement nerveux de mes jambes sous mon bureau. L'ambiance est remplie du cliquetis des claviers d'ordinateur, des sonneries de téléphone et des voix de mes collègues. Des bruits que j'arrive normalement à ignorer.

La sonnerie de mon téléphone me fait sursauter.

– Yallo.

Je n'entends qu'un charabia incompréhensible.

– Sarah, c'est toi ?

Encore du charabia.

– Sarah, tu vas bien ? Je n'arrive pas à comprendre ce que tu me dis.

– *J'ai dit* : Mike et moi sommes fiancés. Mike et moi sommes fiancés !

Je n'ai jamais entendu Sarah si fébrile, sauf lorsqu'elle est sous l'influence de beaucoup d'alcool.

– Wow ! dis-je, de manière enthousiaste, mais me sentant de nouveau un peu nauséeuse.

– Je sais ! C'est fou, hein ?

– C'est *vraiment* fou. Dis-moi tout. Je veux connaître tous les détails.

– Eh bien…

J'essaie de me concentrer, mais alors qu'elle me raconte le moment le plus romantique de sa vie, mon mal de cœur s'accentue. Et je ne peux pas m'empêcher de me demander si un jour j'appellerai Sarah pour lui parler de manière incompréhensible du moment le plus romantique de ma vie.

Mon Dieu, pourquoi je m'en fais autant avec ça? Pourquoi ai-je besoin d'être avec quelqu'un, d'être mariée? J'ai une carrière, de bons amis. Pourquoi n'est-ce pas assez? Est-ce si déraisonnable de vouloir un peu plus? De vouloir ce que tant de gens ont? Je veux avoir une connexion permanente avec quelqu'un qui m'aime. Je veux des enfants. Et pas seule, pas comme une super-maman-de-la-banque-de-sperme. Je veux des enfants qui sont des produits dérivés de moi et de celui que j'aime. Voir le coude ou la forme de l'épaule de mon homme en miniature, peu importe qui il est. Si jamais je peux le trouver.

Après avoir raccroché le téléphone, je me dirige vers la salle des employés dans une sorte de brume, à la recherche de quelque chose de fort à boire. Avec ma tasse fumante, je m'appuie contre la vitre froide et fixe les édifices devant moi. Le faible soleil de novembre se reflète sur le métal et la vitre. Quelques feuilles mortes virevoltent près de la fenêtre.

Ma meilleure amie se marie! Je devrais être souriante, heureuse, déjà en train de planifier une super fête pour elle, mais plutôt, *plutôt*, je retourne à mon poste de travail et compose le numéro que j'ai fini par mémoriser, à force de le regarder tous les soirs en me lavant le visage.

Une femme avec un accent d'outre-Atlantique impeccable me répond.

– Blythe & Compagnie.

Je baisse le ton, de façon à ne pas me faire entendre par la chroniqueuse mode qui a toujours le nez fourré partout. On la surnomme la «nazie de la mode» à cause de sa tendance à juger tout le monde.

– Euh, oui. J'appelle pour un rendez-vous.

– Vous êtes intéressée par un arrangement?

– Je pense que oui.

Les paroles d'une vieille chanson anglaise me viennent en tête. *I wanna man, I wanna man, I wanna mansion in the sky.*

– Eh bien, nous avons de la place demain à quatorze heures. Ça vous convient?

– Combien de temps dure le rendez-vous?

– La première rencontre dure une heure environ.

Je vérifie mon agenda.

– Ça me convient.

– C'est donc confirmé.

– Parfait. Merci.

Je m'apprête à raccrocher quand j'entends à travers le combiné qu'elle me parle encore.

– Pardon?

– J'ai dit, est-ce que vous pouvez me donner votre nom, s'il vous plaît?

– Bien sûr, désolée. Mon nom est Anne Blythe.

Elle est silencieuse au bout du fil. Puis, elle reprend.

– Blythe?

Est-ce que les gens donnent de faux noms aux agences de rencontre? Et si je donnais un faux nom, serais-je assez stupide pour utiliser le même que celui de l'agence?

– Oui, c'est bien ça.

– D'accord, mademoiselle Blythe, nous vous attendons demain à quatorze heures.

J'ajoute le rendez-vous à mon agenda. En raccrochant, je me sens à la fois nerveuse et excitée. Je fais tournoyer ma chaise jusqu'à ce que je sois étourdie, comme quand j'étais petite.

I wanna man, I wanna man, I wanna mansion in the sky.

CHAPITRE 3

DE L'AUTRE CÔTÉ DU MIROIR

Le lendemain, à deux heures, je monte dans l'ascenseur ultramoderne de la Telephone Tower qui me conduit au vingtième étage. Lorsque les portes s'ouvrent, je suis les indications pour Blythe & Compagnie en marchant sur le tapis moelleux du corridor. Je m'arrête devant les portes en verre de l'agence et regarde à l'intérieur. Il n'y a personne, sauf une réceptionniste qui travaille devant un immense écran d'ordinateur couleur argent. Elle a des cheveux bruns et lisses, et porte un tailleur marine sur mesure. Elle correspond parfaitement à l'opulence du décor. Je suis contente d'avoir choisi ma plus belle jupe noire et mon chemisier vert qui s'agence bien à mes yeux.

Je prends une grande inspiration avant de pousser les portes.

– Bonjour, je suis Anne Blythe. J'ai un rendez-vous.

Elle a le regard vide, à la limite de l'indifférence.

– Oui, bien sûr, mademoiselle Blythe. Vous allez rencontrer mademoiselle Cooper. Elle sera avec vous dans une minute. Asseyez-vous ici, en attendant.

Elle m'indique la salle d'attente.

Je m'assois sur une chaise grise en cuir. Je prends un *Atlantic Monthly* dans la pile de magazines posée sur la table à café en teck devant moi et commence à le feuilleter. Quelques minutes plus tard, j'entends une personne tousser et je lève les yeux. Une femme dans la mi-quarantaine se tient devant moi. Elle a à peu près la même taille que moi et elle est très mince, presque émaciée, avec des cheveux blond platine en chignon bien serré sur la nuque. Elle a les yeux bleu pâle et un petit nez fin.

– Mademoiselle Blythe?

Elle me tend la main.

– Je suis Samantha Cooper. Heureuse de vous rencontrer.

Je me lève et serre sa main. Elle est froide et sèche.

– Enchantée.

– Si vous voulez bien me suivre.

Nous passons par une porte dans le mur beige derrière la réceptionniste et suivons un long corridor jusqu'à un bureau qui occupe un coin de l'étage. Les murs sont entièrement vitrés et les stores sont relevés, offrant ainsi une vue spectaculaire sur le centre-ville et un pan de fleuve bleu-gris derrière lui. Je m'assois sur une chaise pendant qu'elle s'installe derrière son élégant bureau en bois d'acajou. Il est immaculé et presque vide, occupé seulement par un téléphone et un grand sous-main en cuir.

– Que puis-je faire pour vous, mademoiselle Blythe?

Son accent est difficile à identifier. Il est articulé, avec un soupçon de je ne sais quoi. Anglais? Français? Du sud? Je ne saurais dire.

– Eh bien, j'imagine que vous pourriez me trouver un homme à marier, dis-je, un peu à la blague.

– Bien sûr. C'est ce que nous faisons. Comment avez-vous entendu parler de nous ?

– En fait, c'est une drôle d'histoire...

Je lui raconte comment j'ai trouvé la carte de visite dans la rue et pourquoi je l'ai ramassée.

– Alors, Blythe, c'est votre vrai nom ?

– Oui. Est-ce que les gens donnent vraiment de faux noms ?

– Vous seriez surprise de ce que les gens font, mademoiselle Blythe.

J'imagine qu'elle doit rencontrer toutes sortes de gens bizarres. J'espère que l'agence les élimine dans le processus.

– Bien sûr, je comprends.

– Normalement, ce sont nos anciens clients qui réfèrent les nouveaux. Votre situation est plutôt... inhabituelle. En fait, je ne me souviens pas de la dernière fois où nous avons accepté quelqu'un qui n'avait pas été recommandé.

– Oh, OK, eh bien... si vous avez besoin d'une référence ou d'autre chose...

Qu'est-ce que je suis en train de dire ? Depuis quand a-t-on besoin de références pour utiliser un service de rencontre ?

– Merci de le proposer. Nous vous tiendrons au courant si nous en avons besoin.

– J'ai essayé de faire des recherches sur votre entreprise sur Internet...

– Et vous n'avez rien trouvé ? C'est normal, nous sommes très discrets. C'est l'une de nos politiques, et si vous utilisez nos services, nous vous demanderons de l'être également.

– Bien sûr. Alors, comment ça fonctionne, au fait ?

– Excusez-moi. D'habitude, nos clients sont familiarisés avec nos méthodes avant même de nous rencontrer. Nous commençons par une étude approfondie de l'historique des relations amoureuses ainsi que par des tests psychométriques. À partir de là, nous évaluons si vous êtes admissible pour utiliser nos services. Si vous l'êtes, nous mettons en œuvre notre expertise pour vous jumeler à quelqu'un.

Une évaluation pour être admissible?

– Vous refusez des gens?

– Tous les jours, mademoiselle Blythe.

Bizarre.

– Je ne savais pas que vos services étaient aussi exclusifs.

– C'est la seule manière d'avoir du succès.

– Et en avez-vous beaucoup, du succès?

– Nous avons un taux de réussite de l'ordre de quatre-vingt-quinze pour cent, dit-elle sur un ton neutre, comme si elle disait «le ciel est bleu».

– Wow.

– En effet. Vous comprendrez donc pourquoi nous ne pouvons accepter n'importe qui.

Oui. Ou peut-être que vous n'acceptez que les personnes qui acceptent tout ce qu'on leur propose.

– D'accord, mais des tests psychométriques? N'est-ce pas un peu extrême?

– Je vous assure que l'analyse psychologique est déterminante dans notre processus. Ainsi, nous ne choisissons que les personnes qui sont prêtes à s'engager et capables de faire face à la pression qui vient avec le genre de services que nous fournissons. Et bien sûr, ça permet d'éliminer les détraqués.

Elle sourit en prononçant ces derniers mots. Je suppose qu'elle fait la même blague chaque fois.

Je lui souris à mon tour.

– Cela semble bien sérieux.

– Croyez-vous que trouver un mari n'est pas une tâche sérieuse, mademoiselle Blythe ?

Je sais qu'il y a une bonne réponse à cette question, mais j'ai l'impression que tout ce que je dis depuis le début de la rencontre est incorrect. J'essaie de changer de sujet.

– Alors, quelle est la prochaine étape ?

– Eh bien, une fois que la question du tarif sera réglée, vous pourrez prendre un rendez-vous pour les tests.

– Et quel est votre tarif ?

– Désolée. Je présumais encore que vous le saviez. Le tarif est de dix mille dollars.

J'en ai le souffle coupé.

– Dix mille dollars ? N'est-ce pas un peu dispendieux pour des services de rencontre ?

– Services de rencontre ? Oh non, mademoiselle Blythe, nous ne sommes pas une agence de rencontre. Nous offrons un service de mariage arrangé.

Trente minutes plus tard, je suis sur le trottoir, tirant sur le col de ma chemise pour essayer de respirer. Entourée des bruits de klaxon et de changement de vitesse des camions, je n'arrive plus à me rappeler ce dont j'ai convenu dans le bureau de Mlle Cooper. Tout ce que je sais, c'est que je tiens dans mes mains une brochure remplie d'information et de statistiques, et que j'ai un rendez-vous demain pour mon évaluation psychologique. Juste à y penser, mon cerveau s'emballe. Un mariage arrangé ? *Un mariage arrangé ?* C'est impossible. Non. C'est IM-POS-SI-BLE.

J'aurais besoin d'une cigarette et d'un verre, mais ce n'est plus socialement acceptable pour les journalistes de boire et de fumer au travail. D'ailleurs, je suis certaine que le taux de productivité a diminué de moitié depuis ce changement de politique. Mais bon, ce n'est pas ça le problème.

Je passe le reste de la journée à tenter de faire une recherche sur des produits nettoyants bons pour l'environnement, mais je me mets plutôt à *googler* «mariages arrangés» et à scruter chacun des résultats. En Amérique du Nord, les mariages arrangés semblent limités aux mauvaises émissions de télé-réalité avec de beaux célibataires dans la vingtaine, mais dans plusieurs autres pays, c'est une pratique toujours en cours. Et pas seulement dans le pays où la femme n'a pas le droit de vote. Un grand nombre de femmes indiennes éduquées, par exemple, ont recours au mariage arrangé. Et si le taux de divorce est un bon indicateur, il semble que ce type de mariage soit plutôt solide.

Pendant que je trie les différents sites sur le sujet, séparant les faits des fictions délirantes, des bribes de ma conversation avec Mlle Cooper me reviennent en tête. Elle m'a expliqué qu'une des raisons du tarif élevé était le voyage dans un tout-inclus compris dans le forfait. Après plusieurs expérimentations (je n'ai pas eu le courage de lui demander ce que cela signifiait), ils ont découvert que de garder le mystère était la meilleure solution. Apparemment, dans notre société obsédée par l'amour, il est plus acceptable de marier un parfait étranger sur un coup de tête pendant ses vacances que de le faire délibérément. D'où la nécessité d'aller dans un tout-inclus.

Elle a aussi parlé de l'obligation de suivre une thérapie, que cela faisait partie du processus. Un an de thérapie de couple était le strict minimum recommandé. Pour aider les nouveaux mariés à gérer la « transition » et à intégrer la « philosophie de l'amitié » dans le mariage. C'était une des principales raisons pour lesquelles le service avait autant de succès.

Puis, elle a dit que je ne pourrais pas voir une photo de *lui* avant de le rencontrer.

– Pas de photo ?

– Non, m'a-t-elle fermement répondu.

– Pourquoi ?

– Parce que nos attentes romantiques sont souvent basées sur l'idée de ce que nous croyons être attirant. Si vous voyez une photo de l'homme que nous vous avons choisi et qu'il n'a pas le physique que vous espériez, vous ne serez jamais véritablement ouverte au processus et vous serez plus susceptible d'échouer. Nous croyons que le mariage basé sur l'amitié, avec une expérience et des buts communs, est ce qui fonctionne le mieux à long terme.

– Je ne pourrai pas le voir avant de l'épouser ? Mais je vais le voir après : si mon problème est que je me base trop sur les apparences, qu'est-ce qui va changer après le mariage ?

– *Vous* allez changer, m'a-t-elle répondu avec assurance.

– Je vais changer ?

– Oui.

– Comment en êtes-vous si certaine ?

– Le simple fait que vous soyez ici signifie que vous êtes déjà en train de changer. Et ce processus va continuer tout au long de vos séances de thérapie, avant et après le mariage.

Je ne lui ai pas dit que j'étais venue pour obtenir une *date* et non un mari. Mais en y repensant calmement à mon poste de travail, j'ai senti un déclic. Peut-être que je *peux* changer. Je sais qu'il le faut.

Est-ce possible? Ont-ils vraiment un taux de succès de quatre-vingt-quinze pour cent? L'amour est-il un leurre, une simple distraction? Est-ce qu'attendre que le grand amour frappe à ma porte est ce qui me retient d'obtenir ce que je veux?

Je mets de côté ces pensées. Un mariage arrangé est hors de question. Parce que ça coûte dix mille dollars. Parce que c'est complètement fou. Parce que je ne vais pas épouser un parfait étranger. Parce que le mariage, c'est censé être basé sur l'amour.

Non?

Après le travail, je rejoins Sarah dans un restaurant indien situé dans le lobby d'un hôtel équidistant entre son bureau et le mien. Nous y mangeons une fois par mois. C'est un peu kitsch comme endroit – des murs de couleur terre cuite et jaune safran, recouverts de photos agrandies du Taj Mahal –, mais leur *saag* d'agneau est le meilleur en ville.

Comme d'habitude, Sarah est là avant moi, assise à une table illuminée par l'immense aquarium encastré dans le mur. Je la surprends à admirer la façon dont la lumière bleutée est reflétée par sa bague de fiançailles.

– D'accord, d'accord, je suis une vraie fille, s'excuse-t-elle en riant d'elle-même.

– Je n'en ai jamais douté. Maintenant, montre-la-moi comme il faut.

Elle tient sa main timidement devant moi. C'est un magnifique diamant de forme carrée, juché sur un anneau en platine. Très Sarah.

– Elle est magnifique. Parfaite.

Elle la regarde encore une dernière fois avant de poser sa main sur sa cuisse.

– Oui, vraiment.

– Alors, raconte.

– Je t'ai déjà tout raconté.

Je sais, mais je n'écoutais pas parce que j'étais trop préoccupée par le fait que personne ne veuille m'épouser.

– Dis-le-moi en personne. Raconte-moi tout.

– D'accord… Tu te souviens que notre première *date* était au restaurant portugais, sur la rue Elm ?

– Oui, je m'en souviens.

– Donc, il m'a invitée là-bas à nouveau en recréant notre premier souper. Il se souvenait de chaque petit détail : les entrées que nous avions prises, le vin, l'endroit où nous étions assis… Puis, vers la moitié du repas, il a commencé à agir de façon bizarre, à renverser son verre d'eau, ensuite son vin, à tousser constamment, comme s'il avait quelque chose de coincé au fond de la gorge. J'ai même commencé à penser qu'il allait me quitter.

– Sarah, tu n'as pas *vraiment* pensé qu'il allait te quitter ?

Elle opine de la tête.

– Je te le jure, je le pensais vraiment. J'étais même en train de me demander comment j'allais réagir, si j'allais demeurer calme ou faire un esclandre dans le restaurant.

– Et pour quelle option penchais-tu le plus ?

– Rester calme.

– Évidemment.

Elle me tire la langue.

– Et donc…, lui dis-je pour l'inciter à continuer.

– Donc, j'étais en train de paniquer quand tout à coup, il a posé un genou par terre, a pris ma main et m'a dit qu'il ne pouvait pas imaginer sa vie sans moi. Puis, il m'a dit : « S'il te plaît, deviens ma femme. »

Les larmes lui montent aux yeux et j'ai moi-même une boule dans la gorge.

– Continue.

– Il a sorti la bague, et je me suis mise à pleurer. Tout ce que j'arrivais à faire, c'est « oui » de la tête pendant qu'il enfilait la bague sur mon doigt. Puis tout le monde dans le restaurant a applaudi.

Sarah rougit. Elle qui est si discrète, je suis surprise que Mike l'ait demandée en mariage dans un endroit public.

– Oups…

– Non, c'était bien. J'ai été agréablement surprise. Je pensais que je détesterais une demande en public. Mais non, vraiment pas.

Elle tourne sa bague autour de son doigt, l'air pensif.

– C'est merveilleux, Sarah. Je suis vraiment contente pour toi.

– Merci. Bon, assez parlé de moi. Quoi de neuf dans ta vie ?

J'ai un flash-back de ma conversation avec Mlle Cooper, mais c'est hors de question que j'en parle à Sarah. Elle ne ferait que me dresser la longue liste de raisons pour lesquelles je ne devrais pas utiliser ce service, et je peux très bien faire cela moi-même.

– Oh, pas grand-chose.

– Qu'est-ce qu'il se passe avec ton livre ? As-tu fait les changements ?

– Oui, enfin.

– Quelle est la prochaine étape ?

– Je dois attendre des nouvelles des éditeurs à qui Nadia a envoyé mon livre.

Nadia est mon agente littéraire. Elle a accepté, il y a six mois, de représenter mon livre intitulé *À la maison*, auprès des éditeurs. Il s'agit des histoires entrecroisées d'un groupe d'amis du secondaire et de ce qui leur arrive lorsqu'ils retournent chez eux dix ans plus tard pour leurs retrouvailles. Au cœur de l'intrigue, il y a une histoire d'amour, entre Lauren et Ben, des amoureux du secondaire qui se sont perdus, mais qui risquent fort bien de se retrouver.

Elle me regarde avec compassion.

– Ça doit être insupportable d'attendre comme ça.

– J'essaie de ne pas y penser.

– Et comment tu y arrives?

Je souris.

– Comme tu t'en doutes, c'est-à-dire en vérifiant constamment ma boîte vocale et mes courriels.

– Ne t'en fais pas. Je suis convaincue que ce sera un grand succès. Il est génial, ton roman.

Il m'arrive de la croire, les jours où j'ose penser que mon roman est peut-être bon. Les jours où j'ai envie de passer le manuscrit dans la déchiqueteuse, je suis convaincue qu'elle essaie seulement d'être gentille.

Je surprends Sarah à regarder sa bague de nouveau.

– Heureuse?

– Plus que je ne l'aurais imaginé.

J'étire mon bras au-dessus de la table et je lui serre gentiment la main.

– Je t'aime, Anne.

– Moi aussi, je t'aime.

Et soudainement, je me dis que l'amitié est peut-être suffisante.

En revenant à la maison, j'ai les cheveux qui sentent le cumin et l'estomac plein à craquer. Je m'écroule sur le divan louche de l'ancien locataire que j'ai recouvert d'une housse verte de chez Pottery Barn. Il est presque confortable. Dès que j'ai de l'argent de côté, c'est la première chose que je jetterai aux poubelles.

Je passe au travers de ma pile de courrier, principalement constituée de factures et de dépliants publicitaires. Mais il y a aussi une enveloppe rouge vif contenant une carte de Noël de mon amie Janey. C'est une amie de l'université avec qui j'ai perdu contact récemment. C'est quelque chose que j'ai remarqué depuis ma rupture : j'ai beaucoup moins d'amis qu'avant. Quand j'ai commencé à fréquenter Stuart, nous avions à peu près la même vie qu'à l'université. On travaillait la semaine et on s'amusait durant la fin de semaine. J'avais l'impression que ce serait comme ça pour la vie. Pourtant, entre le moment où Stuart a remarqué mes prouesses avec le Jack Daniel's et celui où j'ai lu ses courriels, tout a changé. Janey, Nan et Susan se sont mariées et ont eu des enfants. Et malgré leur promesse solennelle de ne jamais vivre dans un endroit où on ne peut pas se faire servir d'alcool après onze heures, elles ont toutes quitté la ville pour la banlieue. Janey vient d'avoir un bébé, un petit garçon prénommé Tanner. C'est son visage rond et parfait qui me sourit sur la jolie carte. *«Joyeuses Fêtes! de la part des Jenners»*, dit la carte. *«Regarde tout ce que j'ai réalisé pendant que tu perdais ton temps avec un bon à rien d'infidèle!»* crie-t-elle.

Tanner Jenner. Pauvre enfant.

Je jette la carte sur la table à café et je m'enroule dans une couverture de flanelle. Je commence l'autobiographie d'André Agassi, *Open*. Une demi-heure plus tard, je suis totalement absorbée par ma lecture, comme je l'ai rarement été ces derniers temps.

Je suis surprise par la sonnerie du téléphone.

– Yallo.

– Tu ne peux pas répondre au téléphone comme une personne normale ?

– Allo, maman. Es-tu encore en train de regarder *CSI* ?

– Comment le sais-tu ?

Parce que je peux l'entendre en arrière-plan, comme d'habitude.

– Coup de chance. Pourquoi est-ce que tu m'appelles durant ton programme ?

– J'ai déjà vu cet épisode-là.

– Pourquoi tu le regardes alors ?

– Je n'ai rien de mieux à faire.

– Que puis-je faire pour toi ?

– Je n'ai pas le droit d'appeler ma fille juste pour jaser ?

Je me sens agacée sans raison. Je réagis souvent comme ça avec ma mère.

– Bien sûr que tu peux, maman. C'est juste que tu n'as pas l'habitude de le faire.

– Eh bien... J'ai parlé à ton frère ce soir.

– Quoi de neuf dans la vie de Gil ?

Eh oui. Non seulement ma mère m'a nommée Anne Shirley Blythe, mais elle a nommé mon frère aîné Gilbert, d'après le prétendant d'Anne de *La maison aux pignons verts*. C'est un miracle que je n'aie pas eu besoin de thérapie intensive. Jusqu'à maintenant.

– Cathy est enceinte !

Rien de surprenant. Mon frère s'est marié à vingt-huit ans, a eu son premier enfant un an plus tard, et deux autres ont suivi depuis. J'ai maintenant trois nièces, et cette quatrième grossesse suit parfaitement le programme. Toute la famille me donne la nausée, probablement par jalousie, mais je prétends le contraire.

– Quelle surprise.

– Tu n'as pas à être sarcastique. Tu devrais davantage être comme ton frère, tu sais.

– Je sais que tu penses ça.

– Que veux-tu dire ?

– Que ce n'est pas tout le monde qui doit se marier et avoir des enfants, maman.

Même si c'est exactement ce que je désire, il n'est pas question que je le lui avoue. Je ne sais pas pourquoi, mais ç'a toujours été comme ça entre nous.

Elle soupire.

– Préfères-tu demeurer seule toute ta vie ?

– Bien sûr que non.

– Alors ?

– Que suis-je censée faire ? Ce n'est pas comme si j'avais choisi d'être seule.

– Ce n'est pas le cas ?

– Que veux-tu dire par là ?

– Tu n'es pas mariée. Tu ne fréquentes même pas quelqu'un.

– Et c'est ma faute ?

– Je n'ai jamais compris ce qui clochait chez tes anciens copains. C'est toi qui es trop difficile.

De manière rationnelle, je sais que c'est parce que j'ai omis de lui raconter mes histoires d'horreur qu'elle pense comme ça, mais, quand même, il y a une limite.

J'essaie de garder un ton de voix calme, mais c'est tout le contraire de ce que je ressens.

– C'est tellement injuste. Ce n'est pas parce que je ne te raconte pas pourquoi mes relations ne marchent pas que ça veut dire qu'il n'y a pas de vraies raisons. Pourquoi présumes-tu que tout est ma faute?

– Et Stuart, lui?

Je m'accroche au cordon du téléphone.

– Quoi, Stuart?

– Il ne semblait pas avoir de problème.

– Stuart était un salopard infidèle et un menteur.

Elle inspire bruyamment.

– Tu n'es pas obligée d'être vulgaire, Anne.

– Désolée.

– Comment voulais-tu que je le sache? Tu ne nous dis jamais rien.

Hum. Je me demande pourquoi.

– Je ne vous dis pas certaines choses parce que je n'ai pas envie de toujours me sentir jugée.

– C'est injuste. Tu sais que nous t'avons toujours appuyée.

Je sens qu'elle est blessée, au bord des larmes.

Merde.

– Ne t'en fais pas avec ça, d'accord?

Elle renifle.

– Je ne veux pas que tu te retrouves toute seule, Anne. Je veux ton bonheur, c'est tout.

– Je sais, maman. Moi aussi, c'est ce que je veux.

– Tu veux te marier ?

– Oui.

 Et avoir des enfants ?

– Oui. Peut-être pas autant que Gil, mais au moins deux.

– Si tu as une fille et un garçon, tu pourras les appeler Diana et James.

Ce sont les noms de deux des enfants d'Anne de *La maison aux pignons verts*. Ma mère est *obsédée*.

– Je les appellerai comme je veux, maman.

– Bien sûr, ma chérie. Je te faisais seulement une suggestion.

– D'accord.

– Vas-tu téléphoner à Gil pour le féliciter ?

– Oui.

– Tu es *vraiment* heureuse pour eux, n'est-ce pas ?

– Oui.

– OK. Bon, je vais te laisser maintenant.

– D'accord. Bonne fin d'émission.

Je raccroche le combiné plus rudement que nécessaire. Je contemple la possibilité d'appeler Gil, mais je finis par repousser mon appel au lendemain. Je dois rassembler suffisamment d'enthousiasme pour lui faire mes félicitations, et je n'ai pas la tête à ça en ce moment.

À la place, je lis quelques chapitres de plus avant de me coucher. Normalement, je m'endors rapidement, mais ce soir mon esprit est trop fébrile. Aussi fou que cela puisse paraître, je ne peux m'empêcher de me demander si Blythe & Compagnie a les réponses que je cherche depuis toujours ? Est-ce que le simple fait d'y penser fait de moi une folle ?

Mais, peut-être que c'est exactement pour obtenir ces réponses que j'ai trouvé cette carte. Peut-être que quelqu'un, ou quelque chose, essaie de me montrer la voie. Essaie de me donner un signe.

Le seul problème, c'est que je ne crois pas aux signes.

Peut-être que je devrais lire la brochure que Mlle Cooper m'a donnée. Elle m'a dit que j'y trouverais peut-être plusieurs réponses à mes questions. Je la récupère dans mon sac à main et je me recouche dans mon lit chaud. La première section décrit la «philosophie de l'amitié» dans le mariage. Ensuite viennent les témoignages de couples jumelés grâce à Blythe & Compagnie qui expliquent comment la thérapie les a aidés à se connecter et à changer la façon superficielle qu'ils avaient de choisir leurs partenaires. Je regarde les sourires satisfaits sur les photos prises sur la plage et je suis leur évolution au fil des cinq, dix années suivantes, avec les bébés, l'achat de maisons et leur belle vie ensemble. Je me demande si ça pourrait être moi sur ces photos.

Lorsque je referme la brochure et que j'éteins la lumière, je me sens plus calme. Peut-être que c'est possible après tout. Peut-être que je peux enfin trouver *la* bonne personne, quelqu'un avec qui je puisse être heureuse. De toute manière, ça ne peut pas faire de mal de continuer jusqu'à l'évaluation psychologique. Peut-être que ça pourra fonctionner.

Peut-être, peut-être, peut-être.

CHAPITRE 4

JE, ME, MOI...

Le lendemain, je me retrouve de nouveau assise sur l'une des deux chaises grises en cuir, face au bureau de Mlle Cooper. Ses cheveux platine sont coiffés en un chignon torsadé, parfait, ne laissant dépasser aucun cheveu rebelle, ce que je n'ai jamais pu accomplir avec les miens. Il y a quelque chose chez elle qui m'intimide, mais je n'arrive pas à mettre le doigt dessus.

– Pouvez-vous me dire encore en quoi consistent ces tests? dis-je en appuyant sur la gaze posée dans le pli de mon coude.

Une infirmière en uniforme vient tout juste de prendre un échantillon de mon sang. Elle s'éloigne avec les petits tubes remplis de sang rouge épais qu'elle a mis dans une mallette.

– Les tests sanguins servent à s'assurer que les candidats n'ont pas d'ITS et pour faire une analyse génétique de base. Ensuite, vous allez remplir un questionnaire sur votre passé, votre historique familial ainsi que vos relations amoureuses, afin que nous puissions déterminer si vous êtes prête à entamer le processus. Puis, nous procéderons à une analyse psychologique plus approfondie pour déterminer votre type de personnalité. Ces deux derniers tests seront utilisés pour vous trouver un mari.

Comment saurez-vous si je suis prête pour le processus ?

Je résiste à l'envie de mimer des guillemets alors que je prononce le mot «processus».

– Eh bien, comme je vous le disais hier, une des conditions préalables est d'avoir eu au moins six échecs amoureux dans le passé. Nous avons déterminé qu'autrement les gens n'étaient pas réellement prêts à se détacher de leur conception romantique de l'amour.

Lui ai-je dit hier que j'avais eu six relations amoureuses ? J'ai dû le faire, mais je ne me souviens même pas qu'on en ait discuté. Le pouvoir anesthésiant d'un choc extrême.

– Oui, bien sûr, dis-je en espérant qu'il s'agisse de la bonne réponse.

– Vous allez en apprendre davantage là-dessus lorsque vous serez en thérapie.

– D'accord.

– Pouvons-nous commencer ?

– Oui.

Elle tousse poliment avant de poursuivre.

– Mademoiselle Blythe, vous vous souvenez sans doute que nous exigeons un premier versement avant de pouvoir commencer.

Un premier versement ? Merde. De combien ça peut être ? Je n'ai pas les dix mille dollars, et même si je les avais, je ne les donnerais certainement pas à Mlle Cheveux Parfaits. Et qu'arrive-t-il si j'échoue au test ou s'ils ne me trouvent pas de candidat compatible ? Vont-ils me rembourser si ce qu'ils me proposent ne vaut pas un clou ?

Relaxe, championne.

– Je ne me souviens plus du montant à payer aujourd'hui, dis-je en me sentant nulle.

– Le premier versement est de cinq cents dollars. Si vous réussissez l'évaluation psychologique, le deuxième sera de deux mille cinq cents dollars. Le reste sera payable lorsque nous vous aurons trouvé un candidat.

Je plonge ma main dans mon sac pour en retirer mon chéquier.

– Acceptez-vous les chèques?

– Bien sûr.

Je pose le chéquier sur son bureau et lui fais un chèque. Je le fixe durant une seconde avant de le lui tendre. Cinq cents dollars pour savoir si je suis assez saine pour faire la chose la plus folle dont j'ai jamais entendu parler. Dois-je considérer cela comme une aubaine?

– Merci. Alors, vous êtes prête?

Elle me conduit au bout du couloir, dans une pièce munie d'un simple bureau en verre. Sur ce dernier se trouve un questionnaire. Il a l'air épais, comme si les questions qu'il contient allaient être difficiles. J'ai l'impression que je m'apprête à passer les examens d'admission à l'université pour une deuxième fois. «*L'amour est au mariage ce que ...*» Je n'ai jamais été bonne dans ce type de questions.

Je m'installe sur la chaise et lance un coup d'œil à Mlle Cooper. Je me sens toute petite et nerveuse.

– Y a-t-il une limite de temps pour répondre?

– Non, mademoiselle Blythe. Prenez tout le temps dont vous avez besoin. Vous n'avez qu'à appuyer sur ce bouton si vous avez besoin de moi.

Elle m'indique un bouton jaune sur le mur.

– Je vous suggère de bien lire les instructions.

Elle quitte la pièce en refermant la porte doucement derrière elle. J'ouvre le cahier d'examen et je commence à le remplir.

Nom : *Anne Shirley Blythe*

Âge : *33*

Date de naissance : *29 octobre*

Taille : *1 m 70 cm*

Poids : *57 kg*

Cheveux : *Roux*

Longueur des cheveux (courts, moyens, longs) : *Longs*

Couleur des yeux : *Verts*

Emploi : *Journaliste/écrivaine*

Employeur : *Magazine Twist*

Nombre d'années à cet emploi : *6*

Scolarité et domaine d'études : *Bac en littérature*

Avez-vous déjà été propriétaire d'une entreprise : *Non*

Avez-vous déjà songé à démarrer une entreprise : *Non*

Loisirs : *Lecture*

Sports : *Tennis*

Avez-vous des frères et sœurs ? *Oui*

Si oui, indiquez le nom, l'âge et l'emploi de chacun : *Frère, Gilbert, 35 ans, avocat*

Vos parents sont-ils encore mariés ? *Oui*

À quel âge vos parents se sont-ils mariés ? *Mère 27 ans, Père 28 ans*

À quel âge vos parents ont-ils eu leur premier enfant ? *Mère 28 ans, Père 29 ans*

Emploi de la mère : *Femme au foyer*
Emploi du père : *Courtier en assurances*

Les questions sont interminables et sans ordre logique. Dans quel type de maison ai-je grandi ? Dans quel genre de rue ? Combien d'écoles primaires et secondaires ai-je fréquentées ? Est-ce que j'avais beaucoup d'amis, enfant ? Ça continue comme ça longtemps, jusqu'à la série finale de questions, qui portent toutes sur mes préférences sexuelles. La pièce me semble soudain chaude et étouffante, et je me demande si je peux sauter cette partie-là... C'est un *mariage* arrangé, donc c'est vrai que le sexe en fera partie, mais... merde. Relaxe, Anne ! Tu réagis comme Sandra Dee en chemise de nuit qui sait qu'un gros méchant avec une face de prédateur l'attend dans la pièce d'à côté.

D'accord. Alors. Je prends une grande inspiration, et j'essaie de me calmer. Ça finit par fonctionner, et je passe au travers de ces questions embarrassantes. La partie difficile terminée, je lis la question suivante :

Décrivez chacune de vos anciennes relations amoureuses et les raisons pour lesquelles elles se sont terminées. Soyez le plus objectif possible. Décrivez chaque personne physiquement. Donnez les détails de votre rencontre, de la durée de la relation, en spécifiant s'il y a eu cohabitation, si vous avez été mariés ou fiancés, etc., etc., etc.

Aïe ! Mlle Cooper a dit que je devais avoir vécu au moins six échecs amoureux pour me qualifier. Est-ce vraiment obligatoire ? Et pourquoi ça le serait ? Qu'est-ce que ça peut bien faire si j'en ai seulement eu quatre ou cinq, ou aucun ? L'amour n'est pas une science. Et puis, tout ceci n'est pas à propos de l'amour de toute façon. Je suis censée oublier l'amour. Mais elle a dit qu'il m'en fallait six. Merde! Je vais échouer, c'est certain. À moins que ... J'invente des trucs tout le temps. Je peux le faire ici aussi.

J'écris les détails sur mes vrais ex et j'insère deux relations fictives, une avec «Brian», et une autre avec «Seth». L'aspect physique est facile à imaginer et je varie les autres détails en pigeant çà et là dans l'historique de mes vraies relations. Mon enthousiasme grandit au fur et à mesure que je remplis les feuilles. C'est comme écrire une nouvelle. Je m'imagine dans ces relations avec deux hommes fictifs et comment je me suis sentie quand nous avons rompu. Je décide que j'ai laissé Brian parce qu'il ne voulait pas d'enfant, mais que Seth a rompu avec moi en laissant toutes mes affaires en pile sur le trottoir, sans explication. Ce maudit Seth. J'en ai la gorge nouée tellement ça sonne vrai.

Bon, Anne, tu exagères vraiment là.

J'ai des crampes dans la main, comme au temps de l'université où j'écrivais frénétiquement dans le cahier d'examen, tentant d'y mettre le condensé de tout ce que j'avais appris dans le semestre. Je termine avec Stuart et je révise ce que je viens d'écrire. Cela résume tout ce que je connais de l'amour. Je me demande ce que le fait de ne pas avoir demandé un deuxième cahier dit sur moi.

Je prends la deuxième partie du questionnaire, celle de l'évaluation psychologique. Je lis les instructions: *Répondez aux questions le plus honnêtement possible. Il n'y a pas de bonne ou de mauvaise réponse. Répondez de manière instinctive et ne changez pas les réponses subséquemment. Répondez «oui» ou «non» à chaque question. Vous devez répondre à toutes les questions. Devant une question difficile, choisissez la première réponse qui vous vient à l'esprit.*

Le test est rempli de questions du genre «D'habitude, êtes-vous davantage préoccupée par les événements présents que futurs?» (*Oui*) et «Avez-vous de la difficulté à exprimer vos sentiments?» (*Non*) Certaines semblent vraiment banales, alors que d'autres sont d'importantes questions existentielles: «Êtes-vous préoccupée par l'avenir de l'humanité?» (Je dois répondre oui, n'est-ce pas? Qui n'est pas préoccupé par l'avenir de l'humanité?) D'autres encore sont des questions standards sur la personnalité: «Êtes-vous sociable?» (*Oui*); «Êtes-vous spontanée?» (*Non*); «Aimez-vous les nouvelles expériences?» (*Non*). Merde. Est-ce que cette dernière réponse va me disqualifier? Tant pis, je continue.

La question suivante me fait éclater de rire: «Avez-vous tendance à être émue par les comédies romantiques?» (Réponse embarrassante: *Oui*.) Non mais! Qu'est-ce que ça vient faire là-dedans?

La prochaine question me laisse pensive: «Avez-vous l'habitude de vous fier à vos instincts?» Je finis par répondre. *Non*, mais la vraie réponse, c'est: *Il faudrait que j'arrête de le faire.* Soupir.

Et enfin, la dernière question. La raison pour laquelle je suis ici: «Êtes-vous prête à vous engager avec quelqu'un?» (*Oui*). Je souligne ma réponse, même si la personne qui va me corriger va probablement penser que je dis n'importe quoi, que je n'ai pas répondu de manière instinctive ou sans respecter les instructions de départ.

Je me sens nerveuse en terminant le questionnaire. Est-ce vraiment suffisant pour me trouver un mari? Un historique personnel et la réponse par l'affirmative ou la négative à une cinquantaine de questions sur ce que j'aime ou non et si j'ai beaucoup d'amis? Ça ne semble pas assez.

Vont-ils me jumeler à quelqu'un qui a le même profil que moi, ou opposé, ou partiellement semblable? Et puis, qui fait l'analyse? Un humain ou une machine? J'aurais dû être plus attentive hier quand Mlle Cooper parlait

Mais j'ai retenu un point important: un taux de succès de quatre-vingt-quinze pour cent.

Je referme le cahier de réponses et je lisse le rebord pour l'aplatir. J'appuie sur le bouton jaune fixé au mur. Une minute plus tard, Mlle Cooper entre dans la pièce.

– Oui?

– J'ai terminé.

– Déjà? Avez-vous répondu à toutes les questions?

Je regarde ma montre. Le test m'a pris au total quatre-vingt-dix minutes.

– Combien de temps les gens prennent-ils pour répondre d'habitude?

– Généralement, plus de deux heures.

– J'ai toujours fini mes examens avant tout le monde à l'école, dis-je en me sentant aussitôt stupide d'avoir dit ça.

– D'accord, mademoiselle Blythe, c'est très bien. Voulez-vous venir avec moi?

De retour dans son bureau, je lui demande quelle sera la prochaine étape.

– Ça va prendre quelques semaines pour l'analyse de vos réponses. Si nous croyons que vous êtes prête à entamer le processus, nous vous le ferons savoir. Et dès que vous aurez fait le deuxième versement, nous commencerons à chercher le candidat parfait pour vous.

– Ça peut prendre combien de temps?

– Ça peut aller jusqu'à six mois.

– Six mois!

Elle fronce les sourcils.

– Les maris ne poussent pas dans les arbres. Nous ne sommes pas là pour vous trouver une *date*, mais bien la personne avec qui vous pourrez bâtir votre vie.

– Oui, bien sûr. Je comprends.

– Plusieurs de nos clients pensent comme vous, mademoi-selle Blythe. Mais je vous assure que le temps investi dans la recherche est nécessaire.

– Qui fait l'analyse ou décide de la compatibilité entre les personnes?

– Ce sont nos psychologues. Ils analysent les données à l'aide d'un programme informatique sophistiqué que nous avons nous-mêmes développé.

– Qu'arrive-t-il si vous ne trouvez personne?

– Vous n'aurez pas à faire le troisième versement.

– Et si vous trouvez quelqu'un, mais que ça ne fonctionne pas à long terme? Vais-je être remboursée?

– Non. Nous ne garantissons pas le résultat final. Si vous décidez de vous engager dans le processus, vous êtes l'unique responsable du succès ou de l'échec de votre mariage. Mais nous offrons plusieurs outils pour vous permettre de le réussir.

– Comme quoi?

– Nous verrons cela en détail si vous êtes admise pour la suite. Maintenant, je dois rencontrer un autre client.

Elle se lève pour me reconduire à la sortie.

– Puis-je vous poser une dernière question?

Elle dissimule bien sa frustration.

– Bien sûr.

– Depuis quand la compagnie existe-t-elle et combien de mariages avez-vous arrangés?

– Ça fait deux questions, mademoiselle Blythe, mais je vais y répondre. Blythe & Compagnie existe depuis quinze ans et nous avons jumelé environ deux mille cinq cents couples.

Elle se tient le dos bien droit en disant cela, comme si elle était personnellement responsable de l'existence de chacun de ces couples.

– Et quatre-vingt-quinze pour cent de ces couples sont toujours unis?

– Oui.

– Wow.

– En effet. Maintenant, si vous voulez bien m'excuser...

– Bien sûr, merci.

– Nous vous contacterons bientôt.

Je me lève et me dirige vers la porte.

– Mademoiselle Blythe.

Je me retourne pour lui faire face. Elle me regarde de façon intense.

– Je vous rappelle que vous avez accepté de garder confidentiel tout ce qui se dit ici.

– Oui, j'ai bien compris les règles.

Même si je voulais en parler, personne ne me croirait.

CHAPITRE 5

ESSAYEZ, POUR VOIR SI C'EST LA BONNE TAILLE

Quelques jours plus tard, assise à mon bureau, je travaille sur un article pour le prochain numéro. C'est un résumé des dernières tendances en matière d'électronique pour la maison qui s'intitule *Anne voit dans le futur*. L'ironie du titre ne m'échappe pas.

- Hé, A.B. ! me lance William en surgissant dans mon cubicule.

Il prend plaisir à me faire sursauter, quelques fois par semaine. Il a clairement de la difficulté à accepter ses trente-six ans.

- Quoi de neuf, Will. I. Am. ? dis-je.

Je fais une boule de papier avec mon dernier brouillon et le lance vers la poubelle, que j'ai placée juste assez loin pour que ce soit un défi.

- Et la foule est en délire alors que Blythe vient de réussir son troisième panier dans le même quart !

William se donne un air empathique.

- C'est un de ces matins, hein ?

- Tu parles.

Il déplace une pile de magazines pour s'asseoir sur ma chaise de visiteurs beige moche, et passe la main dans ses cheveux déjà ébouriffés. Il porte un chandail gris et des pantalons noirs qui flattent son physique longiligne.

Je pose une nouvelle feuille de papier sur mon bureau et la lisse du plat de la main avant de recommencer. Pendant que je mordille mon stylo, je remarque que William me lance un regard amusé.

– Tu sais à quoi ça sert, ce truc, sur ton bureau?

Il tape ses droits sur le dessus de l'écran de mon ordinateur.

– Se garder à jour sur les vedettes et leur style de vie?

– Sérieusement, A.B. Pourquoi écris-tu à la main?

J'y pense un instant.

– Ça doit être parce que mon père était féru de vieux films et que j'ai grandi en regardant *Les Hommes du Président*, et *Le Syndrome chinois*, et *L'Impossible Monsieur Bébé*...

– De très bons films.

– D'excellents films, dans lesquels tous les journalistes tapent leurs textes sur des dactylos qui font *clic clac clac, ding*! à la fin de chaque ligne. Et quand ça ne va pas, ils arrachent la feuille, la froisse et ...

– ... la jette au panier.

– Exactement.

Il secoue la tête.

– Tu es devenue journaliste pour pouvoir jouer au basket-ball avec des articles froissés?

– Non, mais c'est un des avantages.

– Pourquoi ne pas t'acheter une dactylo alors?

– As-tu déjà essayé de travailler avec ça? La moindre erreur, et tu dois tout recommencer. En plus, il n'y a pas de correcteur automatique, et tu sais à quel point je suis nulle en orthographe.

– Peux-tu me rappeler pourquoi je t'ai engagée au juste?

– À cause de mon sourire?

Il fait semblant de se frapper la tête.

– Ah, oui, bien sûr, c'est ça!

– Es-tu là pour une raison en particulier ou juste pour me taquiner?

– Les deux, en fait.

– Bon, peux-tu en venir au fait? J'ai un rédacteur en chef qui est à cheval sur les heures de tombée.

Ses yeux verts pétillent.

– Tu as su pour le départ de Larry?

Larry est le journaliste qui a remplacé John-je-laisse-ma-copine-le-jour-de-son-anniversaire aux reportages.

– Bien sûr.

Eh bien, il est parti sans terminer son dernier reportage, ce qui me laisse avec un énorme trou dans le prochain numéro.

Je sens l'excitation monter en moi.

– Et tu voudrais que ce soit moi qui le remplisse?

– Seulement pour le prochain numéro. Je vais afficher le poste demain.

Des reportages! Écrire à propos de vrais humains, plutôt que sur des objets achetés par des humains. Et c'est tellement plus payant. Non pas que j'écrive pour l'argent, mais ….

– Tu n'as pas besoin d'afficher le poste.

– Pardon?

– Allez, William. Donne-moi une chance.

Il n'a pas l'air convaincu.

– Je ne sais pas…

– Je suis prête pour ça, j'en suis certaine.

– C'est beaucoup plus de travail.

– Je sais très bien ce que ça implique. Allez, William, ne m'oblige pas à te supplier.

Un sourire se dessine tranquillement à partir du coin de sa bouche.

– Hum. Ça pourrait être intéressant à voir.

– Niaiseux.

– C'est gentil, ça.

– Alors?

– Alors. Que dirais-tu de ça: si tu t'en sors avec cette colonne, je te donne le poste.

J'ai l'impression que je vais exploser de joie. Je me retiens de lui sauter au cou. Il n'est pas trop du type «câlin» et en plus, si la «nazie de la mode» nous surprenait, elle risquerait de se faire des idées que je soupçonne déjà être dans sa tête.

– Merci beaucoup. C'est génial!

Il sourit.

– Ne va plus jamais dire que je ne fais jamais rien pour toi.

– Plus jamais. Sur quel sujet devrais-je écrire?

– Quoi? Ce n'est pas suffisant que je te donne le boulot, tu veux que je trouve un sujet à ta place? Tu veux vraiment que je te traite comme un bébé?

– Oh, merde.

– Quoi?

– J'ai oublié d'appeler mon frère pour le féliciter de sa nouvelle grossesse.

– Encore? Il est rendu à combien d'enfants? Dix?

– C'est seulement le quatrième, je pense.

– Peut-être que c'est lui que tu devrais interviewer.

– Ben oui, c'est ça.

Alors qu'il quitte mon poste de travail, je fais tournoyer ma chaise avec enthousiasme. Quand je finis de tourner, je regarde pour la millième fois mes courriels à la recherche d'un signe de vie de mon agente. En constatant qu'il n'y en a pas, je résiste à l'envie de lui envoyer un courriel dont l'objet serait « Alors? Alors? Alors? » et j'appelle mon frère à la place. Il travaille une centaine d'heures par semaine pour une usine d'avocats, à produire des conventions d'émission et des certificats d'action. Enfin, c'est ce que je pense. Je n'ai jamais trop porté attention aux détails de son travail.

– Gilbert Blythe.

– Wow. Tu as répondu à ton propre téléphone. Je ne pensais pas que tu pouvais encore le faire.

– Quoi de neuf, Cordélia?

C'est le nom qu'Anne de *La maison aux pignons verts* aurait voulu porter. Gilbert me torture avec ça depuis toujours.

– Arrête avec ça.

– Quoi? répond-il, en jouant aux innocents.

– Je t'ai dit de ne plus m'appeler comme ça.

Il rigole à l'autre bout du fil.

– J'imagine que maman t'a annoncé la grande nouvelle.

– Tu devrais te faire vasectomiser.

– Tu as quelque chose contre les grosses familles?

– Non. Je suis contente pour toi.

– Il y a de plus en plus de grosses familles, tu sais. Tu devrais peut-être essayer.

– Ha. Ha. Ha.

– Il y a sûrement une agence quelque part pour les personnes qui souhaitent avoir beaucoup d'enfants. Comme cette famille qu'on voit à la télé avec ses dix-neuf enfants. Réseau Contact version grand format.

J'ai une boule dans la gorge. Seigneur. Il a visé un peu trop juste.

À moins que... peut-être que je pourrais tourner ça à mon avantage. Peut-être que je peux en apprendre plus sur les mariages arrangés et faire avancer ma carrière.

– Est-ce ta façon subtile de me dire d'aller sur les sites de rencontre ?

– Es-tu en train de me dire que tu n'y es pas encore allée ? Je croyais que c'était comme ça que t'avais rencontré Stuart.

– Tu es une vraie machine à blagues, toi, aujourd'hui.

Peut-être que je pourrais écrire un article sur des femmes modernes qui choisissent d'avoir un mariage arrangé. Évidemment, je n'écrirais rien sur Blythe & Compagnie, mais je pourrais toujours retrouver ces femmes qui parlent de leur histoire sur Internet...

– Je fais mon possible, me dit Gilbert. Veux-tu venir souper à la maison la semaine prochaine ? Les filles te réclament.

– Oui, j'aimerais ça. Écoute, Gil, je dois te laisser. J'ai un article à remettre aujourd'hui.

– Pas de souci. Pour le souper, appelle Cathy pour arranger ça.

– Compte sur moi.

Deux jours plus tard, j'ai déjà un cartable plein d'informations sur le sujet et trois rendez-vous : un avec une courtière en mariage arrangé et deux autres avec des couples qui vivent dans ce type d'union.

Le bureau de la courtière est situé dans une petite boutique ayant pignon sur une rue pleine de restaurants et d'épiceries d'origine indienne. Je connais cette rue. C'est à quelques minutes de marche de l'appartement que je partageais avec Stuart (et qui est toujours le sien, je présume). Nous avions l'habitude de commander au restaurant indien qui se situe juste au coin. Les odeurs me rappellent trop de souvenirs, et je me sens furtive et stressée lorsque j'appuie sur la sonnette, même si, à cette heure, Stuart est sûrement loin d'ici, au travail.

Au son du déverrouillage de la porte, j'entre et découvre une toute petite femme à la peau ridée couleur chocolat, installée derrière un simple bureau, typique de ceux qu'on trouve chez Home Depot. Ses longs cheveux noirs parsemés de gris sont remontés en chignon d'institutrice. Elle porte un veston marine et une écharpe safran autour de son cou.

– Madame Gupta?

Elle me renvoie un large sourire.

– Vous devez être madame Blythe?

– Mademoiselle Blythe, oui.

– Ah, oui. Mademoiselle. C'est un mot ridicule, vous ne trouvez pas?

– Oui, je suppose.

– Voulez-vous vous asseoir? me demande-t-elle en me faisant signe de prendre place.

Je m'installe sur une des chaises de bureau noires lui faisant face. Je sors mon calepin de notes et mon stylo et les pose sur mes genoux.

– Alors, vous avez envie d'écrire un article sur nos services?

– Oui, c'est ça...

Je suis aussitôt distraite par la console média derrière elle. Il y a trois ordinateurs Mac avec des écrans géants quadrillés d'écrans plus petits sur lesquels apparaissent des vidéos *live* de femmes portant des écouteurs.

Mais que se passe-t-il donc ici?

Madame Gupta remarque mon regard et jette un coup d'œil derrière elle.

– Ah oui, ce sont mes petites abeilles de mariage.

– Pardon?

– Elles travaillent dans mon centre d'appel, au Bangladesh. Elles assurent le service à la clientèle.

Au cas où le mariage de quelqu'un se brise?

– Vous n'arrangez pas les mariages vous-même?

Elle me sourit.

– Avant, je m'en occupais personnellement. Mais maintenant, avec Internet, nous pouvons aider tellement plus de gens.

– C'est donc un gros marché, les mariages arrangés?

– Je suppose que oui, bien que nous préférions parler de « mariages planifiés ».

– C'est une question de... marketing?

– D'une certaine manière, oui. Nos jeunes sont très influencés par votre culture. Le « mariage arrangé » semble vieux jeu à certains; quelque chose que leurs parents et leurs grands-parents faisaient.

– Et c'est vraiment leur choix d'utiliser vos services?

– Évidemment, mademoiselle Blythe. Comme vous pourrez le constater par vous-même, nos jeunes clients savent faire leurs propres choix.

– Oui, d'ailleurs, je vous remercie d'avoir organisé ces rencontres.

– Je suis heureuse de pouvoir vous aider. Mais dites-moi, quel angle avez-vous l'intention de prendre pour votre article?

– Que voulez-vous dire?

Elle pose ses mains à plat sur son bureau. Un anneau en or bruni s'enfonce dans la chair de son annulaire gauche.

– Vous n'êtes pas la première journaliste à cogner à ma porte, Mlle Blythe. Cette idée d'article revient à la mode régulièrement et chaque fois une femme, parce que c'est toujours une femme, m'appelle pour avoir des informations sur le sujet. Et chaque fois, les articles sont identiques.

– En quoi sont-ils identiques?

– Ils ridiculisent ce que nous faisons ici.

Mes mains deviennent moites. Je sais exactement de quoi elle parle. Les nombreux articles qui se trouvent dans mon sac font presque tous dans la caricature, allant parfois jusqu'au mépris. Et jusqu'à tout récemment, c'est exactement comment, moi aussi, j'aurais abordé le sujet.

– Ça ne sera pas mon angle.

– Non?

– Je vous le promets. Je n'ai aucun intérêt à vous dénigrer, vous ou vos services, dans mon article.

Elle me sourit, mais son regard me dit: *nous verrons bien*.

Ensuite, je vais à la rencontre de monsieur et madame Singh. Dès les premiers instants, je sais que je ne vais rien trouver d'intéressant pour mon article, et qu'il n'y aura rien dans cette rencontre qui va écarter non plus l'odeur de folie qui flotte dans l'air depuis ma première rencontre avec Mlle Cooper.

Les Singh sont propriétaires d'une des épiceries situées sur la même rue que le bureau de Mme Gupta. Plus je m'approche, plus j'ai l'impression d'avoir déjà mangé là. Si je me souviens bien, il y a un petit comptoir où l'on sert des currys délicieux, quoique très épicés. Et assurément, mon nez commence à piquer dès que je franchis la porte.

Une clochette tinte au-dessus de ma tête, annonçant ma présence. La petite épicerie a quatre allées étroites, remplies d'emballages multicolores de produits importés. Un homme grand et costaud portant un turban rouge se tient derrière le comptoir, l'air très sérieux. Il a un de ces visages qui empêche de déterminer exactement son âge (quelque part entre trente-cinq et cinquante-cinq ans), et sa lèvre supérieure est recouverte d'une moustache noire. Une femme à l'allure beaucoup plus jeune — je lui donnerais vingt-trois ans — se tient tout près de la caisse. Ses cheveux sont partiellement cachés par un châle blanc transparent qui couvre aussi ses épaules.

– Madame Singh?

– Oui, répond son mari, d'une voix grave, sans accent.

Mes yeux demeurent fixés sur la femme encore un moment. Elle me sourit nerveusement, puis évite mon regard.

– Que désirez-vous? me demande l'homme.

– Êtes-vous monsieur Singh?

– Oui.

– Je suis Anne Blythe, la journaliste envoyée par madame Gupta.

Il détourne le regard, comme pour chercher dans sa mémoire.

– Ah, oui. Elle a appelé.

– Elle m'a dit que vous ne voyiez pas d'inconvénient à ce que je vous pose quelques questions?

– Oui.

– Est-ce un bon moment pour vous?

Il fronce les sourcils, comme s'il allait dire non, mais le magasin est vide et la rue est déserte. Peut-être que je suis la seule à penser comme ça, mais il me semble qu'à sa place je serais contente de briser la routine en discutant avec une journaliste. Ce magasin est vraiment déprimant.

– Mangez-vous ? finit-il par me demander.

– Pardon ?

– Avez-vous déjà mangé ce midi ?

Je lance un coup d'œil à la marmite bouillonnante derrière lui. Mon estomac fait des gargouillis.

– Je pourrais manger.

Il fronce de nouveau les sourcils, mais, cette fois, il hoche la tête. Je m'assois au comptoir en posant mon calepin sur le formica usé. Il s'active aux fourneaux, sans me demander ce que j'ai envie de manger. Je le regarde couper de la pâte et la transformer en ce que je reconnais être la forme du pain naan. Je sens quelqu'un près de moi. Madame Singh s'est approchée sans faire de bruit. Elle se glisse sur la chaise à côté de la mienne. Elle ne dit pas un mot, se contentant de sourire timidement.

Une fois le pain naan mis au four, M. Singh se tourne vers moi, les bras croisés sur sa poitrine.

– Il faut surveiller la pâte parce que ça cuit rapidement.

J'interprète cela comme une autorisation tacite à commencer l'interview, presto.

– Oui, d'accord. Alors, vous et madame Singh avez eu ce qu'on appelle un mariage... planifié ?

Mme Singh soulève sa main et la pose sur sa bouche pour la couvrir.

– Oui, c'est ça, répond M. Singh.

– Et pouvez-vous me dire pourquoi vous avez choisi cette option ?

– Je n'avais pas le temps de chercher une femme, me répond-il, sans l'ombre d'un sourire.

Super.

Et vous, madame Singh?

Elle paraît surprise que je m'adresse directement à elle.

– Je voulais aussi mari, dit-elle, hésitante. Je demande à mes parents et ils sont d'accord. C'est normal, la façon normale.

M. Singh émet un grognement et se tourne vers le four. Une vague de chaleur s'en échappe alors qu'il retire le pain naan doré à l'aide d'une large spatule en bois. Il plonge une louche dans la marmite bouillonnante et dépose une portion généreuse de son contenu sur une assiette de cuivre. Alors qu'il la pose devant moi, je sais que ce sera épicé, très épicé, beaucoup trop épicé pour que je puisse en manger.

– Pourquoi écrivez-vous cet article? me demande-t-il.

– Oh, eh bien, c'est quelque chose qui m'a toujours intéressée, la façon dont le mariage diffère selon les cultures...

– Vous... vous n'êtes pas ... mariée? me demande Mᵐᵉ Singh en soupirant doucement.

Moi aussi, j'ai envie de soupirer.

– Non.

– Vous allez manger? me demande M. Singh.

– Bien sûr. Ç'a l'air délicieux.

Je prends ma cuillère et la plonge dans le mélange brun rouge. Mon nez commence à piquer. Je sens que je vais éternuer d'une minute à l'autre, d'une seconde à l'autre...

Je lève ma main trop tard et j'éternue avec tellement de force que ce que je peux maintenant confirmer comme étant du vindaloo extrêmement piquant éclabousse l'écran de plexiglas qui me sépare de M. Singh. Je tends la main pour prendre une serviette, haletante, la peau en feu.

– À vos souhaits, me lance Mme Singh en cachant son sourire derrière sa main.

Après ma rencontre avec les Singh, je suis tellement découragée que j'annule presque mon dernier rendez-vous. Puis je repense à l'air incrédule de William quand je lui ai demandé ce poste et aux portes que ça pourrait m'ouvrir, et je me ressaisis.

Ashi Sharma, qui accepte de me parler sous le couvert de l'anonymat, vit avec son mari et ses deux enfants dans un appartement de deux chambres, près de chez moi. La première chose que je remarque lorsqu'elle m'ouvre la porte, c'est sa beauté. Elle a la peau couleur amande, des yeux brun pâle et une épaisse chevelure noire bouclée qui lui tombe sous les épaules. Elle porte des jeans confortables et un T-shirt avec des traces de main de bébé sur une épaule. Le bébé en question repose tranquille et heureux sur sa hanche.

Nous nous installons dans son salon ensoleillé, sur le divan encombré de jouets, pendant que son bambin de trois ans fait la course entre le salon et la salle à manger en criant. Je lui pose quelques questions de base avant d'entrer dans le vif du sujet. Elle me fait son historique. Elle est née à Mumbai, dans une famille de classe moyenne supérieure. À vingt-deux ans, elle obtenait une maîtrise à Oxford en littérature anglaise. Elle avait même un copain sérieux là-bas, un étudiant canadien au doctorat. Mais quand est venu le temps de se marier, elle a choisi la voie traditionnelle recommandée par ses parents. Je lui demande pourquoi.

– Vous savez, il m'arrive parfois de me poser la même question, me répond-elle d'une voix douce au parfait accent britannique. Même si j'ai grandi auprès de parents dont le mariage avait été arrangé, j'ai toujours pensé que c'était l'ancienne façon de faire. Puis, j'ai réalisé en vieillissant qu'on avait peut-être tendance à rejeter trop vite les anciennes valeurs parfois. Nous confondons la connaissance et la sagesse. Est-ce que mes amis mariés par amour étaient plus heureux que mes parents ? Je ne le crois pas. Ils me semblaient souvent paresseux en ce qui concerne leurs relations. Ils n'y travaillaient pas. Et dès que la passion des débuts retombait, ils étaient déçus.

– Quand avez-vous rencontré votre mari ?

– Eh bien, il était ici, et moi en Inde, alors nous avons d'abord correspondu. Nous nous sommes vus pour la première fois deux jours avant le mariage. Peut-être trois...

– Comment ça s'est passé ?

Elle déplace son bébé dans ses bras.

– En un mot ? Bizarre.

– Je peux imaginer.

– Oui, mais la situation a évolué rapidement. Nous avions tellement de choses en commun. C'est l'avantage de faire affaire avec une marieuse comme madame Gupta. Elle s'assure que tout concorde. La caste, la religion, les valeurs. Ce n'est pas seulement « Oh ! nous avons une fille pour vous, monsieur Sharma, très jolie en plus. »

Elle dit cette dernière phrase avec l'accent stéréotypé d'un vendeur ambulant, bossu.

– Une bonne marieuse voit passer des centaines de candidatures. Quand le choix revient aux individus, ça devient beaucoup trop aléatoire.

Je griffonne quelques notes.

– Alors, ce n'est qu'une question d'antécédents similaires ?

– Non, je ne pense pas. C'est évident que ça compte, mais... comment dire... dès le premier échange de courriels, j'ai senti une connexion avec mon mari, que je n'avais jamais sentie auparavant. Les mêmes choses nous indignaient ou nous faisaient rire. Je me suis mise à attendre ses courriels avec impatience, et après quelques semaines, nous nous renvoyions des messages sans arrêt, pendant plusieurs heures parfois. J'avais le sentiment d'être... comprise. Vous voyez ce que je veux dire ?

Je sens un frisson parcourir ma colonne vertébrale. Parce que je ne sais pas de quoi elle parle, mais je veux le savoir.

Je veux savoir.

CHAPITRE 6

AUTORISATION DE DÉCOLLER

Une semaine plus tard, je rédige mon article en toute vitesse. Il ne reste que deux heures avant la tombée. Mon bureau est enseveli sous les papiers froissés et j'ai une élongation à l'épaule, à force de lancer des brouillons dans ma corbeille. Mon téléphone sonne.

– Yallo.

– Êtes-vous Anne Blythe? me demande-t-on d'une voix froide et formelle.

– Oui, c'est moi-même.

– Je suis Karen, de chez Blythe & Compagnie.

J'en ai le souffle coupé.

– Oui?

– Pouvez-vous patienter? mademoiselle Cooper sera bientôt avec vous.

Je compte au moins vingt battements de cœur avant qu'elle ne prenne la ligne.

– Bonjour, mademoiselle Blythe. Je vous appelle pour vous informer de vos résultats.

– Vous les donnez par téléphone? Ce n'est pas un manquement au protocole?

– Mademoiselle Blythe, nous ne dirigeons pas une clinique.

La face faussement innocente de la «nazie de la mode» apparaît au-dessus de la cloison de tissu qui nous sépare. Je lui tourne le dos et couvre le téléphone avec ma main.

– Ah oui, d'accord…Alors, est-ce que je peux… vous savez… suis-je…

– Vos résultats sont positifs. Vous pouvez passer à l'étape suivante, si vous le désirez.

Mes résultats sont *positifs*? Ah oui, c'est une bonne chose dans ce cas-ci. Je pense. Crime. J'ai l'impression que ma poitrine va exploser.

– Super. Alors, c'est quoi la prochaine étape?

– Je peux vous voir demain pour en discuter, si vous le voulez. Et bien sûr, il y a aussi la question des honoraires.

– Oui, bien sûr. Deux mille cinq cents dollars, c'est bien ça?

Je m'étouffe presque en murmurant ce montant.

– C'est exact. Seriez-vous libre demain à onze heures?

J'accepte et nous raccrochons. Ma main reste sur le combiné, immobile.

Oh, mon Dieu. J'ai passé le test. Ça signifie peut-être que je suis prête, ou que je ne suis pas folle ou, à tout le moins, pas assez pour être disqualifiée de ce processus de fou. Et si je débourse deux mille cinq cents dollars de plus de mon argent durement gagné, je pourrai enfin savoir si l'homme pour moi existe.

– Des résultats de quoi? me demande la «nazie de la mode», avec sa voix nasillarde, en faisant de nouveau irruption au-dessus de la cloison. Sa chevelure en permanente mutation arc-en-ciel s'est arrêtée sur le rouge vif ce mois-ci. Es-tu malade?

Je lève lentement mon regard vers elle, avec une expression innocente sur le visage.

– Pas encore.

Elle lève ses sourcils surépilés en signe de déception.

– Ah.

Elle sort de mon champ de vision et je replonge dans ma panique là où je l'avais laissée. Car, si je veux poursuivre le processus, j'ai un petit problème. Correction : un *gros* problème. Je sors mon carnet de chèques et consulte mon dernier solde. C'est bien ce que je pensais. Il me reste un total de quatre mille deux cents dollars. Et j'en ai besoin pour mon loyer, mon épicerie et mes dépenses courantes. Je jette un coup d'œil au brouillon de mon article. Si je réussis cet article et si j'obtiens le poste, je pourrai peut-être assumer ce paiement. Si, bien sûr, c'est ce que je veux vraiment.

Et soudainement, je sais que c'est ce que je veux. Mais où vais-je trouver le reste de l'argent ? Je peux bien mettre mon épicerie et mes dépenses sur ma carte de crédit pendant quelques mois, mais les sept mille dollars supplémentaires n'apparaîtront pas par magie dans mon compte bancaire. Ça m'étonnerait que la banque accorde des prêts pour l'achat de maris.

Peut-être que Gil pourrait me les prêter ? Non, mauvaise idée. La dernière fois que je lui ai emprunté de l'argent, il a fait un calendrier de versements et m'a appelée tous les mois pour me rappeler que le paiement était dû. À la fin, nous avions presque arrêté de nous parler et je m'étais promis de vivre dans la rue plutôt que de lui emprunter de l'argent à nouveau. En plus, si je lui demande un prêt, je vais devoir lui dire ce que je compte en faire, et c'est hors de question. Je ne peux pas.

J'aperçois l'heure sur l'écran de mon ordinateur. Merde. Si je veux avoir une chance de faire quoi que ce soit, il faut d'abord que je finisse cet article, maintenant.

J'attrape mon stylo et compose les derniers paragraphes, avec le sentiment que tout va pour le mieux dans le monde de l'écriture, comme si les mots attendaient simplement que je les découvre. Je suis convaincue que William le jugera acceptable. Et si c'est le cas, j'aurai sûrement le poste aux reportages. Mlle Cooper n'a-t-elle pas dit que ça prenait six mois pour trouver le bon candidat? Alors, je n'ai qu'à payer deux mille cinq cents dollars maintenant et épargner le reste. De toute façon, il est grand temps que j'apprenne à économiser.

J'empile les pages de mon article devant moi et je commence à les retaper à l'ordinateur. Quand j'arrive à la dernière ligne, je murmure pour moi-même : *clic clac clac, ding* !

Quand je me présente au bureau de Mlle Cooper le lendemain, elle est plus taciturne que jamais. C'est une journée claire, ensoleillée. Il n'y a pas un nuage dans le ciel. Le soleil froid qui pénètre dans son bureau le rend encore plus sévère et moins accueillant, comme si cela pouvait être possible.

– Alors, je ne suis pas folle?

– Non, mademoiselle Blythe. Vous en doutiez?

Je ne sais pas ce qui fait baisser ainsi mon quotient intellectuel chaque fois que j'entre dans son bureau, mais ça commence à m'énerver royalement.

– Bien sûr que non, c'est seulement que…

– Vous devez quand même être un peu fêlée pour être ici en ce moment?

– C'est vous qui le dites.

– Trouvez-vous que ce que vous faites est fou ?

– Il faut admettre que c'est plutôt inhabituel, non ?

– Eh bien, oui, ça l'est, mademoiselle Blythe. Mais il faut parfois des moyens inhabituels pour obtenir des résultats.

– C'est vrai.

Sans oublier que les mariages arrangés ont constitué la norme pendant des siècles. L'amour romantique est une notion assez récente.

– Oui, c'est ce que dit la brochure.

Et mon article. Hum. Je me demande ce qu'elle va en penser de cet article. Tant pis. C'est trop tard, maintenant.

Ses lèvres dessinent presque un sourire.

– Avez-vous apporté le deuxième versement ?

Je sors le chèque que j'ai rempli un peu plus tôt et le lui donne. Elle le place dans une chemise beige à mon nom. *Blythe, Anne*. Recherche désespérément un mari. Alors qu'elle referme la chemise, je remarque qu'elle n'a pas de bague au doigt. Comment ai-je pu ignorer ce détail ? Être marié n'est-il pas un préalable pour travailler ici ?

– Mes résultats sont-ils dans la chemise ?

– Oui.

– Je peux les voir ?

Une expression de mépris traverse son visage.

– Dites-moi, mademoiselle Blythe, avez-vous fait des études avancées en psychologie ?

Mais comment fait-elle ? Si ça continue comme ça, mon quotient intellectuel va régresser jusqu'au point où je ne serai plus capable d'attacher mes souliers.

– Non.

– Alors, je ne vois aucune raison de vous montrer les résultats de vos tests.

– Je ne comprends pas. Essayez-vous de me décourager d'aller plus loin?

– Pourquoi dites-vous cela?

– Vous n'êtes pas très amicale.

– Je ne suis pas ici pour être votre amie, mademoiselle Blythe. Je suis ici pour vous trouver un mari.

– Je comprends, mais c'est quand même tout un acte de foi que vous me demandez d'accomplir. Je me serais attendue à ce que vous fassiez davantage l'éloge de vos services, que vous soyez plus cocardière, quoi.

Et vlan. Je n'ai pas passé mon enfance à lire le dictionnaire pour rien!

Elle n'a pas du tout l'air impressionnée.

– Je ne suis pas là pour vendre quoi que ce soit ou qui que ce soit, mademoiselle Blythe. Ni pour vous convaincre de faire quoi que ce soit dont vous n'ayez pas envie. C'est vous qui êtes venue à nous. Vous m'avez demandé de vous aider à trouver ce que vous n'arrivez pas à trouver par vous-même. Vous avez le choix d'utiliser nos services ou non. Vous avez passé le test et pouvez donc aller de l'avant. La décision vous revient entièrement.

– Je veux aller de l'avant, dis-je, avec une confiance dans la voix qui me surprend moi-même.

Elle me répond avec un sourire crispé.

– Bien. Donc, comme je vous l'ai expliqué précédemment, cela peut prendre jusqu'à six mois pour trouver un candidat compatible. Nous vous préviendrons quand nous l'aurons trouvé. Toutefois, vous allez commencer la thérapie dès maintenant. Vous pouvez prendre rendez-vous auprès de la réceptionniste. Vous avez d'autres questions ?

– Non, merci, ça ira.

Je me lève.

– J'attends votre appel.

Une semaine plus tard, je me sens extrêmement nerveuse en me rendant à mon premier rendez-vous chez le thérapeute. Son bureau est situé dans le même immeuble que Blythe & Compagnie, un étage au-dessous. L'atmosphère y est toutefois entièrement différente. Comparé aux bureaux de chez Blythe & Compagnie, où règne le verre, l'acier et l'antiseptique, le bureau du Dr Szwick ressemble à la maison d'une famille trop occupée pour maintenir l'endroit en ordre. Cette description s'applique également au Dr Szwick. Ses cheveux bruns et sa longue barbe ont besoin d'une bonne coupe, et sa chemise rayée ne semble pas avoir été repassée depuis la dernière fois qu'il l'a portée. Mais ses yeux noisette sont gentils. Ils pétillent d'intelligence et de quelque chose de plus, je ne saurais dire quoi exactement.

– Bienvenue, mademoiselle Blythe. Je peux vous appeler Anne ?

Il me fait signe de m'asseoir dans un large fauteuil moelleux en velours côtelé brun chocolat disposé face au sien. Je peux voir l'empreinte subtile laissée par la personne qui s'y est assise avant moi.

– Oui, bien sûr.

Je me perche sur le bout du fauteuil, les pieds fermement plantés sur le sol. De grands rideaux épais obstruent les fenêtres qui vont du sol au plafond. La pièce est éclairée par la douce lueur de quelques lampes sur pied. Je suppose que c'est censé mettre les clients à l'aise, mais ça ne fonctionne pas avec moi. Mon cœur bat à la vitesse de celui d'un petit oiseau et je me sens comprimée dans mes vêtements.

– Alors, vous avez décidé d'utiliser les services de Blythe & Compagnie ? dit le Dr Szwick en s'asseyant.

Il prend un calepin noir et y inscrit la date dans le coin gauche avec sa plume fontaine.

– Oui.

– C'est une drôle de coïncidence, pour le nom.

– C'est vrai.

– Est-ce que vous pensez être prête pour un mariage arrangé ?

À toi de me le dire, doc.

– J'imagine que oui.

Il me lance un regard indulgent.

– Anne, je sais que tout ça peut vous paraître embarrassant, mais vous allez devoir apprendre à vous relaxer.

– Que voulez-vous dire ?

– Vous êtes presque aussi loquace que mes adolescents quand je leur demande où ils sortent et avec qui.

– Désolée. Je me sens un peu nerveuse, c'est tout.

– Je comprends. Si vous le voulez bien, nous allons essayer quelque chose. Je veux que vous vous enfonciez dans le fauteuil de façon à ce que vos pieds ne touchent plus le sol. Allez-y.

Il me fait des petits signes de la main pour m'encourager.

Je m'enfonce avec réticence, jusqu'à ce que mes pieds pendent au bout du fauteuil.

– C'est mieux comme ça. Maintenant, comment vous sentez-vous ?

Comme si j'avais cinq ans. Et contrariée.

– Je ne sais pas.

– Oui, vous le savez. C'est écrit sur votre visage. Vous vous sentez comme une enfant et vous n'aimez pas ça, parce que les enfants ne contrôlent pas ce qui leur arrive.

Qui *est* cet homme?

– Oui. J'imagine que vous avez raison.

– C'est bien, parce que c'est ce que vous êtes censée ressentir.

– Je pensais …

Il se penche vers moi.

– Oui? Allez, Anne, dites-moi ce que vous vouliez me dire.

– Je pensais que vous deviez me mettre à l'aise.

– Ah, oui. C'est ce que je vous ai laissé croire il y a une minute, n'est-ce pas? Quand je vous ai demandé si je pouvais vous appeler Anne.

J'acquiesce.

– Et maintenant, vous êtes confuse?

J'acquiesce de nouveau.

– Je veux que vous me fassiez confiance, Anne, mais ces séances ne sont pas là pour vous mettre à l'aise. Je veux que vous soyez consciente de ce qui vous entoure ainsi que de vos réactions afin que nous puissions briser les *patterns* psychologiques qui vous ont menée chez Blythe & Compagnie. D'accord?

– Si vous voulez.

– Hum. Nous allons devoir travailler là-dessus.

Il inscrit quelque chose dans son calepin. Son écriture est trop irrégulière pour que je puisse la lire d'où je me trouve. Non pas que j'essaie de lire.

Il redresse la tête.

– Commençons par le début. Pourquoi êtes-vous ici?

– Hum... je suis ici parce que j'ai un problème quand vient le temps de choisir un homme.

Et pourquoi, selon vous?

Je balance les pieds comme je le faisais à table quand j'étais petite.

– Je ne sais pas. Toutes mes relations se sont mal terminées, et on dirait que je sors toujours avec le même genre de gars. Physiquement, je veux dire. Et j'imagine que moi, je suis toujours la même avec eux...

– Continuez, vous êtes la même dans quel sens?

– Je... je me concentre davantage sur leur apparence plutôt que sur leur personne.

– Et pourquoi faites-vous cela?

Est-ce que je serais ici si je connaissais la réponse?

– Je n'en suis pas certaine.

– Allez, Anne, que vous dit votre instinct? Quelle est la première réponse qui vous vient en tête?

– Parce que je suis superficielle et que je manque de profondeur.

Il fronce les sourcils.

– Non, je ne crois pas que ce soit le cas. Je crois qu'il y a autre chose.

Mais c'était ma première réponse...

– Je crois que vous faites de mauvais choix parce que vous croyez que l'amour se doit d'être facile.

– Vous croyez?

– Oui. Vous n'avez pas envie de *travailler* pour tomber en amour, vous voulez *être* en amour. Comme dans un conte de fées.

Non, mais, sérieusement, qui est cet homme?

– Comment pouvez-vous savoir cela? On vient juste de se rencontrer.

– Est-ce que ça vous semble inexact?

– Je ne sais pas. Vous avez peut-être raison. Mais pourquoi pensez-vous ça?

Il me sourit. La bordure de sa barbe avance vers ses yeux.

J'en connais pas mal sur vous, Anne.

– Vous voulez dire mon dossier? Suis-je à ce point transparente?

– Pas du tout. Je parle par expérience. C'est un *pattern* que j'ai vu souvent.

– Alors, je suis pareille à tout le monde?

– Ça vous dérange?

– Les gens aiment croire qu'ils sont uniques.

– Et chaque cas qui aboutit ici est unique, Anne. C'est ce que vous faites *à partir de maintenant* qui compte.

– Est-ce que ça veut dire que je dois entrer dans le moule maintenant?

– Non, non. Ce n'est pas ça. Ce que nous devons faire, c'est identifier vos blocages face au bonheur et travailler ensemble pour les éliminer. Lorsque nous aurons réussi, vous serez en mesure de vous ouvrir à la personne que Blythe & Compagnie aura choisie pour vous.

– Est-ce que ça veut dire qu'on pourrait me jumeler à n'importe qui? Que l'homme en soi n'a pas importance?

– Non, non. C'est la combinaison des deux qui fonctionne. Deux personnalités compatibles *et* une nouvelle façon de voir les choses.

Il joint les mains, paume contre paume.

– Et ma façon de voir les choses pour l'instant, c'est le conte de fées?

– Ça ne l'est pas?

J'y réfléchis un instant. Je me remémore toutes les fois où j'ai rêvé d'être Anne de *La maison aux pignons verts*, tous les livres et les films qui m'ont obsédée parce qu'il y était question d'amoureux faits l'un pour l'autre.

– Vous avez peut-être vu juste. J'aurais plutôt dit que j'étais une romantique, mais je comprends où vous voulez en venir avec le conte de fées.

– Et êtes-vous prête à le laisser aller?

– Vous voulez dire à ne plus m'attendre à une fin heureuse?

– À ne plus penser que vous n'avez pas à travailler pour l'atteindre.

– Mais, ne suis-je pas ici, justement, pour ne plus avoir à travailler?

Il me fait un grand sourire. Ses dents sont larges et carrées.

– Vous avez de la difficulté à me suivre, n'est-ce pas?

– En effet.

– Et vous vous sentez un peu déconcertée, inquiète?

– Surtout depuis que vous m'avez demandé de m'asseoir comme ça.

Je balance mes pieds avec emphase.

– Bien. Maintenant, nous pouvons nous mettre en route.

– En route pour où?

– Nous pouvons commencer à vous ramener ici, Anne, dans ce moment même.

– Mais je croyais que j'y étais déjà.

– Vous y serez, Anne, vous y serez.

CHAPITRE 7

ATTENDRE, ENCORE ATTENDRE

Je viens de quitter le travail et je suis dans le train de banlieue qui me conduit chez Gil et Cathy. Ils habitent dans le même quartier où nous avons grandi, à vingt-quatre minutes de train et à trois décennies de perspective. Chaque fois que j'y retourne, c'est comme si rien n'avait changé depuis l'époque où je portais des barrettes jaunes dans les cheveux. Je me demande souvent pourquoi Gil a choisi de s'établir ici, si près de nos parents et du passé.

Je débarque dans la gare déserte, à quelques coins de rue de chez eux. Je fais le reste du chemin à pied. Les maisons blanches en bois sont toutes décorées de lumières de Noël multicolores. Les voisins de Gil et Cathy y sont allés à fond, en ajoutant un chapelet de rennes qui hochent de la tête sur le perron. Le faible écho du *Petit renne au nez rouge* trouble le silence parfait de cette nuit.

Je m'arrête devant leur longue entrée de béton. Leur maison est l'image exacte de celle de leurs voisins, les rennes en moins. Par la fenêtre, j'aperçois un immense sapin de Noël couvert de guirlandes et de lumières multicolores.

J'appuie sur la sonnette. Ma nièce Jane, six ans, cheveux roux et petit espace entre les dents de devant, m'ouvre la porte. Elle porte des jeans à pattes d'éléphant brodées de fleurs roses sur le pourtour et un chandail rose assorti.

– Matante Anne! Matante Anne!

Je me penche pour lui faire un câlin. Elle sent le shampooing pour bébés Johnson & Johnson.

– Allo, ma puce.

Elle se libère de mon étreinte.

– Savais-tu que je vais recevoir une poupée Bratz pour Noël?

– Ah, oui?

– Oui.

– Comment le sais-tu?

Elle me lance un petit regard rusé.

– J'ai entendu maman et papa en parler dans le salon, hier soir.

– Ils parlaient de tes cadeaux de Noël devant toi?

– Nan. C'était l'heure du dodo, mais j'avais soif.

Elle dit «saf» plutôt que «soif».

– Tu ne devrais pas écouter aux portes, ma puce.

Elle joint ses mains derrière son dos et les balance de gauche à droite.

– Je n'ai pas fait exprès.

– Je sais, ma jolie. Ce n'est pas grave.

– Tu ne le diras pas à maman, hein?

– Ne t'en fais pas.

J'ébouriffe ses cheveux et elle me prend la main pour me tirer vers la cuisine, de l'autre côté de la maison. L'odeur de poulet rôti au four me donne instantanément faim.

Cathy se tient devant la cuisinière et remue la sauce dans une casserole. Elizabeth, quatre ans, blonde aux yeux bleus, un peu rondelette, s'accroche à ses genoux. Mary, aussi blonde que sa sœur, deux ans, joue dans son parc.

– Salut, Cath.

Elle se tourne vers moi, et je ne peux m'empêcher de remarquer son teint radieux de femme enceinte. Ses cheveux blond foncé sont coiffés en une tresse épaisse qui pend jusqu'au milieu de son dos, et sa peau ressemble à celle des filles des publicités de Neutrogena. Si elle n'était pas aussi chaleureuse et sympathique, je la détesterais.

– Je suis contente que tu sois là, Anne. Ça fait longtemps.

Je prends un biscuit dans une assiette sur le comptoir et l'engloutis en trois bouchées. Ça goûte le sucre et le beurre.

– Accepterais-tu « J'ai-été-très-occupée-au-travail » comme excuse?

Elle sourit. Elle a le même petit espace entre les dents que Jane.

– Aucune chance.

– Je savais que mon excuse passerait difficilement avec toi qui es quand même la mère de presque quatre enfants.

Elle rit à pleins poumons, heureuse. Elizabeth la regarde, les yeux pleins d'admiration. Je la vois emmagasiner cette image de sa mère dans son cerveau pour plus tard.

– Tu crois qu'on est un peu cinglés, n'est-ce pas?

– Non, pas vous deux, seulement toi. Après tout, c'est toi qui as choisi de passer le reste de ta vie avec mon frère.

Je m'installe sur la chaise en chintz au motif fleuri qu'ils gardent dans le coin de la cuisine et Jane grimpe sur mes genoux. Elle appuie sa petite tête soyeuse sur ma poitrine et commence à sucer son pouce. Je suis émue de constater à quel point elle me ressemble à son âge. Les six dernières années, j'ai eu l'impression de me voir grandir à nouveau en la regardant.

– Il a quelques qualités

– Si tu le dis.

– Bon article, en passant. Comment en as-tu eu l'idée?

Je cache le rouge de mes joues en enfouissant mon visage dans les cheveux de Jane.

– Une amie d'une amie qui pensait avoir recours au mariage arrangé.

– Que c'est bizarre.

– Trouves-tu vraiment que c'est bizarre?

– Je ne sais pas. C'est vrai que ce que la fille d'Oxford disait avait un certain sens, mais je ne suis pas certaine que je passerais au travers des moments difficiles si je n'étais pas en amour avec mon mari.

– Elle n'a jamais dit qu'elle n'était pas amoureuse de son mari.

– A-t-elle dit qu'elle l'était?

– Non, mais…

Je m'arrête. Cathy a raison. Ashi n'a jamais parlé d'amour. J'ai seulement eu l'impression de l'avoir senti.

– Vous avez des moments difficiles, vous deux?

– Tu crois qu'on peut survivre comme parents de trois enfants sans avoir de bonnes disputes?

– Non, évidemment. Ce que je voulais dire, c'est que… vous donnez l'impression que c'est facile, c'est tout.

– L'amour n'est pas toujours facile.

– Je sais.

C'est à son tour de rougir.

– Je m'excuse, je ne voulais pas dire que… J'aurais dû te demander comment ça allait…

– Depuis que j'ai quitté Stuart? Il y a des journées plus faciles que d'autres.

– Vois-tu quelqu'un ces temps-ci?

– Non.

– Ah, super, parce qu'il y a un collègue de Gil qui…

– Oh, non.

– Pourquoi pas?

– Parce que… je n'ai pas envie de fréquenter quelqu'un en ce moment.

Jane retire son pouce de sa bouche. Pop!

– C'est quoi «fréquenter»?

– C'est une activité stupide que les grands font pour se rendre misérables.

– Allez, Anne. C'est un bon gars qui est prêt à se caser.

– Traduction: il a b-a-i-s-é toutes les filles qu'il a pu dans la vingtaine, et maintenant qu'il est plus vieux et qu'il a moins de succès pour obtenir du s-e-x-e, il est prêt à fréquenter une femme de son âge pour ensuite lui faire gaspiller des mois parce qu'il va finir par réaliser qu'il n'est pas prêt à s'engager. Non merci.

– Il n'est pas comme ça, je te le jure. Il sort d'une longue relation.

– Parce qu'il l'a trompée?

– Non.

– Parce qu'elle voulait des enfants et pas lui?

– Non. Rien de tel, Anne. Je te le promets. Ça n'a tout simplement pas fonctionné entre eux. C'est une bonne personne, et elle était une bonne personne; ils ne sont plus en amour, c'est tout. Pas de gros drame.

– Où sont mes filles ? demande Gil depuis l'entrée.

Jane descend aussitôt de mes genoux et Elizabeth lâche les jambes de sa mère. Toutes les deux courent vers la porte d'entrée, en criant de toutes leurs forces «Paapaaaaa!» Et le voilà. Le petit nœud de jalousie qui revient chaque fois que je viens ici, et qui m'empêche de venir aussi souvent que je le devrais.

Gil entre dans la cuisine avec une fille dans chaque bras. Mon frère mesure un mètre quatre-vingt-quatre, il a des yeux noisette et des cheveux bruns frisés, avec une touche de roux. Il commence à grisonner sur les tempes et il a des rides de sourire au coin des yeux. À l'opposé de ma peau trop pâle, il a le teint doré et une peau qui bronze facilement. Si ça ne me faisait pas paraître du genre *Fleurs captives*, je dirais qu'il est beau. Mais les choses étant ce qu'elles sont, il n'est que mon grand frère parfois énervant.

– Ah, Cordélia. Je suis content que tu aies pu te joindre à nous.

Mes mâchoires se serrent. Je le salue poliment.

– Gilbert.

Il embrasse Cathy sur la nuque.

– Allo, ma belle.

Elle le repousse.

– Allo.

– Pourquoi tant de timidité ? Anne nous a vus nous embrasser des centaines de fois.

– Je vais me fermer les yeux, dis-je.

– Bon, ça suffit vous deux.

Gilbert se décharge des deux filles sur mes genoux. Elizabeth retourne aussitôt aux pieds de sa mère. Gil défait sa cravate et pose son veston sur le dossier d'une des chaises rangées sous le coin-repas.

– Cathy t'a-t-elle parlé de Richard?

– Est-ce que Richard est le «fréquenteur»? demande Jane.

– Oui, tout à fait, poussin, dit mon frère en me faisant un sourire malicieux.

Je ne sais pas par quel moyen, mais à la fin du repas, mon frère a réussi à me convaincre de sortir avec Richard, un avocat de son bureau. À cause de ma démarche chez Blythe & Compagnie, je ne sais même pas si j'ai le droit de sortir avec des gens. Mais bon, au final, qu'est-ce que j'ai à perdre?

La réponse à cette question se révèle malheureusement être plusieurs heures de ma vie.

La soirée commence bien. Richard choisit un bon restaurant. Le décor est sympa: plancher de bois franc, mur de briques et petites tables carrées, toutes individuellement éclairées par un chandelier oblong qui plane au-dessus. La pièce vibre sous cette lumière parfaite, celle qui insuffle une énergie à la fois relaxe et vivante, et je peux sentir le délicieux mélange d'arômes en provenance des cuisines.

Je suis l'hôtesse jusqu'à notre table, me sentant sexy dans ma petite robe noire et ma veste. Elle est d'un de ces rares tons de rose qui me vont bien. Même pour mes cheveux, c'est une bonne journée.

Richard se lève à mon approche et me fait la bise sur les deux joues. Je n'ai jamais été une adepte de cette coutume pseudo européenne, mais j'entends la voix de Gil qui me dit «Relaxe, laisse-lui une chance» alors je souris et m'assois sur la chaise que me tire Richard.

Il porte un costume anthracite, sans cravate. Ses cheveux couleur sable sont coupés ras et ses yeux bruns foncés donnent une impression de profondeur, légèrement chocolatée. C'est un très bel homme, mais pas nécessairement mon genre.

Je commande un gin-tonic.

– Dure journée ? me demande Richard.

– Pourquoi dis-tu ça ?

– C'est juste que … le verre que tu viens de commander …

– J'aime le gin-tonic, dis-je en essayant de garder un ton de voix égal sans vraiment y arriver.

– Ce n'était pas la bonne chose à dire, n'est-ce pas ?

– Probablement pas.

– Et quelle était la bonne chose à dire ?

– Que je suis resplendissante, dis-je à la blague, en flirtant un peu.

– Désolé. Ça fait longtemps.

– Oui, j'ai su.

Il affiche un air contrarié. Merde.

– Désolée. J'imagine que moi non plus, je n'ai pas dit ce qu'il fallait.

– Ça ne fait rien, dit-il, mais son visage dit le contraire.

Il prend le menu et commence à le parcourir. Après quelques instants, je finis par faire de même. Au bout d'une éternité, nous sommes prêts à commander. La serveuse m'apporte mon verre. J'en prends une bonne gorgée et m'étouffe avec le tonic amer.

– J'ai une idée, me dit Richard, alors que la serveuse s'éloigne.

– Laquelle ?

– Faisons semblant que nous n'avons pas gaffé ni l'un ni l'autre, que ça fait cinq minutes qu'on est arrivés et que tout va très bien.

Je souris.

– C'est un bon plan.

Nous trinquons et, pendant quelques minutes, j'ai l'impression que tout est possible.

Je ne suis pas certaine de ce qui chasse ce sentiment, mais l'instinct qui nous pousse à dire la mauvaise chose resurgit. Rien de grave, juste un fleuve continu de petites choses agaçantes. Je commande du poisson, et il est allergique. Mais au lieu de me prévenir au moment où je passe la commande, il me l'annonce en repoussant ma fourchette alors que je lui en offre une bouchée. Je lui demande comment Gil se comporte au travail, et il me raconte à quel point mon frère l'a torturé durant sa première année. Ce sont censées être des histoires drôles. Des histoires que je raconterais pour agacer Gil, et pourtant je ne peux m'empêcher d'être sur la défensive en les entendant.

Mais la pire chose, c'est que Richard ne semble pas se rendre compte de l'aspect catastrophique de la soirée. Son moment de perspicacité, quand il a constaté que nous n'étions pas partis du bon pied, n'était que ça : un moment.

Nous avons baigné dans le malaise pendant deux longues heures et maintenant, ça doit faire au moins vingt minutes que nous attendons l'addition. Même Richard, dans toute son inconscience, commence à s'impatienter.

– Que fais-tu vendredi soir prochain ? me demande-t-il.

Oh-oh.

– Hum, je ne sais pas encore. J'ai plusieurs échéanciers à respecter d'ici là.

La serveuse nous apporte finalement l'addition. Je ne lui donne pas le temps de repartir ; je l'attrape par le bras.

– Attendez, nous allons payer maintenant.

Je cherche mon portefeuille dans mon sac, mais Richard tend sa carte à la serveuse avant que je ne puisse donner la mienne.

– Es-tu pressée? me demande-t-il, dès que la serveuse repart.

Va-t-il vraiment m'obliger à le dire tout haut?

– J'ai eu une grosse journée. Je suis un peu fatiguée.

– Bien sûr, je comprends, me dit-il, sur un ton déçu.

Heureusement, la serveuse revient rapidement et nous nous levons pour partir. Une fois dans la rue, je le remercie pour le repas.

– Ça m'a fait plaisir. On devrait remettre ça.

– Hum...

– Moi, je suis pas mal occupé toute la semaine, sauf vendredi.

– Oui, c'est ce que tu disais tout à l'heure.

– Oui, c'est vrai. Et toi, tu m'as dit que tu ne savais pas si tu allais être libre...

– Oui, désolée.

– Ça va. Je vais t'appeler plus tard cette semaine, quand tu auras une meilleure idée de ton horaire.

Je regarde par-dessus son épaule pour repérer un taxi et je réalise trop tard qu'il est en train de se pencher pour m'embrasser. Je reste là, paralysée, incapable de détourner la tête. Ses lèvres touchent les miennes brièvement. Je suis trop sous le choc, et le baiser a été trop rapide, pour que je puisse dire s'il embrasse bien. J'aperçois l'enseigne lumineuse d'un taxi qui approche et je lève aussitôt une main pour lui faire signe d'arrêter.

– Merci encore pour le souper.

Je saute dans la voiture avant que Richard ne puisse ajouter quoi que ce soit et le chauffeur démarre. Je consulte ma montre. Il est vingt-deux heures quinze. Je tente ma chance.

– Allo, répond Gil en chuchotant sur un ton du type «C'est-mieux-d'être-important-pour-risquer-ainsi-de réveiller-mes enfants»

– Tu me niaises?!

– C'est qui?

– Tu sais très bien, c'est qui.

Il rigole un coup.

– Oh, allo, Cordélia.

– Ne fais pas l'innocent. Est-ce que je t'ai fait quelque chose dont je ne serais pas au courant?

– J'en déduis que tu ne t'es pas amusée ce soir?

– Non, je ne me suis pas amusée. Comment lui et moi pourrions-nous nous amuser ensemble?

– C'est Anne, chuchote-t-il à Cathy. Qu'est-ce qui ne te plaît pas chez lui? me demande-t-il.

– Il n'a aucune perspicacité, aucune sensibilité et il ne boit pas de café.

– Sérieusement, Anne.

– Je *suis* sérieuse. Ça n'a pas du tout cliqué entre nous. Mais pas du tout.

Gil soupire.

– Je ne te comprends pas.

– Qu'y a-t-il à comprendre?

– Que cherches-tu, exactement?

– Une personne avec qui je connecte. Quelqu'un qui va bien me traiter.

– Bien sûr, ma chérie.

Cathy vient de se joindre à la conversation en prenant l'autre combiné de la maison.

– Et c'est ce que tu vas trouver.

– Merci, Cath.

– Je pense que tu devrais lui donner une autre chance, me dit Gil.

– Pourquoi ?

– Tu te rappelles la règle ? Celle de maman et papa ?

La règle selon mes parents est qu'il faut sortir trois fois avec quelqu'un avant de le rayer de sa liste. Pourquoi ? Parce que leurs deux premières rencontres ont été horribles, et ce n'est qu'à la troisième qu'ils ont trouvé leur rythme. J'ai toujours pensé que ma mère avait accepté de revoir mon père à cause de son nom de famille (Elle pourrait ainsi épouser un Blythe, comme Anne de *La maison aux pignons verts* !), et que mon père avait persévéré parce que ma mère était tout simplement la plus belle fille qu'il ait jamais fréquentée.

– Alors ?

– Je vais y penser.

– Vas-tu vraiment y penser ?

– J'ai dit oui, alors laisse-moi tranquille.

– Attends qu'il t'appelle et vois à ce moment-là, me suggère Cathy.

– Peut-être. Je vous reparle plus tard cette semaine.

Je raccroche et j'observe les phares des voitures défiler sur la fenêtre du taxi.

Une fois à la maison, j'allume mon ordinateur pour consulter mes courriels. Au milieu d'une série de messages « répondre à tous » de mes collègues de *Twist*, j'aperçois un courriel de mon agente, Nadia, intitulé «Des nouvelles!!» et j'ai soudain du mal à respirer.

Je regarde longuement le titre du courriel, un peu comme je le faisais avec mes enveloppes de réponse à mes demandes d'admission à l'université. À cette époque par contre, une enveloppe mince signifiait un refus, et une lettre épaisse, une confirmation d'admission. Ce courriel, lui, ressemble à tous les autres.

Oui ou non. Oui ou non. Je ne le saurai pas si je ne l'ouvre pas...

Je clique dessus. Mon cœur bat à tout rompre.

Anne,

Je suis désolée de faire ça par courriel, mais j'ai perdu le numéro de ton cellulaire.

J'ai d'excellentes nouvelles pour toi! L'éditrice de Wesson m'a contactée aujourd'hui. Elle a adoré ton manuscrit, et ils te font l'offre suivante...

Oui, oui, *oui*! Je vais être publiée. Ils pensent que mon manuscrit est bien avancé et veulent le publier rapidement, soit dès ce printemps. Ils l'ont tellement aimé qu'ils veulent signer un contrat pour deux livres. Et ils m'offrent une avance de quinze mille dollars. Seigneur! Quinze mille dollars!

Je peux enfin m'acheter une voiture, ou aller en vacances, ou...

Me marier.

Je peux me marier maintenant.

Je le peux.

CHAPITRE 8

ÇA SENT LA FÊTE

Bonjour. Vous êtes chez Sarah. Veuillez laisser un message.

« Sarah ! Je ne peux pas croire que tu ne répondes pas ! J'ai une grande nouvelle à t'annoncer ! Je sais, je devrais attendre de t'en parler de vive voix, mais je ne peux pas attendre. Mon livre va être publié ! Ils me donnent une avance et tout et tout. Mais toi, t'es où ? Appelle-moi ! »

Vous savez qui parle et vous savez quoi faire.

« William ! Mais où te caches-tu, bordel ? Appelle-moi dès que tu as ce message. Tu sais qui parle aussi. »

Vous avez bien joint Gilbert, Cathy, Jane, Elizabeth et Mary. Certains d'entre nous ne peuvent pas encore répondre au télé-phone et les autres sont occupés. Laissez un message.

« Gilbert, Cathy, c'est Anne. Mais où donc êtes-vous tous passés ? On vient à peine de raccrocher. En passant, Gil, ton message n'est pas drôle. En tout cas. Je viens d'apprendre une nouvelle. C'est assez important. Rappelez-moi. »

Vous êtes bien chez les Blythe. Laissez-nous un court message et nous vous rappellerons dès que possible.

« Maman, papa, c'est Anne. Répondez. Maman, lâche ton maudit *CSI* et réponds au téléphone ! Bon, j'imagine que vous n'êtes pas là. Rappelez-moi dès que vous aurez ce message. »

Je n'arrive pas à croire que personne ne réponde. C'est le moment le plus important de ma vie et je n'ai personne avec qui le célébrer, un vendredi soir à vingt-deux heures trente.

J'ai tellement besoin d'un mari.

Personne ne me rappelle ce soir-là. Ils me joignent tous au cours de la fin de semaine, dans l'ordre prévu. Sarah en premier, ma mère en dernier. Tout le monde est extrêmement content pour moi. Mon père est étrangement préoccupé par les détails financiers du contrat. Ma mère veut savoir à qui je vais dédicacer mon œuvre. C'est la première fois qu'elle démontre autant d'intérêt pour mon livre. Elle ne m'a même jamais demandé de le lire, et en retour, je ne lui ai pas demandé de le faire. Mais en toute honnêteté, je suis certaine qu'elle aimerait le lire si je lui disais de quoi ça parle. Mais ce n'est pas vraiment ça qui compte, n'est-ce pas?

Sarah et moi décidons de faire une fête commune sur le thème « Je me marie/Je publie ». Nous passons une demi-heure à en planifier les détails, gloussant comme si nous organisions notre bal de finissantes. Elle m'offre de changer ses plans avec Mike pour venir me rejoindre, mais je refuse.

En raccrochant, je me sens agitée. Je devrais sortir de mon appartement, mais il pleut abondamment et le ciel est noir. Ce n'est pas un temps pour aller dehors, à moins d'y être obligé. Je zappe devant la télé, mais je ne fais que tomber sur des info-pubs pour maigrir. J'essaie de lire, mais je suis incapable de me concentrer. Même résultat pour l'écriture. Il me vient l'idée d'aller chez mes parents, mais je sais que je vais le regretter cinq minutes après mon arrivée.

Finalement, je décide de réaménager mon appartement en déplaçant quelques meubles. Quelque chose dans cette activité m'a toujours réconfortée.

Je commence par la chambre. Je déplace mon lit sous la fenêtre afin de pouvoir lire à la lumière du matin les jours de fin de semaine où je me lève tôt. Je trouve onze élastiques à cheveux et plusieurs gros minous de poussière. Ensuite, je sors les tiroirs de ma commode pour pouvoir la déplacer contre le mur opposé. J'en profite pour trier mes vêtements et remplir un sac pour une œuvre de bienfaisance. Puis je m'attaque à l'époussetage, éternuant sans interruption tout le long.

Quand j'ai terminé, je me tiens dans l'encadrement de la porte pour admirer ces choses qui n'appartiennent qu'à moi. Il a cessé de pleuvoir et les rayons du soleil couchant traversent les rideaux translucides. Ils projettent une lumière orangée sur mon édredon blanc et les murs gris pâle. L'air sent le nettoyant au parfum de pin et les herbes potagères qui reposent sur le bord de la fenêtre. Tout a l'air propre, doux et solide.

Je me sens plus calme. Je me sens heureuse.

Je me sens comme si tout avait un sens, comme si je savais pourquoi je suis ici, maintenant.

– Je me sentais comme si je savais pourquoi j'étais là, dis-je au Dr Szwick lors de la séance suivante.

Noël arrive bientôt. J'ai vu les premiers flocons de neige ce matin, petits et durs, la pire sorte de neige. Le vent souffle fort, mais les épais rideaux damassés tirés devant la fenêtre en amoindrissent le son. Il ne manque que le crépitement d'un feu de foyer.

– Et qu'est-il arrivé? me demande le Dr Szwick.

Il porte un cardigan bleu marine aux coudes recouverts de morceaux de suède. Sa barbe semble s'être allongée d'au moins deux centimètres depuis la dernière fois.

Je hausse les épaules.

– Le jour s'est levé le lendemain.

– Et comment vous sentiez-vous ?

– Comme la semaine dernière, quand j'étais assise dans votre fauteuil, les pieds pendant dans le vide.

– C'est bien. C'est très bien.

– Ça ne m'a pas fait sentir bien.

– Ce n'est pas censé vous faire sentir bien.

– Si vous le dites.

– Je le dis.

Son stylo gratte sur les pages de son calepin.

– Alors, Anne, je suis curieux de savoir… pourquoi avez-vous écrit cet article sur les mariages arrangés ?

– Ah, vous l'avez lu ?

– Oui.

Je le regarde me fixer d'un regard direct. Mon cœur s'emballe comme quand je me faisais prendre par le directeur d'école à utiliser ma permission d'aller aux toilettes pour sécher mes cours.

– Je n'ai pas fait mention de Blythe & Compagnie.

– J'ai bien vu ça. D'ailleurs, si vous l'aviez fait, vous ne seriez pas assise ici, aujourd'hui.

– Est-ce une menace ?

– Non, Anne. Mais plutôt un rappel que vous avez accepté de garder le tout confidentiel.

– Je ne l'ai pas oublié.

– Bien. Donc, comment avez-vous eu l'idée d'écrire cet article ?

J'essuie mes mains moites sur mes cuisses.

– On m'a donné cette chronique à la dernière minute et puisque je faisais déjà des recherches sur le sujet, en fait, pas vraiment des recherches, mais quelques lectures sur la question...

Bordel. Je me croirais dans le bureau de Mlle Cooper.

– Êtes-vous certaine qu'il s'agit de la vraie raison?

– Eh bien, c'est sûr que j'étais curieuse d'entendre des couples me parler de leur mariage arrangé. Ne le seriez-vous pas dans ma situation?

– Peut-être, oui. Avez-vous trouvé les réponses que vous cherchiez?

– Peut-être. La deuxième femme que j'ai rencontrée avait un haut niveau d'éducation et ne manquait pas d'options. Elle semblait heureuse, bien installée dans sa vie. Elle semblait avoir ce que je rêve d'avoir.

– Et que rêvez-vous d'avoir?

– Trouver cette personne avec qui tout semble aller de soi. Être dans un couple qui donne lieu à quelque chose de plus grand que la somme de nos parties.

– Et pourquoi le voulez-vous?

– N'est-ce pas ce que tout le monde veut?

Il tapote son calepin avec le bout de sa plume fontaine.

– Oui, mais pas assez pour utiliser les services de Blythe & Compagnie.

– Oui, bon point.

– Alors, pour reprendre l'un des sujets abordés lors de notre dernière séance, d'après vous, pourquoi ça ne vous est pas encore arrivé?

– Je n'en suis pas certaine.

– Par exemple, votre dernière relation amoureuse...
Pourquoi n'avez-vous pas épousé...

Il jette un coup d'œil à ses notes.

– ...Stuart ?

Mes épaules se tendent à la seule évocation de son nom.

– C'est une question facile. Parce qu'il me traitait comme
de la merde.

– Et pourquoi l'avez-vous laissé vous traiter de cette façon ?

– Je ne sais pas.

Il secoue la tête négativement.

– Allez, Anne. Vous le savez.

– Vous n'avez qu'à me le dire si vous le savez, dis-je en me
renfrognant.

– Je ne peux pas faire le gros du travail à votre place. Alors,
dites-moi, pourquoi l'avoir laissé vous traiter de cette façon ?

Une question que je me suis posée des millions de fois.

– Honnêtement, je suis incapable de vous répondre. Mais je
suis ouverte à toutes les théories que vous pourriez avoir sur le
sujet.

Il m'observe un moment.

– Ne serait-ce pas encore une question de conte de fées ?

– Je ne vois pas comment. Les gens ne se maltraitent pas
dans les contes de fées.

– Ah non ? Les héroïnes ne sont-elles pas toujours maltrai-
tées afin d'avoir besoin d'être sauvées, d'où l'entrée en scène
du prince charmant ?

– Alors, si je comprends bien... j'ai laissé Stuart me tromper
afin d'avoir besoin d'être sauvée... parce que si je n'avais pas
besoin d'être sauvée, mon héros ne se présenterait jamais ?

– Est-ce que ça vous paraît juste ?

– Je n'en suis pas certaine. Si c'est le cas, pourquoi l'ai-je quitté, alors?

Il sourit.

– Vous vous êtes secourue vous-même. Vous avez été votre propre prince charmant.

Je m'enfonce dans le fauteuil et m'appuie la tête sur le dossier.

– Mais si je suis mon propre prince charmant, ça veut dire que je vais me ramasser toute seule?

– Non, ça veut dire que vous êtes prête à rencontrer quelqu'un de compatible avec vous, plutôt qu'un fantasme de personnage de conte de fées.

– Quoi? Blythe & Compagnie ne me trouvera pas de prince charmant? Mais pourquoi je les paie alors?

Je vois sa barbe tressauter.

– Pour commencer une nouvelle histoire.

– Et comment va-t-elle finir, celle-là?

– Nous allons le découvrir assez tôt, Anne.

Je passe les trois semaines suivantes dans un nuage de bonheur en raison de mon contrat d'édition, à part les sursauts d'angoisse quand je me rappelle que j'attends un appel de chez Blythe & Compagnie. Noël est passé en un souffle. Le rebord de ma fenêtre est rempli de photos de famille et d'amis. J'ai jonglé avec l'idée d'envoyer une carte à tout le monde avec mon «bébé» dessus — une photo de la première page de mon manuscrit —, mais j'ai utilisé l'argent pour acheter des cadeaux à mes nièces à la place.

Je passe la veille du jour de l'An avec William à une grande fête dans le loft d'un inconnu. Sarah et Mike nous rejoignent à minuit. Ils sont rayonnants. On dirait qu'un cocon d'amour s'est formé autour d'eux. Le coup de minuit est marqué par les baisers chastes de Mike et William sur mes joues. Une nouvelle année. Mon année, me dis-je, alors que je prends une gorgée de champagne. De bonnes choses vont arriver.

Sans que je m'en rende compte, deux semaines passent et c'est le soir de notre *party* «Je me marie/Je publie». Je suis dehors devant le bar et je frissonne en attendant que Richard paie le taxi.

Je suis ici avec lui parce qu'il m'a appelée dans un moment de vulnérabilité. Apparemment, les contrats d'édition ne rendent pas plus intelligent.

Une fois à l'intérieur, je fouille l'endroit des yeux pour trouver Sarah et Mike. Ils sont en train de discuter avec les parents de Sarah et sa jeune sœur. Je leur présente Richard. Sarah hausse les sourcils de surprise. «Il est mignon», articule-t-elle silencieusement à mon intention, elle-même très jolie avec sa robe rouge vin et ses boucles lustrées.

De la même façon, je lui réponds: «Il est plate». Elle se retient de pouffer de rire.

Mike, grand et un peu costaud, les cheveux et les yeux brun pâle, m'embrasse sur la joue.

– Félicitations, Anne.

Je le remercie et lui retourne les félicitations. Il me sourit, heureux, et entoure les épaules de Sarah de son bras.

– Anne est magnifique ce soir, n'est-ce pas? dit Richard en passant le bras autour de mes épaules, imitant ainsi Mike.

Je porte une robe de satin bleu qui s'attache autour du cou, laissant ainsi mes épaules et mon dos nus. La robe de mon contrat d'édition pour mon *party* de publication. Elle est peut-être un peu trop chic pour l'occasion, et le frisson désagréable qui parcourt ma colonne lorsque Richard m'effleure de ses doigts glacials me fait tout à coup regretter mon choix vestimentaire.

Je me libère de son étreinte et passe quelques minutes à discuter avec les parents de Sarah. Ensuite, profitant du fait que Richard est en grande conversation avec Mike sur son travail, je m'enfuis vers le bar. William est là, en train de payer son verre. Il porte une chemise rayée chic avec des jeans usés à dessein. Ses cheveux sont dressés sur sa tête, comme un point d'exclamation.

– A.B., tu es resplendissante !

– Merci.

Il me prend la main et m'éloigne de lui pour mieux me regarder.

– Sérieusement, Anne. Le succès te va bien. Tu es rayonnante.

– Je pense que c'est plutôt l'exaspération qui me va bien, dis-je en pointant de l'épaule en direction de Richard, encore en train de décrire à quel point c'est passionnant de réviser des contrats de trente pages, ou quelque chose du genre.

– Je commande un martini au barman. Deux olives, *straight up*.

– C'est Richard ?

– Qui d'autre ?

– Mais pourquoi l'as-tu invité ?

– La peur de mourir seule entourée de chats ?

– Bon point. C'est dommage que je ne sois pas attiré par toi.

– Oui, c'est ça. C'est dommage que *tu* ne sois pas attiré par moi.

On se sourit mutuellement.

– De toute façon, dis-je, ce soir, je veux fêter mon génie et le bonheur de Sarah avec quelqu'un qui va me payer quelques verres.

Le barman me sert un martini. Il a été généreux sur la dose. Le verre est plein à ras bord.

William lève son verre.

– C'est entendu. Alors ce soir, et ce soir seulement, je célèbre ton génie.

– Merci, mon ami.

– Bonsoir, ma chérie, dit ma mère derrière moi. Tu n'as pas froid dans cette robe?

Reste calme, Anne. Reste calme.

Je pose mon verre sur le bar et je me retourne vers mes parents. Gil et Cathy sont derrière eux. Mon père, c'est l'équivalent de mon frère, en plus vieux, mais avec mes yeux. La seule chose que j'ai en commun avec ma mère, ce sont les cheveux, qu'elle garde de la même couleur que les miens mais coupés au carré. Ses yeux sont brun pâle et son visage est rond, sans angles. Elle porte un manteau de fourrure datant des années quarante qu'elle a hérité d'une vieille tante. Elle cherche toujours un prétexte pour le porter. Je ne sais pas pourquoi.

– Non, maman, je n'ai pas trop froid. Allo, papa.

– Allo, ma chérie, désolé d'être en retard.

Mon père me prend dans ses bras, en me tenant serré contre son manteau d'hiver chamois rugueux.

– Ne t'en fais pas avec ça, lui dis-je. Allo, Gil. Allo, Cath.

– Bonsoir à toi aussi, Cordélia, me lance mon frère en me pinçant le menton. Je suis fier de toi, petite sœur.

Ma gorge se serre en entendant l'émotion dans sa voix.

– Merci.

– Mais où est tout le monde? demande ma mère en regardant autour d'elle.

– À l'arrière.

Je leur indique l'endroit où Sarah et moi avons installé des ballons et des guirlandes, un peu plus tôt.

Nous nous dirigeons vers la banderole «FÉLICITATIONS!». Et je parle, et je bois, et je me fais féliciter. Janey, Nan et Susan arrivent avec leurs maris, toutes heureuses pour moi et pleines d'histoires comiques sur la maternité. Mon agente arrive avec une série de détails à régler pour les redevances et la finalisation du contrat. Je la dirige vers Gilbert. Le temps ralentit et se contracte. Je suis heureuse; je suis nerveuse. Je bois plusieurs martinis et me bourre d'olives. Je m'éloigne du groupe quand j'entends ma mère déclarer:

– Vous savez, c'est de moi qu'elle a hérité le gène de l'écriture. J'ai un tiroir plein de notes, que j'ai toujours pensé rassembler un jour.

J'essaie en vain d'attirer l'attention du barman, mais il est trop occupé à flirter avec une fille qui a l'air à peine majeure. Une chanson d'Alicia Keys joue à plein volume et je n'ai pas envie de crier.

– Je peux t'aider? me dit le gars à côté de moi, d'une voix basse et sexy.

Je le regarde et j'ai l'estomac qui vire à l'envers. Il est grand, mince, avec des cheveux courts noirs, coiffés à la manière du pétard de *L'amour à seize ans*. En fait, c'est comme si le personnage du film avait vieilli instantanément de quinze ans, mais avec des yeux bleus et un nez un peu plus retroussé. Il porte même une chemise à carreaux bleu et rouge par-dessus un T-shirt blanc, comme sur l'affiche du film.

Les martinis me rendent plus audacieuse.

– Crois-tu pouvoir faire en sorte que le barman cesse de flirter avec cette fille pendant quelques minutes ?

– Pour toi ? Rien d'impossible, dit-il en plongeant son regard directement dans le mien.

Oh, boy.

Il place son pouce et son index dans sa bouche et émet un bref sifflement perçant. Le barman lève les yeux vers nous. Normalement, je trouverais ce genre de geste grossier, mais ce soir, et venant de lui, cela semble approprié, sexy même. Pendant que le barman s'approche avec réticence, le bel étranger me lance un sourire complice et me demande ce que je veux boire.

– Un vodka martini.

– Tout de suite.

Nous regardons le barman préparer nos boissons. Mon nouvel ami paie et me donne mon verre.

– Merci.

– De rien. Santé.

Je prends une gorgée. Mon martini a moins de mordant qu'il ne le devrait. C'est le signe que je devrais arrêter de boire.

– J'ai toujours rêvé d'être capable de faire ça, dis-je.

– Tu veux dire ça ?

Il replace son pouce et son index vis-à-vis de ses lèvres.

– C'est facile. Il suffit de souffler.

Je ris.

– Tu es un fan de Humphrey Bogart ?

– J'essaie.

– Au fait, je ne connais toujours pas ton prénom.

– Aaron. Toi ?

– Anne.

Il réfléchit un instant.

– Anne. J'aime ça.

– C'est un peu ennuyeux, non?

– Es-tu ennuyante, Anne?

Nos bras se frôlent. Je peux sentir la texture rêche de sa chemise et la chaleur de sa peau dessous.

– J'espère que non. Es-tu venu ici tout seul?

– J'ai rendez-vous avec un ami, mais il est en retard. Et toi?

– Je suis avec eux.

J'agite mon verre en direction des ballons et des gens réunis en dessous.

– Qu'est-ce qu'ils célèbrent?

– Moi, j'imagine.

– Tu te maries?

– Non, la fiancée, c'est mon amie Sarah.

– Pourquoi dis-tu qu'on te fête alors?

– Quoi? Tu ne vois aucune raison de me fêter?

Il me détaille de haut en bas.

– Je peux voir toutes sortes de raisons de te célébrer… mais ça n'implique pas de ballons ni de guirlandes.

J'ai chaud aux joues. C'est vraiment mon dernier martini.

– Mon livre va être publié.

– Wow! C'est génial. Comment ça s'appelle?

– *À la maison*.

– De quoi ça parle?

– D'un groupe d'amis qui se retrouve …

– Anne?

Merde.

– Allo, Richard.

Il regarde Aaron avec méfiance.

– Que fais-tu ici à l'autre bout du bar?

– Je suis venue me chercher un verre.

Aaron s'éloigne. J'ai froid au bras tout à coup.

– Ta mère te cherchait.

Super.

– Tu parlais à ma mère?

– Oui. Elle est venue se présenter tout à l'heure.

– C'est tellement son genre.

– Que veux-tu dire par là?

Il a l'air plus perplexe que fâché.

Je détourne la tête, balayant la pièce du regard à la recherche d'Aaron. Il est à l'autre bout du bar et il parle avec un homme portant un parka, sûrement l'ami qu'il attendait.

– Rien. Oublie ça. Allons rejoindre les autres.

Je regarde une dernière fois derrière moi et croise les yeux d'Aaron. Il lève son verre à moitié vide à ma santé.

Toute la soirée, je n'arrête pas de regarder dans sa direction pour suivre ses déplacements autour du bar. Sarah me surprend pendant que je le fixe.

– Est-ce Tadd?

– Quoi? Non!

– Il lui ressemble comme deux gouttes d'eau. Vous vous connaissez?

– Je lui ai parlé un peu plus tôt. Tu trouves vraiment qu'il ressemble à Tadd?

Elle plisse les yeux pour mieux voir.

– Moitié Tadd, moitié Stuart.

Je le regarde de nouveau. Sarah a un peu raison. Merde.

– Connais-tu des filles de notre âge? dis-je.

– Pourquoi?

– Parce que j'ai besoin d'une nouvelle meilleure amie.

– Pfff. Qui te ferait remarquer les choses évidentes si je n'étais pas là?

– C'est vrai.

Ses yeux pétillent d'amour et de joie.

Merci d'avoir organisé tout ça.

– Non. Merci à toi.

J'ouvre les bras et la serre contre moi. Même son odeur respire le bonheur.

– Je suis vraiment contente pour toi, tu sais.

– Je sais. Moi aussi.

Nous nous séparons. Mes yeux se posent de nouveau sur Aaron. Une partie de moi voudrait lui laisser mon numéro de téléphone. L'autre est terrifiée à l'idée que la seule raison pour laquelle je souhaite le lui donner est une simple question d'attirance physique. Mais n'avons-nous pas quand même eu quelques minutes de bonne conversation? De bon flirt, en tout cas?

Finalement, j'abandonne. Je suis fatiguée, alors je décide d'aller dire à Richard que je veux m'en aller. Je me fraie un chemin à travers la foule pour le trouver. Typique du mauvais gars: jamais là quand on a besoin de lui.

– Anne?

Aaron pose sa main sur mon épaule.

Le bon gars, par contre…

Il a son manteau sur le dos. Le tissu bleu foncé fait ressortir la couleur de ses yeux.

– Je peux te donner mon numéro de téléphone?

– D'accord.

– Génial.

Il me tend une carte de visite.

– Je suis plus facile à joindre sur mon cellulaire.

– Contente de t'avoir rencontré.

– Content de t'avoir rencontrée aussi, Anne.

Je le regarde s'éloigner, comme si nous étions dans un de ces films ridicules. Il se retourne vers moi et me fait alors le sourire le plus craquant du monde.

Quand je finis par localiser Richard, je le trouve en train de discuter avec mes parents. Je peux voir que mon père fait seulement semblant de l'écouter, émettant à l'occasion un grognement d'assentiment. C'est ce qu'il fait toujours quand il s'emmerde, et ses grognements ne concordent avec le monologue de Richard qu'à peu près une fois sur trois. Richard, lui, ne se rend évidemment compte de rien.

– Anne !

Mon père se jette pratiquement sur moi tant il est soulagé.

– Richard, je crois que je suis prête à rentrer.

– C'est le signe que je dois y aller, moi aussi.

Richard prend la main de ma mère et l'embrasse, sous le regard amusé de mon père.

– Madame Blythe, ce fut un plaisir de faire votre connaissance. J'espère que nous aurons encore plusieurs occasions de nous voir.

– Ah, euh. Oui, bien sûr, répond-elle de manière évasive. Félicitations encore, ma chérie.

– Merci, maman. Bonne nuit, papa.

Les yeux de mon père pétillent de malice.

– Combien de fois êtes-vous sortis ensemble jusqu'à maintenant ?

Je me retiens de rire.

– Ce soir, c'est la deuxième.

Ma mère en rajoute aussitôt.

– Tu sais, Richard... le père d'Anne et moi...

– Cette histoire n'intéresse personne, Diane. Allons, il est temps de partir.

Il y a des moments où j'adore vraiment mon père.

– Bon, d'accord, j'arrive. Dis donc, Anne, est-ce Tadd avec qui tu parlais tantôt?

Je réussis à éviter le baiser de Richard dans le taxi (il n'y aura *pas* de troisième fois) et je me réfugie dans mon appartement. Je suis épuisée, mais encore trop excitée pour dormir. Je m'installe dans mon fauteuil semi-confortable pour regarder un peu la télévision.

Pendant que je regarde l'équipe de TMZ suivre l'actrice Amber Sheppard, mon esprit revient à Aaron, rejouant sa façon de me regarder, la façon dont le tissu de sa chemise frôlait mon bras. Je sors sa carte de visite de la poche de mon manteau et la retourne dans ma main.

Et si je le *googlais* juste pour voir? Ça ne ferait de mal à personne...

Je tape son nom et, d'un seul clic, j'apprends qu'il est banquier, qu'il a un MBA et déjà une longue liste d'accomplissements à son actif. Il paraît bien sur la photo affichée sur le site de sa société, mais il ressemble étrangement encore plus à Tadd.

Je fais défiler les autres résultats de recherche. À mi-chemin, il y en a un qui m'arrête net. C'est un avis de mariage qui date de moins d'un an. «Monsieur et madame Price sont heureux d'annoncer que leur fille, Anne, a épousé Aaron Denis, bla, bla, bla ». Aaron pose souriant aux côtés d'une jolie blonde.

Merde. Merde. *Merde*. Je viens de comprendre qu'il ne blaguait pas quand il a dit qu'il aimait mon prénom. Et j'imagine que c'est pour ça aussi qu'il m'a dit de l'appeler sur son cellulaire. Je le savais. Bon, d'accord, je ne le savais pas. Mais j'aurais dû.

Salaud !

Je déchire sa carte en petits morceaux et jette le tout dans la poubelle. Bordel de merde. Ça fait des mois que j'ai quitté Stuart et mon instinct est toujours aussi merdique. Je vois un bel homme et je me jette sur lui sans rien remarquer d'autre. Il portait probablement son alliance et je n'ai rien vu. En y repensant bien, Richard est sûrement quelqu'un d'intéressant. Bon, d'accord, peut-être pas. Mais quand même.

J'erre dans mon appartement à la recherche de quelque chose à casser ou à serrer très fort. Je remarque le voyant lumineux de mon cellulaire qui clignote, annonçant un nouveau message. Pendant que j'accède à ma boîte vocale, je prends le presse-papier en verre qui traîne à côté du téléphone. J'ai un nouveau message. Il a été laissé à 17 h 47, à partir d'un numéro que je ne reconnais pas.

« Bonjour, mademoiselle Blythe, ici Samantha Cooper. Je suis heureuse de vous annoncer que nous vous avons trouvé un candidat compatible. S'il vous plaît, veuillez m'appeler lundi afin que nous prenions rendez-vous. Bonne fin de semaine. »

Le souffle court, j'empoigne le presse-papier aussi fort que je le peux, mais le verre lisse ne cède pas sous ma pression.

Ils m'ont trouvé un candidat compatible.

Je n'ai plus besoin de mon instinct.

J'ai Blythe & Compagnie.

DEUXIÈME PARTIE

CHAPITRE 9

NE PAS BOIRE L'EAU DU ROBINET

Mon avion atterrit en douceur sur la piste de l'aéroport de Cancún, au Mexique, un mois exactement après que j'ai reçu le message de Mlle Cooper.

Je récupère mes bagages, passe les douanes, et j'avance dans la chaleur étouffante. Je sens l'air épais et humide dans ma gorge. Ça goûte la poussière. La lumière du soleil éblouissant est réfléchie par les murs en pisé blanc. D'une main, j'abrite mes yeux du soleil, à la recherche de quelque chose de familier. Parmi les chauffeurs de taxi se tient un homme avec une pancarte au nom de Blythe & Compagnie.

– Pour Blythe & Compagnie ? dit-il avec un accent espagnol.

Il a l'air de surchauffer dans sa chemise blanche à manches courtes et ses pantalons noirs.

– *Sí*.

– S'il vous plaît, allez à l'autobus 70. C'est par là.

Il m'indique une longue rangée de minibus alignés sur le côté de la bâtisse. Des rivières de touristes à la peau blanche rosée, en shorts et en T-shirts aux couleurs vives, font la queue devant les bus, l'air excité et d'avoir besoin d'un rafraîchissement.

– *Gracias*.

Devant l'autobus 70, quatre femmes en sueur forment une ligne irrégulière. Je prends place derrière et j'attends, anxieusement. Devant moi, une femme dans la fin trentaine, à la beauté un peu fanée et aux cheveux couleur paille, m'adresse un sourire nerveux. Elle doit être aussi paniquée que moi. Pendant que nous attendons, je récite en silence l'emploi du temps des deux prochains jours : orientation, période libre, rencontre, souper, enterrement de vie de jeune fille/garçon, nuit, déjeuner, thérapie, mariage. On dirait un mélange de camp de vacances, d'école secondaire et d'un rêve où tout semble à la fois réel et complètement invraisemblable. Et le résultat de tout ça, ce qui fait que mon esprit n'arrête pas de tourner et que mon cœur bat à tout rompre, c'est que je serai mariée demain soir.

Je suis allée chez Blythe & Compagnie le lundi suivant le *party*. Quand je suis arrivée devant Mlle Cooper, j'ai immédiatement remarqué une chemise blanche sur son bureau. Je devinais qu'à l'intérieur de cette chemise se trouvait toute l'information concernant mon potentiel futur mari et je ne pouvais en détourner les yeux. Je la fixais avec avidité, avec désir même. Les coins de la chemise avaient l'air assez effilés pour causer une coupure de papier si on ne la maniait pas avec soin. Et je voulais la manier avec soin.

Mais plus que tout, je voulais voir ce qui, ou plutôt *qui*, se trouvait à l'intérieur.

– Je suppose que vous aimeriez lire ce qu'il y a à l'intérieur ? me dit Mlle Cooper en prenant négligemment la chemise dans ses mains.

Eille, madame, faites attention! C'est mon mari qui est là-dedans.

– Oui. S'il vous plaît.

Elle m'a tendu la chemise avec un regard énigmatique. Je l'ai posée sur mes genoux et ai glissé mes mains sur les côtés. Les coins étaient aussi effilés que je l'avais imaginé. J'avais une boule de nervosité dans l'estomac. J'ai pris une grande inspiration et je l'ai ouverte. Elle ne contenait qu'une seule page blanche, avec un unique paragraphe tapé à l'ordinateur qui se lisait comme suit :

Profil du candidat pour Anne Blythe

Jack H., 34 ans, journaliste et écrivain, 1 mètre 77, cheveux bruns, yeux verts, parents décédés, aucun frère ni sœur, jamais marié, veut des enfants, a fait des études universitaires. Premier *match*. Compatibilité : 8

Je suis restée là à fixer la feuille de papier. Je l'ai lue et relue jusqu'à ce que je connaisse chaque mot par cœur. Mais peu importe le nombre de minutes passées à la fixer, l'information qu'elle contenait n'a pas changé.

Jack H. : es-tu l'homme qu'il me faut ?

– Qu'est-ce que « Compatibilité : 8 » signifie ?

– C'est un calcul à partir de votre type de personnalité et des différents critères de compatibilité que nous utilisons.

– Oui, mais, c'est sur combien ?

– Ce n'est pas sur quoi que ce soit.

– Alors comment puis-je savoir si c'est un bon résultat.

Un éclair d'irritation a traversé son visage.

– Le degré de compatibilité va de un à huit. Un étant le moins compatible et huit, le plus compatible.

– Alors, c'est bon? ai-je persisté.

– Oui, mademoiselle Blythe. Nous ne jumelons pas les gens qui ont un degré de compatibilité inférieur à sept. C'est la raison pour laquelle nous avons autant de succès.

– Va-t-il recevoir la même information à propos de moi?

Elle a hésité un peu.

– C'est la même information qu'il a reçue, oui.

– *A reçue?* Il est déjà au courant de mon existence?

– Oui, mademoiselle Blythe.

Mon cœur s'est mis à battre frénétiquement. Quelque part dans l'univers, en fait, probablement dans ce même bureau, Jack H. a lu un petit paragraphe me concernant et a pensé... quoi, au juste?

– Pourquoi c'est lui qui est venu en premier? dis-je sur un ton enfantin.

– Nous avons découvert qu'il est toujours préférable de s'assurer du consentement de l'homme avant de présenter sa candidature à la femme.

J'y ai réfléchi un instant.

– Parce que les hommes réagissent mieux au rejet?

– Je ne dirais pas *mieux*, je dirais *différemment*.

– Donc, le fait que je lise sa fiche veut dire qu'il a déjà... accepté de m'épouser?

– Oui.

Boum boum. Boum boum. Boum boum.

– A-t-il accepté la première candidature, ou en a-t-il regardé d'autres avant la mienne?

– Vous êtes la première. C'est ce que «premier *match*» signifie.

Il m'a choisie. Il m'a choisie! Il ne sait rien de moi, mais Jack H. a accepté de m'épouser, moi. Comment est-ce possible?

– Quelle est la prochaine étape?

– Vous décidez si vous voulez poursuivre la démarche.

– Alors... ça dépend de moi?

– Oui, cela a toujours été le cas.

– Combien ai-je de temps pour décider?

– Vous avez tout votre temps, mais...

– Je ne devrais pas m'attendre à ce qu'il m'attende.

Elle m'a fait un de ses minces sourires.

– Il est mieux de ne pas trop attendre. L'autre pourrait devenir impatient.

– Et si j'accepte, qu'arrive-t-il ensuite?

– Notre prochain voyage est prévu pour le mois prochain.

Elle fait référence au tout-inclus au Mexique où ont lieu les mariages. Sept jours de soleil et de ciels étoilés dans un cinq étoiles. Mais j'y pense...

– Comment ça fonctionne pour les chambres?

– Vous aurez votre propre chambre pour la semaine.

– Alors, nous ne sommes pas obligés de...

Je me suis arrêtée en plein milieu, me sentant comme à l'école secondaire quand j'avais la mauvaise idée de poser une question dans un cours d'éducation sexuelle.

– Ce que vous faites avec votre époux, une fois mariée, ne nous regarde pas, mademoiselle Blythe. Je suis certaine que le docteur Szwick sera heureux d'en discuter avec vous, si vous le souhaitez.

J'ai acquiescé en rougissant comme une idiote, et je suis sortie de là aussi vite que j'ai pu.

J'ai à peine dormi les jours suivants. Quand je me suis pointée pour mon rendez-vous avec le Dr Szwick, j'étais pratiquement en état de panique.

– Que pensez-vous que je devrais faire? lui ai-je demandé, mon corps tendu perché sur le bout du siège du fauteuil en velours côtelé.

– Ce n'est pas à moi de vous le dire, Anne.

– Pourquoi pas?

– Vous savez pourquoi.

– Mais si quelqu'un d'autre peut me trouver un mari, pourquoi vous ne pourriez pas me dire si je dois l'épouser ou non?

– Tout ce que Blythe & Compagnie vous dit, c'est que cette personne est le genre de personne que vous *devriez* épouser, mais la décision de vous marier ou non, de le faire dans le contexte actuel, est un choix de vie qui vous revient entièrement, Anne.

Il a posé ses mains sur ses genoux, avant de poursuivre.

– Je sais que vous êtes assez intelligente pour faire cette distinction, alors, dites-moi ce qui vous tracasse réellement.

– C'est que tout ça semblait tellement abstrait. Comme quelque chose de nouveau que j'essayais sans pour autant m'attendre à ce que ça devienne réel ou, à tout le moins, que ça arrive aussi tôt.

– Je ne vous cacherai pas, Anne, que je trouve moi-même que les choses arrivent un peu vite. Je crois que nous avons encore du travail à faire ensemble et, dans un monde idéal, nous aurions pris un peu plus de temps. Mais Jack est tellement un bon candidat pour vous que...

Je l'ai interrompu.

– Quoi? Que voulez-vous dire par Jack est un bon candidat pour moi? Vous l'avez rencontré?

Il m'a fait un sourire patient.

– Évidemment, Anne. Je croyais que vous étiez au courant. Je travaille avec lui, de la même façon que je travaille avec vous. Je rencontre tous les clients de Blythe & Compagnie dans cette ville.

– Il est venu ici?

J'ai posé mes mains sur les appuie-bras du fauteuil, comme si j'allais y trouver quelque chose de lui qu'il aurait laissé derrière, quelque chose qui m'en dirait plus sur lui que les quelques misérables mots sur le bout de papier que m'avait donné M\ :superscript:`lle` Cooper.

– Évidemment.

– Il est comment? Dites-moi tout.

– Je ne peux rien vous dire, Anne, vous le savez. Vous aurez les réponses à vos questions bien assez tôt, si vous décidez de poursuivre. Mais je peux vous dire que je suis content que votre première question ait été «Il est comment?» plutôt que «Il a l'air de quoi?». Je crois que c'est un signe de progrès.

Ou pas. Je voulais vraiment, vraiment savoir de quoi il avait l'air.

– Alors... je devrais l'épouser?

Je ne pouvais m'empêcher de poser de nouveau la question.

Il a secoué la tête.

– Je voudrais essayer quelque chose avec vous.

– Si vous voulez encore me faire sortir de ma zone de confort, oubliez ça. C'est déjà fait.

– Non, je veux que vous vous relaxiez. Asseyez-vous confortablement, fermez vos yeux et comptez jusqu'à dix lentement.

Je me suis glissée vers l'arrière du fauteuil.

– Que dois-je faire pendant que je compte ?

– Rien, Anne. Fermez seulement vos yeux et comptez. Ne pensez à rien d'autre qu'à compter. Imaginez les chiffres se former dans votre tête. Et utilisez ces figures pour repousser toute autre pensée. Vous êtes prête ?

J'ai fermé les yeux et j'ai tenté de ne penser à rien d'autre qu'aux chiffres. Un… deux… trois… quatre… cinq… J'ai visualisé chaque chiffre à mesure que j'y pensais : des figures brillantes qui me brûlaient les paupières.

– Avez-vous compté jusqu'à dix ?

– Oui.

– Parfait. Je veux maintenant que vous repensiez au moment où vous avez décidé d'utiliser les services de Blythe & Compagnie. Vous souvenez-vous où vous étiez ?

– Oui, j'étais au travail.

– Que faisiez-vous ?

– Je parlais à ma meilleure amie, Sarah. Elle venait de m'annoncer qu'elle était fiancée.

– Elle vous a dit qu'elle allait se marier et vous avez décidé d'appeler Blythe & Compagnie ?

– Oui.

– Pourquoi ? Et surtout, ne me dites pas « Je ne sais pas ».

J'ai inspiré et expiré lentement. Un… deux… trois… Les chiffres m'apparaissaient maintenant en couleurs pastel, avec des contours flous, comme s'ils avaient été coloriés par mes nièces.

– J'imagine que je désirais ce qu'elle avait.

– Oui, mais pourquoi avez-vous appelé Blythe & Compagnie pour l'obtenir ?

– Parce que je ne savais pas comment l'obtenir par moi-même.

– Et n'est-ce pas toujours vrai? Ne désirez-vous pas toujours ce qu'elle a?

Six... sept... huit...

– Oui, je crois.

– Pas de réponses ambivalentes, Anne. Savez-vous comment obtenir par vous-même ce que vous désirez?

– Non.

– Désirez-vous encore la même chose que Sarah?

– Oui.

– Devriez-vous épouser Jack?

Neuf... dix... un... deux... les chiffres ont brillé une fois de plus, puis ont disparu.

– Si je comprends bien, vous me dites que si j'épouse Jack, j'obtiens ce que je veux même si je ne sais pas comment l'obtenir.

– Qu'en pensez-vous?

– Je veux obtenir ce que je veux.

– Alors?

– Je veux épouser Jack.

– D'accord, Anne. Vous pouvez ouvrir les yeux maintenant.

J'ai ouvert les yeux lentement. J'ai été éblouie par la lumière, un peu comme lorsqu'on allume dans la salle de bains au beau milieu de la nuit. J'ai frotté mes yeux avec mes poings, et lorsque j'ai pu voir clair de nouveau, le Dr Szwick était là qui me souriait.

– Comment vous sentez-vous?

– Un peu excitée.

– C'est bien, Anne. C'est très bien.

J'ai quitté le bureau du Dr Szwick sur un nuage, et j'ai plané sur ce nuage jusqu'au Mexique. J'ai libéré mon emploi du temps, demandé congé et dit à tout le monde que je partais en vacances impromptues pour célébrer mon contrat d'édition. J'ai veillé tard, soir après soir, à repasser les révisions et les corrections de mon livre. J'ai acheté des vêtements pour la plage et je me suis fait couper les cheveux. Et, bien sûr, j'ai changé d'idée une douzaine de fois. Mais quelque chose me poussait à aller de l'avant.

La veille du départ, je me suis acheté une robe pour le mariage.

J'étais fin prête.

J'embarque dans l'autobus et m'assois à côté d'une femme ronde, dans la mi-quarantaine, à la chevelure châtain clair parsemée de gris. Elle porte une jupe paysanne crème qui lui tombe aux chevilles et une blouse de lin violette sans manches. Elle sent l'huile pour bébé et la lavande.

– Bonjour, dit-elle avec jovialité. Moi, c'est Margaret.

– Moi, c'est Anne.

– Es-tu déjà venue au Mexique?

– Non, toi?

– Non plus. Tiens, je me demande où sont les hommes.

J'essayais désespérément de ne pas penser à cela moi-même. De ne pas me demander chaque fois que je voyais un homme aux cheveux bruns dans l'avion s'il s'agissait de Jack. Vais-je réellement devoir attendre jusqu'à ce soir avant de le voir?

– Bonne question, lui dis-je.

– Peut-être qu'ils sont amenés là-bas dans un bus différent.

– C'est sûrement ça.

– Comment s'appelle le tien?

Je suis gênée à l'idée de dire son prénom devant quelqu'un. Ça rend la chose plus réelle, on dirait. Mais, au fond, comment la chose pourrait-elle devenir plus réelle, maintenant que je suis assise dans un autobus qui m'amène vers lui?

– Jack.

– Le mien s'appelle Brian. C'est drôle, je n'ai jamais aimé ce prénom. Tant pis. Je suis certaine que ça ira bien. Aimes-tu le prénom Jack?

– Oui, j'aime bien.

– Qu'est-ce qu'il fait dans la vie?

– Il est écrivain.

– Brian est comptable. J'ai toujours pensé que c'était une profession ennuyante, mais c'est bien de savoir qu'il a un revenu stable. Hum... écrivain? Ça n'a pas l'air d'être très stable comme métier.

Mes épaules se tendent.

– Je suis moi-même auteure.

Elle ouvre grand ses yeux bruns laiteux.

– Deux écrivains. Wow! Eh bien, je suis certaine que ça ira bien.

– Pourquoi dis-tu toujours ça?

– Quoi?

– Que tu es certaine que ça ira bien?

– Ah, oui? Je dis ça? Bah, c'est juste une expression. Je veux dire, le taux de succès de Blythe & Compagnie est tellement élevé, non? Je suis certaine qu'ils nous ont jumelées avec la bonne personne pour nous. Seulement...

Elle baisse la voix, en se penchant vers moi, comme si nous allions conspirer.

– Ne t'es-tu jamais demandé si, parfois, ils pouvaient faire des erreurs, comme mélanger nos fiches par exemple?

– Non… je n'ai jamais pensé à ça…

Pas jusqu'à maintenant !

Elle repousse l'idée d'un geste de la main.

– Ah, ne t'en fais pas avec ça. Je suis certaine qu'ils ont des paramètres spéciaux, des protocoles ou quelque chose du genre, pour éviter ce type d'erreur.

Je l'espère, bordel !

Elle regarde par la fenêtre.

– As-tu remarqué le nombre de coccinelles Volkswagen sur les routes ici ?

– Non…

– Regarde, en voilà une autre !

Elle me frappe le côté du bras. Fort.

– Coccinelle jaune !

– Aïe !

Je me frotte le bras à l'endroit où elle m'a frappée.

– Désolée. C'est un jeu auquel je joue avec mon fils. Parfois, on dirait que je ne connais pas ma propre force.

– Tu as un enfant ?

– Oui. David. Il a neuf ans.

– Tu as été mariée ?

– Han, han.

– D'une manière… normale ?

Elle éclate d'un rire franc.

– Évidemment. Quoi ? Tu crois que c'est seulement des personnes fêlées incapables de se marier dans la vraie vie qui utilisent ce service ?

– Non, bien sûr que non. Désolée.

– Ça va. En fait, quand mon mariage s'est effondré, j'ai décidé de prendre une approche différente. J'utilisais un service de rencontre relié à mon église quand ma sœur m'a avoué comment elle avait vraiment rencontré son mari. Ça m'a fait un choc, mais en y repensant, j'ai commencé à comprendre ce que ça pouvait m'apporter.

– Comme quoi?

– Sauter l'étape des fréquentations, le «Apprendre-à-se-connaître», le «Suis-je-assez-belle-et-mince-et-intelligente-pour-toi» et toutes ces conneries, pour commencer immédiatement à bâtir un avenir avec quelqu'un avec qui je peux être amie, tu vois? Sal et moi, Sal étant mon premier mari, on ne s'appréciait pas vraiment, même pas au début. Lorsqu'on s'est mariés, il y avait déjà tellement de choses qui m'énervaient chez lui, mais j'étais déjà enceinte de David et...

– Je vois.

– Je me suis dit que ce serait bien de ne pas tout savoir de Brian pour un certain temps, tu comprends? De laisser les surprises et les petites irritations pour plus tard. En plus, j'ai toujours trouvé que les choses qui nous rendent fous chez un amoureux ne nous agacent pas autant quand il s'agit d'un ami. Tu vois ce que je veux dire? Tu t'en fous si ton ami ne presse pas le tube de dentifrice comme il faut ou s'il ne baisse pas le siège des toilettes. Je crois que Blythe & Compagnie a mis le doigt sur quelque chose avec cette histoire de «philosophie de l'amitié» dans le mariage. Comment as-tu entendu parler d'eux?

Ma tête tourne tellement à essayer de suivre le fil des pensées de Margaret que j'ai besoin d'une minute pour m'ajuster.

– Euh... En fait.

– Hé! Nous sommes arrivées!

L'autobus se gare devant l'entrée de l'hôtel. L'endroit ressemble à tous les autres hôtels que nous avons croisés en chemin : des murs en stuc jaune et blanc, de larges portes vitrées et de la céramique espagnole colorée sur les marches. L'océan azur, calme et vaste, s'étend derrière une large bande de sable plus blanc que blanc.

Nous débarquons et tirons nos valises jusqu'au hall d'entrée, nous alignant poliment devant le comptoir de la réception. Les seuls hommes dans le hall sont des employés de l'hôtel, presque indissociables dans leur uniforme blanc et leur cravate beige. Lorsque vient mon tour, l'homme derrière le comptoir procède à mon enregistrement et me remet une trousse d'orientation. Il referme un bracelet bleu en plastique sur mon poignet (mon laissez-passer pour accéder gratuitement aux repas et aux boissons toute la semaine) et me dit de ne pas le perdre.

Je marche vers l'aile où se trouvent nos chambres en compagnie de Margaret. Elle placote sans arrêt pendant qu'on suit un sentier de béton bordé de bougainvilliers d'un rose éclatant. L'air en transporte l'odeur sucrée et acide. Je peux entendre le bruit sourd des vagues qui se brisent sur la rive en un bourdonnement apaisant.

– Ah, c'est la mienne.

Margaret s'arrête, tout excitée, devant la chambre 42.

– On se voit à la rencontre tout à l'heure !

La minute suivante, je suis dans la chambre 58. Le plancher est couvert de tuiles grises. Les rayons de soleil dansent à travers les rideaux translucides. Le couvre-pied du lit grand format est fait d'un motif fleuri vif, criard. Une corbeille, remplie de fruits qu'on dirait de cire, est posée sur une table dans le coin.

Me sentant fatiguée et un peu crasseuse à cause du vol, je prends une douche dans l'immense salle de bains couverte de tuiles. L'eau est dure et sent légèrement le sel, mais le jet est fort et chaud. En sortant, je m'enduis d'une couche de crème solaire, j'enfile des vêtements pour la plage et me dirige à la séance d'orientation.

La rencontre se déroule dans une pièce entièrement vitrée près du hall de la réception. J'observe un groupe d'hommes jouant au volleyball pendant que Mlle Cooper anime la séance. Elle détonne parmi les couleurs vives estivales, avec son tailleur habituel aux nuances de gris et taupe. Comme dans l'autobus, il n'y a que des femmes dans la pièce. Nous sommes environ une vingtaine, entre la fin vingtaine et le début cinquantaine.

Mlle Cooper nous détaille l'emploi du temps et nous explique que notre hôtel est lié au centre de villégiature adjacent qui est rempli de touristes «normaux» et que notre bracelet bleu nous y donne accès, si nous le voulons.

– J'ai une question, avance Margaret. Où sont les hommes?

– Ils sont arrivés hier. Ce qui me fait penser : je vous suggère de ne pas parler à aucun d'entre eux jusqu'à la rencontre de ce soir.

– Pourquoi?

Mlle Cooper fronce les sourcils de sa manière typique. Je suis contente de voir que je ne suis pas la seule à lui inspirer ce genre de réaction.

– Nous avons déterminé qu'il était plus approprié de garder les groupes séparés jusqu'à la présentation officielle.

– Vous voulez éviter qu'on fraternise avec la mauvaise personne?

– Oui, c'est ça. Donc, je disais…

Après la rencontre, nous avons l'après-midi libre. Nous allons rencontrer notre futur mari à dix-huit heures. Les quatre heures qui me séparent de ce moment me semblent une éternité.

– Tu veux aller relaxer sur le bord de la piscine? me demande Margaret.

– Oui, pourquoi pas?

Je regarde la carte de l'hôtel remise par Mlle Cooper en essayant de trouver mes repères malgré mon sens de l'orientation déficient.

– Je crois que c'est par là.

– Nan, allons à l'autre piscine, tu sais, celle de l'autre hôtel.

– Pourquoi?

– Veux-tu vraiment passer l'après-midi à te demander si chaque homme sur le bord de la piscine est ton futur mari?

– Bon point.

L'hôtel d'à côté est une copie architecturale du nôtre, mais il y règne une ambiance différente. Le nôtre est discret, minimaliste, comme les bureaux de Blythe & Compagnie, mais en version mexicaine. Celui-ci dégage une atmosphère de semaine de relâche. La musique est forte et le monokini semble autorisé. Il y a même un bar au milieu de la piscine où des hommes et des femmes boivent et flirtent follement.

Nous nous installons sur des chaises longues en tissu bleu. J'applique de nouveau de la crème solaire sur ma peau trop pâle.

– Tu vas enlever le haut de ton bikini? me demande Margaret.

– Ce n'est pas vraiment mon genre.

– J'espère que ça ne te dérange pas que j'enlève le mien. À Rome, on fait comme les Romains, non?

Elle défait le nœud derrière son cou et enlève le haut de son maillot rouge. Elle s'étend ensuite, les yeux fermés, pour profiter du soleil.

Peut-être que je devrais enlever mon haut aussi? Mais, si jamais... Si jamais Jack avait eu la même idée que Margaret. Il pourrait être assis sur l'une de ces chaises, autour de cette piscine. Je n'ai certainement pas envie que la première fois qu'il me voit, ce soit avec les seins nus.

Je regarde autour de moi. Jack H., es-tu ici? Es-tu ce gars aux cheveux bruns et aux yeux-pâles-peut-être-verts qui flirte avec la jolie blonde en sirotant une margarita dans un verre de plastique? Non, il est trop bronzé; celui-là doit être arrivé depuis déjà plusieurs jours. Je sonde la foule à la recherche d'un autre candidat. Il y a un gars avec un immense tatouage d'aigle dans le dos, qui flotte, les bras ballants, sur un matelas pneumatique. Il a les cheveux bruns et il pourrait avoir la bonne taille. Merde. Je déteste les tatouages. Pourquoi ne m'ont-ils pas posé la question dans le formulaire? N'est-ce pas un détail important? Ou peut-être que la question a été posée et que je ne m'en souviens pas.

Jack, Jack, *Jack*. Es-tu ici? Es-tu quelque part hors de ma vue, en train de m'observer, en te demandant si je suis la fille qu'on a trouvée pour toi? Ai-je l'air mignonne dans mon bikini? Es-tu soulagé que je ne sois pas seins nus?

Anne Shirley Blythe, il faut que tu te calmes, bordel!

J'essaie de me distraire en lisant, mais plus l'après-midi avance, plus le boum, boum des haut-parleurs devient intense et je n'arrive plus à me concentrer. Je décide d'aller faire trempette dans la piscine et je me glisse dans l'eau chaude.

Je fais quelques longueurs sans grand enthousiasme, puis je me dirige vers le bar pour commander une margarita. Je lèche le sel sucré sur le pourtour du verre, en essayant d'en compter chacun des grains.

Un... deux... trois...

Merde, le truc du Dr Szwick ne fonctionne plus.

Le suspense me tue, il est en train de me ronger, de me vieillir, de vieillir mon cœur. J'aimerais pouvoir avancer le temps jusqu'à ce soir, jusqu'à quelques minutes après notre rencontre, au moment où je saurai de quoi il a l'air et que j'aurai une petite idée de comment il est. Je voudrais pouvoir voler comme Superman autour du soleil afin d'accélérer le temps. Ce serait cool. À moins que ce soit pour retourner dans le temps qu'il faisait ça? Ouf, cette margarita est vraiment forte.

Je vide mon verre quand même et fais quelques longueurs de plus jusqu'à ce que je réalise que les gens qui se soûlent à un bar dans une piscine ne doivent pas être regardants quant à l'endroit où ils choisissent d'uriner. Assez de baignade pour aujourd'hui.

Je regarde ma montre pendant que je me sèche avec la serviette. La rencontre officielle a lieu dans trente minutes.

Ça y est. L'heure de vérité.

CHAPITRE 10

PAROLES, PAROLES...

Je me présente à dix-huit heures pile.

Je porte des sandales à lanières et une robe d'été vert menthe qui effleure mes genoux. J'ai laissé mes cheveux sécher naturellement en vagues bouclées et le soleil que j'ai pris cet après-midi a donné un petit éclat rose à mon nez. Je crois que je parais plutôt bien, mais je suis trop nerveuse pour en juger par moi-même. De toute façon, comment savoir ce dont on doit avoir l'air pour rencontrer son futur-mari-arrangé ? Sexy ? Sobre ? Saine d'esprit ?

Le bâtiment où je dois le rejoindre est... merde. Est-ce vraiment en train d'arriver ? Suis-je vraiment en train de faire ça ? Et, est-il... ? Argh ! Ça suffit. Relaxe. Regarde la pièce. Observe les détails. D'accord, oui. Le bâtiment ressemble à un ancien amphithéâtre grec : parfaitement rond, avec une vingtaine de rangées de marches blanches formant des anneaux concentriques. Il y a une section plate au milieu avec un bar isolé d'un côté. Le plafond est en toile blanche, avec des projecteurs dissimulés sous les pics qu'ils illuminent. L'endroit a quelque chose de beau et de dramatique. Parfait pour ce qui est sur le point de se produire.

La pièce est déjà pas mal pleine, et il y a une sorte de tension anxieuse dans l'air. Les hommes et les femmes sont assis loin les uns des autres sur les marches. De toute évidence, personne ne veut risquer de parler à la mauvaise personne.

Mlle Cooper est debout devant le bar, avec une écritoire à pince entre les mains. Elle porte une robe chemisier sable. Une ceinture de la même couleur enserre sa petite taille. Ses cheveux sont détachés, mais parfaitement coiffés. Je commence à douter de mon apparence.

– Bonsoir, mademoiselle Blythe. Vous profitez bien de votre séjour ?

Super, merci. À part pour la nervosité aiguë, permanente, bien sûr.

– Jusqu'à maintenant, tout va bien.

Elle coche mon nom sur sa liste.

– Nous allons commencer dès que tout le monde sera là. Sentez-vous à l'aise de vous commander un verre au bar en attendant.

Bonne idée.

Je commande une margarita et la bois tout en grimpant les marches jusqu'à l'avant-dernière rangée. J'examine la pièce. J'ai une bonne vue sur les candidats à mesure qu'ils font leur entrée. Jusqu'à maintenant, j'en ai compté trois qui pourraient être Jack, en espérant quand même qu'ils ne le soient pas. Et de quatre. Mon Dieu, faites que ce ne soit pas lui.

Bordel. C'est quoi mon problème ? Je sais déjà que Jack ne ressemble pas aux hommes que j'ai aimés auparavant. Ça ne veut pas dire qu'il est un ogre ou, même s'il n'est pas particulièrement attirant, qu'il n'est pas un gars génial, capable de me rendre heureuse.

– Pourquoi t'es-tu assise aussi loin? me demande Margaret en bondissant de marche en marche avec une agilité surprenante.

Elle porte une sorte de sari indien qu'elle a transformé en robe. Le tissu fait une boucle autour de son cou et se replie sur l'avant, tombant juste au-dessus de ses genoux. Même si la couleur rouge vif lui va bien avec sa peau déjà bronzée, le résultat général lui donne l'air de ne pas avoir de formes.

– Je n'ai jamais aimé m'asseoir à la première rangée.

– On n'est plus à l'école, ma chérie. Personne ne va rire de toi.

Je souris et me pousse un peu pour lui faire de la place.

– Qu'as-tu pensé de la piscine? lui dis-je en continuant d'observer obsessionnellement chaque homme qui entre dans la pièce.

– C'était relaxant.

– Vraiment?

– Oui, je me sens revigorée, et surtout, prête.

– C'est bien.

– Et toi?

Moi? J'essaie de ne pas avoir une crise cardiaque.

– Hum... Oui, j'imagine...

– Es-tu nerveuse?

– Pas toi?

– Pas vraiment. J'*étais* nerveuse la première fois que je me suis mariée. Même si, en y repensant, c'était probablement parce que j'avais peur de vomir sur ma robe.

– Comment ça se fait que tu ne sois pas nerveuse cette fois-ci?

– Pourquoi je le serais?

– Tu plaisantes, n'est-ce pas?

Elle hausse les épaules.

– J'ai confiance en Blythe & Compagnie.

– Ah, oui?

– Oui. Pas toi?

Un cinquième Jack potentiel fait son entrée et dit quelque chose à Mlle Cooper. Il est assez mignon, mais il a l'air plus vieux que trente-quatre ans.

– Es-tu en train d'essayer de savoir s'il s'agit de Jack?

Je décroche mes yeux de lui.

– Coupable.

– Il n'est pas trop mal. Tu pourrais avoir pire.

– Es-tu inquiète de savoir de quoi Brian a l'air?

Elle hausse de nouveau les épaules.

– Je n'ai jamais été quelqu'un qui accorde de l'importance à l'apparence. Regarde-moi: je ne peux pas vraiment jouer la difficile.

Je me retiens d'acquiescer à ce qu'elle vient de me dire.

– Eh bien, moi, je le suis. Quelqu'un qui accorde de l'importance à l'apparence, je veux dire. En tout cas, je l'étais.

– Ça, c'est évident, ma chérie.

Avant que je puisse lui demander ce qu'elle veut dire par là, Mlle Cooper s'éclaircit la voix bruyamment pour prendre la parole.

– Puis-je avoir votre attention, s'il vous plaît?

Le silence se fait instantanément.

– Bienvenue à la retraite mexicaine de Blythe & Compagnie. Nous espérons que vous êtes satisfaits de vos chambres et que les lieux vous plaisent. Bon, vous savez tous pourquoi nous sommes ici et j'imagine que vous avez hâte d'y venir. Je vais appeler les couples un à un. Lorsque vous êtes nommé, venez à l'avant rejoindre le candidat avec qui vous avez été jumelé. Vous passerez du temps ensemble jusqu'au repas du soir. Le souper sera servi à dix-neuf heures trente, dans le restaurant italien. Nous vous donnerons plus de détails à ce moment-là. Des questions?

Elle balaie la salle d'un coup d'œil, mais personne ne bouge. Chaque visage que je vois est apeuré : le reflet de ma propre terreur intérieure.

– Je resterai ici après les présentations, si vous avez des questions à me poser en privé.

Elle baisse le nez sur sa liste.

– Stéphanie F. et Thierry A.

Deux personnes dans la mi-trentaine à l'air ahuri se lèvent et descendent les marches en direction du milieu de l'amphithéâtre. Thierry A. tend sa main et, après un moment d'hésitation, Stéphanie F. la serre. Un petit rire nerveux parcourt la salle. Thierry salue le public, qui répond par de légers applaudissements, et Stéphanie F. et lui quittent la salle ensemble.

– Candice M. et Michael P.

Deux autres personnes à l'air ahuri descendent maladroitement les marches pour se rencontrer au centre de l'arène.

– Amy J. et Olivier G.

– Tanya B. et Eric P.

– Annie B. et Phil M.

– Sara P. et Patrick S.

Mon Dieu, c'est de la vraie torture! Je me sens comme à l'école quand le professeur nous demandait de choisir les équipes. Je savais que quelqu'un allait me choisir à un moment donné, mais j'agonisais dans l'attente d'entendre enfin mon nom.

– Anne B. et Jack H.

Ça y est. Je me lève si rapidement que je bascule presque sur la rangée en avant. Je descends prudemment les marches pour rejoindre Jack au milieu de l'arène. Malgré mon guet avide de la porte d'entrée, il n'est aucun des hommes que je craignais qu'il soit. Il ressemble à sa description : un mètre soixante-dix-huit, cheveux bruns légèrement frisés, yeux verts une teinte plus foncée que les miens. Comme nos prédécesseurs, nous nous serrons la main. La sienne est sèche, chaude et ferme. J'espère que la mienne ne tremble pas.

– On y va ?

Sa voix est semi-grave, sans accent. Une bonne voix.

– Allons-y.

Nous quittons l'amphithéâtre pendant que Mlle Cooper appelle le couple suivant.

– Tasha T. et Chris T.

– Où veux-tu aller ? lui dis-je lorsque nous arrivons dehors.

Le soleil est sur le point de disparaître derrière les immeubles blancs. Ses rayons encore forts caressent mes épaules.

– Je crois qu'il y a un bar extérieur près d'une des piscines. Ça te dit ?

– Bonne idée.

– Je te suis.

– Euh... peux-tu passer devant ? Disons que je n'ai pas vraiment le sens de l'orientation.

Il me lance un regard amusé.

– D'accord, suis-moi.

Nous marchons sur un sentier en direction du bar, Jack devant moi. Je l'observe attentivement de derrière. D'après ce que je peux voir, il semble avoir un corps dans la moyenne sous sa chemise en madras bleue et son pantalon kaki légèrement froissé. Sa nuque est rose. Perdre cinq kilos ne lui ferait probablement pas de tort, mais son petit excédent de poids est bien réparti.

Le bar est situé au milieu d'un grand patio quadrillé de pavés de béton. Il y a un buffet à l'arrière et l'espace est délimité par de larges piliers d'acajou. Le plafond est fait de vignes en fleurs enroulées sur du treillis. Des bougies blanches éclairent les tables rondes en fer forgé.

Nous trouvons une table libre et nous nous installons, l'un en face de l'autre, dans des chaises de metteur en scène. Le bar est à moitié rempli par les nouveaux couples formés par Blythe & Compagnie. Le bruit de leur bavardage est assez fort pour assurer que notre conversation demeure privée.

J'observe chaque détail du visage de Jack. Il a le front haut et un début de rides d'expression autour des yeux. Pour un homme, il a un petit nez, ce qui lui donne un air enfantin. Ses dents sont égales et blanches derrière ses lèvres plutôt minces. Une barbe très courte, une teinte plus pâle que ses cheveux, recouvre son menton carré. Merde. La barbe, ce n'est vraiment pas mon genre.

Nos regards se croisent et je réalise qu'il était, lui aussi, en train de me scruter de haut en bas.

– C'est un peu gênant, me dit-il en souriant nerveusement.

Je lui rends le même sourire nerveux.

– Oui, c'est vraiment gênant.

– Au fait, je ne connais même pas ton nom de famille.

Il me tend la main au-dessus de la table.

– Jack Harmer.

Jack Harmer. J'aime ça. Anne Harmer. Anne Blythe Harmer. Pas mal.

Bordel. J'ai quel âge, douze ans?

– Anne Blythe. Heureuse de te rencontrer.

Je lui serre la main pour la deuxième fois ce soir. Elle est toujours aussi ferme, sèche et chaude. Agréable.

– Anne Blythe. Pourquoi ce nom me dit-il quelque chose?

– Tu veux dire, à part pour Blythe & Compagnie?

– Oui.

– J'écris pour le magazine *Twist*.

Il s'arrête un instant pour penser. Puis, il hoche la tête.

– J'ai lu certains de tes articles. C'est toi qui as écrit cet article sur les mariages arrangés, non?

– Oui.

– Intéressant, ton choix de sujet.

Je sens la chaleur monter dans mon cou.

– Ne dit-on pas toujours qu'il faut écrire sur ce que l'on connaît?

– En effet, c'est ce qu'on dit.

Un serveur s'approche pour prendre notre commande.

– *Buenas noches, señor, señorita.* Que désirez-vous boire, ce soir?

– *Una cerveza*, dis-je.

– *Dos*, répond Jack en écho.

Le serveur s'éloigne.

Je pouffe de rire.

– Qu'est-ce qu'il y a?

– Il m'a appelée *señorita*, comme si j'étais une jeune fille.

– C'est vrai que tu as l'air plutôt jeune.

– Merci. Enfin. Je pense… Tu es écrivain aussi, non ?

– Mmm, hum.

– Tu écris quoi ?

– J'écris surtout pour le magazine *Outdoor* et j'ai publié quelques romans.

– Quelle sorte de romans ?

– Différents trucs. Mon dernier livre se déroulait pendant un rallye d'aventures.

– Qu'est-ce que c'est, un rallye d'aventures ?

– C'est une course de sept jours qui combine la course, la randonnée, l'escalade et la descente de rapides.

– As-tu déjà fait ça ?

– Oui. C'est ce qui m'a donné l'idée du roman.

– Hum. Rallye d'aventures, le magazine *Outdoor*… J'imagine que tu es un gars de plein air.

– On pourrait dire ça, oui. Et toi, es-tu une fille de plein air ?

Je crois qu'il est en train de flirter avec moi. Intéressant…

– Ça m'arrive.

– Que veux-tu dire par là ?

– C'est un peu gênant à raconter.

Il se penche vers moi. Son odeur est un mélange de savon et de forêt.

– Bon, maintenant, il faut que je sache.

Le serveur apporte nos bières. Je prends une gorgée nerveusement en me demandant si je devrais lui raconter ce que j'ai en tête.

– Alors, vas-tu m'éclairer ?

Le tout pour le tout…

– Rien de spécial. C'est juste que j'ai fréquenté un gars qui était un passionné de camping, alors j'ai passé beaucoup de temps dans la nature, à l'époque. Mais je ne suis pas certaine de vraiment aimer ça.

– Je m'attendais à pire.

– Ah, oui? Tu t'attendais à pire, hein?

Le flirt, ça se joue à deux.

– Mmm, hum.

– Comme quoi?

– Euh, je ne sais pas. Que tu vis cloîtrée depuis trois ans et que la seule raison pour laquelle t'es ici, c'est parce que tu as pris suffisamment de médicaments pour ne plus être consciente de l'endroit où tu te trouves. Quelque chose comme ça.

Je réprime un rire.

– En effet, ce serait beaucoup plus crédible dans les circonstances.

On se sourit mutuellement. Il a un beau sourire.

– Alors... est-ce que c'est la chose la plus folle que tu as faite dans ta vie? me demande-t-il.

– Je crois que oui. Et toi?

– Oh, que oui.

– C'est bon, parce que si tu avais déjà fait quelque chose de plus fou que ça, tu serais probablement dans la catégorie des «J'ai-déjà-passé-quelque-temps-dans-un-hôpital-psychiatrique», et je pense que ça ne ferait pas de toi un bon candidat pour le mariage.

– Ce qui nous amène à parler de...

– Ce qu'on fait ici? disons-nous à l'unisson.

– Je me mets à nu si tu te mets à nu, dis-je, surprise moi-même par mon audace.

Il prend une longue gorgée dans son verre.

– En fait, j'ai été dans quelques relations à long terme qui n'ont pas fonctionné et je ne savais jamais vraiment pourquoi. En plus, je travaille surtout seul, alors c'est difficile pour moi de rencontrer des gens. J'ai toujours pensé qu'à mon âge, je serais marié et que j'aurais des enfants. Un de mes amis m'a dit qu'il avait rencontré sa femme grâce aux services de Blythe & Compagnie. Il est toujours marié, avec deux beaux enfants. J'y ai pensé longtemps, puis je me suis dit «Pourquoi pas?».

– Donc, tu es totalement normal?

Il met sa main sur sa poitrine.

– Je suis totalement normal, je le jure. Et toi?

Et moi? Pourquoi suis-je ici au juste?

– J'ai mis fin à une relation sérieuse avec un gars qui n'était pas pour moi et j'ai réalisé qu'aucun des hommes que j'ai fréquentés n'était bon pour moi. Et tout le monde dans mon entourage semble déjà marié, fiancé, ou sur le point d'avoir des enfants. Je veux toutes ces choses et je n'arrivais pas à trouver comment les obtenir sans aide.

– Alors, toi aussi , tu es totalement normale?

Je fais un signe de croix avec mes index à la hauteur de mon cœur.

– Croix de bois, croix de fer, si je mens, je vais en enfer.

– Comment as-tu entendu parler de Blythe & Compagnie?

– Tu vas trouver ça stupide.

– Dis-le-moi, me dit-il en se penchant de nouveau vers moi.

– J'ai trouvé la carte de visite de Blythe & Compagnie sur le trottoir, le jour où j'ai quitté mon ex. Et plus tard, quand j'ai découvert quel genre de services ils offraient, je me suis dit que c'était un signe.

– Crois-tu aux signes?

– Pas vraiment, non.

– Tu es une drôle de fille, toi, hein?

– Peut-être.

Il jette un coup d'œil à sa montre.

– Il est presque dix-neuf heures trente. On va manger?

– D'accord, on y va.

Nous nous levons et marchons jusqu'à la limite du patio où le sentier commence.

– Reste près de moi, Anne. Tu ne pourras pas te perdre, me dit Jack, malicieusement.

Il me tend la main et j'y glisse la mienne. Il la serre gentiment et me guide jusqu'au restaurant. À l'entrée, un serveur coche notre nom sur une liste et nous dirige vers une table pour deux, avec une vue magnifique sur l'océan.

Jack regarde les couples autour de nous. Tous semblent plongés dans leurs conversations.

– De quoi parlent-ils, selon toi?

– Ils font comme nous, j'imagine. Ils apprennent à se connaître.

– Je me demande combien d'entre eux sont en train de se dire que Blythe & Compagnie s'est planté, dit-il en prenant le menu et en commençant à le feuilleter.

Est-ce une façon subtile de me dire qu'il pense que Blythe & Compagnie s'est planté dans notre cas? Alors, c'était quoi la séance de flirt plus tôt au bar?

– Est-ce que c'est ce que tu penses?

– Pas encore, me dit-il, sans lever les yeux du menu.

– Eh bien… tu me le diras quand tu le sauras.

Je prends mon menu et j'essaie de faire comme si de rien n'était.

-- Je te tiendrai au courant.

C'est alors qu'il baisse le menu qui cachait son visage pour me lancer un regard espiègle et je réalise qu'il me taquinait depuis le début. Mes épaules, tendues sans même que je le réalise, se détendent d'un seul coup.

– Alors, Anne. Raconte-moi un peu ta vie,

– Vraiment ?

– Oui, bien sûr. Je veux apprendre à te connaître.

– D'accord, mais je t'avertis, c'est plutôt ennuyant.

– J'aurai été averti.

Alors, je commence à lui raconter ma vie. Je lui décris ma famille, mon frère, mon enfance. Je lui parle des écoles que j'ai fréquentées. De mon travail. Je lui parle aussi de Sarah et de William, et des amis qui vivent ailleurs aujourd'hui. Pendant que je lui raconte tout ça, nous commandons nos plats — en fait, nous avons choisi la même chose : une lasagne assurément non mexicaine — et nous passons à travers une bouteille de vin. Nos salades arrivent alors que j'en suis à raconter le temps présent.

– Tu as de la vinaigrette sur le menton, dis-je à Jack, qui vient de plonger avec enthousiasme dans sa salade.

– Ça m'arrive souvent. Je t'avertis tout de suite.

Il s'essuie avec sa serviette de table, une lueur espiègle dans les yeux.

– Si je comprends bien, tes parents t'ont nommée en l'honneur de la petite rousse qu'on voit à la télé, celle qui a le don de se mettre dans le pétrin.

– S'il te plaît, ne me parle pas de cette farce ! Les livres sont tellement meilleurs.

– Quoi ? Il y a plus d'un livre ?

– Oui, elle est le personnage principal d'au moins huit livres et…

Je m'arrête, en prenant conscience du petit côté fanatique dans le ton de ma voix.

– Han. Qui l'eût cru ?

– Ne dis jamais une telle chose devant ma mère.

– Une grande fan ?

– Je ne sais pas. Décrirais-tu quelqu'un qui donne les prénoms de ses personnages préférés dans un livre à ses propres enfants comme une grande fan ?

– Une fanatique, oui.

– Ça décrit bien ma mère.

– J'ai très hâte de la rencontrer.

Un frisson parcourt mon épine dorsale. Jack qui rencontre mes parents. Gil. Sarah. William. Comment cela va-t-il se passer ?

– Alors, dit Jack, tu ne m'as pas encore parlé d'hommes…

Je le regarde, interloquée.

– Tu veux vraiment entendre parler de ça ?

– Absolument.

– Pourquoi ?

– Si je connais ton passé, ça va m'aider à comprendre ce que tu fais ici, maintenant.

– Je pensais que c'était plutôt le travail du Dr Szwick de faire ça.

Il fronce les sourcils.

– Ah, oui. Dr Szwick. « Nous avons les moyens de vous faire explorer vos sentiments les plus profonds. »

– Tu n'es pas un admirateur, on dirait.

– Non, madame. Allez, Anne, parle-moi un peu des hommes.

Alors je lui parle de chacun de mes ex, un par un, en brossant un tableau général et en ajoutant quelques détails aussi. Le vin me rendant plus audacieuse, je vais jusqu'à lui confier que je n'ai eu que quatre relations antérieures plutôt que les six exigées par Blythe & Compagnie. Quand je termine l'histoire de Stuart, il adopte un regard pensif.

– Tu as un genre.

– Oui, le genre d'homme avec qui je ne devrais pas être.

– Oui, ça aussi. Mais je parlais plutôt d'un genre physique.

Merde.

Je me sers un autre verre de vin.

– Toi, tu écoutes trop bien.

Il rit de ma réponse.

– Aucune femme ne m'a accusé de ça, avant.

– Il y a une première fois à tout.

– Aujourd'hui, c'est la première de bien des choses, me dit-il doucement. Alors, j'ai raison? Tu as un genre physique?

Je lève la main en signe de reddition.

– J'avoue.

– Et ce genre, ce n'est pas moi, n'est-ce pas?

– Non.

Il prend un air philosophe.

– C'est ce que je pensais. Par curiosité, à quoi ressemble ma concurrence?

– Tu es certain de vouloir le savoir?

– Tu peux y aller.

– Pierce Brosnan.

– Il n'est pas un peu vieux?

– C'est un vieux béguin.

– Hum, James Bond. La concurrence est de taille.

– Désolée.

– Pourquoi serais-tu désolée?

– Oh, je ne sais pas. Et toi? As-tu un genre de femme?

Merde. Pourquoi ai-je demandé ça? Il a probablement un faible pour les grandes blondes à la peau bronzée. Est-ce que je veux vraiment savoir ça?

– Pas vraiment.

Fiou.

– Ah non? Aucun *pattern* dans les dernières fréquentations?

– Non… mais si on doit absolument faire référence à une célébrité, je dirais que mon ex ressemble à Cameron Diaz.

Je le savais!

– La barre est haute.

Il hausse les épaules.

– Ça ne nous a pas empêchés de nous séparer.

– On dirait que non, en effet.

Mais encore… Je dois savoir.

– Si tu avais vu une photo de moi avant ce soir, est-ce que ça t'aurait fait changer d'idée?

– Au contraire, ça m'aurait encouragé.

Je rougis de plaisir.

– Merci. Et pour ton information, j'aurais été beaucoup moins nerveuse si j'avais vu ta photo.

– Tu m'imaginais chauve avec une bedaine de bière?

– Seulement dans mes bonnes journées.

Le serveur dépose les lasagnes sur la table. Jack se penche au-dessus de son assiette et la renifle, visiblement ravi.

Il me surprend à l'observer.

– J'ai une confession à te faire.

– Quoi?

– J'adore tout ce qui est hydrates de carbone. Je crois ferme-ment que la vie ne vaut pas la peine d'être vécue si je ne peux pas manger de pâtes ou de patates. Je t'en prie, dis-moi que c'est pareil pour toi.

Je ricane.

– Oui, moi aussi. Vraiment.

Tu ne me fais pas marcher, hein ? Je te le dis, je prends ça très au sérieux.

– Oh, non. Je suis très sérieuse. Les pâtes, c'est ma vie.

– Anne, veux-tu m'épouser ?

Je ris aux éclats.

– Non, je suis sérieux. Veux-tu m'épouser ?

Son expression est tellement sincère que ça me fait rire encore plus fort. J'essaie de me contenir, mais j'y arrive très mal.

Je cherche mon souffle.

– Es-tu... vraiment... sérieux ?

– Normalement, je dirais non, mais dans les circonstances, oui, pourquoi pas ? Marions-nous.

J'arrête de rire d'un seul coup. Cet homme que j'ai rencontré il y a deux heures veut-il vraiment m'épouser ? Mon cœur se met à battre plus fort dans ma poitrine.

– Parle-moi de toi un peu avant. Raconte-moi ta vie.

– Ce n'est pas vraiment la réponse que j'attendais, mais d'accord.

Pendant qu'il me parle de son enfance, de ses écoles et de ses huit (!) relations amoureuses passées, j'essaie de voir s'il est réellement déçu que je n'aie pas immédiatement accepté de l'épouser. S'il l'est, il le cache bien. J'arrête de m'en faire avec ça et je l'écoute parler. Jack est un très bon conteur, même s'il a tendance à un peu trop gesticuler.

– Fais attention à ton verre d'eau, dis-je en l'écartant du danger.

– Merci. Je fais toujours tomber des trucs quand je parle.

Ça ne me surprend pas. Hé, regarde le coucher de soleil.

Le ciel est zébré d'orange et de rouge au-dessus de la mer turquoise. J'essaie de mémoriser le paysage, en imaginant les mots que j'utiliserais pour le décrire.

– Que préfères-tu dans l'écriture? lui dis-je.

– On dirait une question pour une entrevue d'embauche.

– C'est un peu ça, non? Pour nous deux.

– Alors, tu dois savoir que je suis un peu bordélique, mais propre: c'est une distinction importante. Aussi je ronfle, mais seulement trois petits ronflements en m'endormant, ce qui est adorable selon mes sources. Et je fais des sandwichs œufs bacon écœurants.

– Je garderai ça en tête, merci.

– Bien. Mais, je crois que tu voulais savoir ce que j'aimais le plus dans l'écriture?

– Es-tu capable d'être sérieux?

– Ah, tu veux du sérieux? Vraiment sérieux?

Ses lèvres se plissent, mais il garde un visage impassible.

– D'accord, voilà. J'aime utiliser les mots de façon à ce qu'ils transmettent un sentiment, un endroit ou une odeur. J'aime l'idée de transformer *un* sens — la vue — en une expérience multisensorielle. Et quand je réussis à faire ça, j'ai l'impression que ça vaut la peine. Assez sérieux pour toi? Ou trop convenu?

– Juste parfait. Et je sais exactement ce que tu veux dire. Quand les choses se passent bien, j'ai l'impression qu'une partie de moi prend vie sur la page. Tu sais, cette manière de percevoir le monde dans notre tête?

– Plutôt cool, n'est-ce pas ?

– Oui. Ça compense le salaire de crève-faim.

Il regarde autour de lui.

– Tu dois quand même bien t'en tirer si tu as pu t'offrir ce service.

– Je pourrais dire la même chose de toi.

– En effet. Donc.

Je baisse les yeux sur mon assiette à moitié vide. Je me sens gênée de dire d'où vient l'argent.

– En fait, l'argent vient d'un contrat d'édition, et j'ai utilisé une partie de mon avance pour venir ici.

Jack étire le bras et serre ma main dans la sienne rapidement. Je lève les yeux vers lui, surprise. Il retire sa main, l'air troublé.

– C'est génial, Anne. Quand ton livre va-t-il être publié ?

– Dans quelques mois.

– De quoi ça parle ?

– Un groupe d'amis qui se rencontrent aux retrouvailles de leur école secondaire.

– Je peux le lire ?

– Peut-être.

– Le serveur nous amène la carte des desserts. Je choisis la crème glacée avec des fraises. Il commande un morceau de gâteau au chocolat. Quand le serveur s'éloigne, Jack me regarde avec de la gratitude dans les yeux.

– Je suis content que tu aimes manger.

– Ai-je l'air d'aimer ça tant que ça ?

Jack rougit. Il ne sait pas quoi répondre.

– Ce n'est pas ce que je voulais dire, lui dis-je. Je suis chanceuse, j'ai un bon métabolisme.

– Note à moi-même: la prochaine fois dire «Non, chérie, tu n'as pas l'air grosse du tout!»

– Voilà. Ça, c'est la bonne attitude. Continue comme ça et tu auras peut-être l'emploi.

Il prend son verre de vin dans sa paume, en en faisant tourner le liquide rubis.

– Hum… Je ne sais pas. Quels sont les avantages sociaux qui viennent avec?

– Il est trop tôt pour le dire.

Le serveur nous apporte les desserts. J'en prends une bouchée: c'est froid, sucré et crémeux. Jack semble apprécier son gâteau au chocolat, émettant des petits «hummm» à mesure qu'il passe au travers.

Je pose ma cuillère sur la table.

– Jack, ça ne te semble pas surréel tout ça?

Il lève les yeux vers moi, la bouche pleine de gâteau.

– C'est comme du faux réel, si tu vois ce que je veux dire.

– Comme dans une téléréalité?

– Oui, exactement.

– C'est une bonne ou une mauvaise chose?

Ses lèvres se plissent légèrement.

– Il est trop tôt pour le dire.

– La téléréalité fait partie de mes plaisirs coupables.

– J'en prends bonne note. Dis-moi quels sont tes autres plaisirs coupables.

– Non, pas le premier soir.

– Ah, mais c'est quand même le soir de nos fiançailles.

– Bon point.

Mlle Cooper tape sur son verre de vin avec un couteau pour attirer notre attention, et la salle devient silencieuse.

– Bonsoir, tout le monde. J'espère que vous avez apprécié votre repas et votre compagnie. Comme vous le savez, demain, c'est le grand jour. Alors, venez me voir en sortant afin que je vous donne votre rendez-vous pour la séance de thérapie pré-mariage et pour la cérémonie. Si vous avez décidé de ne pas poursuivre, faites-le-moi savoir.

Il y aura un autre souper de groupe demain afin de célébrer vos mariages. Pour ceux d'entre vous qui désireraient explorer les environs, il y a plusieurs excursions offertes. Vous n'avez qu'à réserver avec l'agence de voyages, à côté de la réception.

Si vous avez des questions, je serai ici durant la prochaine heure. Finalement, parce que nous aimons les traditions, il y aura des autobus qui quitteront l'hôtel ce soir à vingt-trois heures pour deux bars différents, un pour les femmes et un autre pour les hommes. Je vous souhaite une bonne fin de soirée et je vous offre mes félicitations.

Mlle Cooper marche vers l'entrée, écritoire à pince en main. Les couples commencent à former une ligne devant elle pour prendre leur rendez-vous. Ils ont l'air décidé. Ils ont l'air prêts. Leur assurance me renverse.

– Alors, que va-t-on lui dire ? me demande Jack.

– À mademoiselle Cooper ?

– Oui.

– Que veux-tu lui dire ?

Il prend une grande inspiration.

– Je veux lui dire …. que nous allons nous marier.

Oh. Mon. Dieu. Je crois que je vais m'évanouir.

Tout ce que je parviens à dire c'est « Oh ».

– Encore une fois, pas la réponse que j'espérais.

Il faut que je respire. Oui. Respirer, ce serait bon.

– Ça va, Anne ?

Jack pose sa main sur mon bras. Ma peau se réchauffe à son contact.

– Je crois que je suis en train de paniquer.

– Allez, on y va.

– Oui, mais, nous devons dire à mademoiselle Cooper si nous allons nous marier ou pas.

– Oublie ça pour le moment. Viens avec moi.

Jack se lève et me tend la main. Après un moment d'hésitation, je place ma main dans la sienne et le laisse me guider vers la sortie opposée à celle où se tient Mlle Cooper.

Nous passons devant la piscine et prenons un petit sentier vers la plage. Je m'assois sur un muret en béton, et je prends de profondes inspirations, essayant de retrouver mes repères. D'habitude, j'adore le parfum revigorant de la mer, mais en ce moment, c'est tout juste si je le remarque.

J'enlève mes souliers, j'enfouis mes pieds dans le sable blanc et je pense à ce que le Dr Szwick m'a dit de faire en cas de doute. « Concentre-toi sur les raisons qui t'ont menée ici, m'a-t-il dit. Fais confiance à ta décision. Fais-toi confiance. »

Je suis ici parce que je veux ce que tout le monde a. Je veux une famille. Je veux me marier. J'ai pris cette décision. Je dois me faire confiance. Je dois…

– Anne, tu vas bien ?

J'ouvre les yeux. Jack se tient devant moi, l'air inquiet.

– Ça va.

– Tu en es certaine ?

– Oui.

Jack met ses deux mains dans ses poches.

– Écoute, je ne veux pas tu fasses quoi que ce soit qui te rende mal à l'aise. J'ai seulement pensé que, puisqu'on est ici, et qu'on semble bien s'entendre... Et je sentais... je *sens* une complicité entre nous...

Je dois me faire confiance. Je dois avoir confiance en ma décision.

– Je sais, Jack. Je la sens aussi

Il me sourit.

– Alors, que fait-on ?

– Continue de me parler.

– Je peux faire ça.

Il s'assoit à côté de moi sur le muret et nous faisons tous les deux face à l'océan.

– On dirait un faux paysage, tu ne trouves pas ?

La lune est pleine, avec tout autour de petits nuages minces illuminés par sa lueur. Le vent est tombé et la mer est tellement calme qu'on la croirait totalement plate. À côté de nous, il y a un palmier solitaire avec des petites lumières blanches enroulées autour de son tronc. On dirait un décor de cinéma monté spécialement pour une soirée romantique.

– C'est vrai, tu as raison.

Jack enlève ses souliers et ses chaussettes, relève ses bords de pantalon et m'imite en plongeant ses orteils dans le sable.

– Que fais-tu ?

– On dirait que ça te fait du bien, alors aussi bien l'essayer moi aussi.

– Tu es plutôt étrange comme gars, toi, hein ?

Il sourit.

– Et moi qui croyais bien le cacher.

– Pas tant que ça.

– Eh bien, il y a toujours une prochaine fois.

– Une prochaine fois ?

– Oui, tu sais, ta remplaçante, celle avec qui j'ai un degré de compatibilité sept.

– Tu es prêt à te contenter d'un sept?

– Ce n'est pas ce que je veux, mais pour préserver le succès de ma mission... j'imagine que je n'aurai pas le choix de me résigner.

– Ta mission?

Il sourit nerveusement.

– Oui, tu sais, l'opération Me-marier-avant-d'être-tellement-gros-et-laid-que-plus-personne-ne-voudra-de-moi... Désolé. Un homme ne devrait pas dire ces choses-là, n'est-ce pas?

J'éclate de rire, fort, trop fort considérant le silence qui nous entoure. Il me sourit brièvement. Nous restons assis là, à fixer la lune et à écouter l'océan battre contre sur le sable.

– À quoi penses-tu? finis-je par lui demander.

Il me jette un regard de côté.

– Pourquoi les filles posent-elles toujours cette question?

– Parce que nous voulons toujours en connaître la réponse.

– Toujours?

– Enfin, la plupart du temps.

– Tu sais, je pense que ça ira bien.

– Comment ça?

– Eh bien, puisque je n'essaie pas de t'impressionner, je peux te demander tout ce que j'ai toujours voulu savoir à propos des femmes, mais que je n'ai jamais osé demander.

– Tu n'essaies pas de m'impressionner?

– Tu sais ce que je veux dire. Nous n'avons pas à jouer un jeu...

– Je comprends. Et je pense que tu as raison. Bizarrement, il y a moins de pression que d'habitude.

Il me fait un sourire rempli d'espoir.

– Alors, tu me diras tout ce que j'ai toujours voulu savoir?

– Je pourrai te dire la vérité sur moi, mais il n'est pas question que je trahisse toute la communauté féminine.

– On verra bien.

J'observe la crête d'une vague se briser sur la rive. Mon cœur semble calme pour la première fois depuis longtemps. Subsiste seulement une pensée agaçante dont je n'arrive pas à me débarrasser.

– Jack, crois-tu à la «philosophie de l'amitié»? As-tu vraiment abandonné l'idée de l'amour?

Il ne dit rien, enfonçant ses orteils dans le sable un peu plus.

– Tu n'es pas obligé de répondre.

– Non, c'est bon. Pour te dire la vérité, je ne sais pas. Ai-je exclu la possibilité de rencontrer une personne avec qui je tomberais en amour entre maintenant et ma mort? Non, bien sûr que non. Comment le pourrais-je? Mais, ai-je accepté que les femmes que j'ai aimées ne m'ont pas rendu heureux à la longue? Oui, je pense bien. Et je crois en l'amitié. Je crois qu'on peut être heureux avec un ami qui veut les mêmes choses que nous. Ça répond à ta question?

– Oui.

– Et toi, Anne? As-tu abandonné l'idée de l'amour?

– Je crois que c'est ce avec quoi je lutte en ce moment. Je sais que je vais continuer de rencontrer des gens qui m'attirent, mais ça ne m'a jamais menée nulle part. J'ai trente-trois ans et je n'ai jamais eu une relation satisfaisante. J'en ai marre de lutter.

Nous observons la lune et les nuages flotter au-dessus de nous.

– Peut-être que c'est plus difficile de faire en sorte que ça fonctionne quand on commence en amour, dit Jack.

– Pourquoi penses-tu ça ?

– Parce que quand les choses changent, tu te rappelles comment elles étaient avant et tu es déçu. Si tu n'as pas d'attentes au départ, tu ne peux pas avoir de déception.

– C'est un peu cynique, non ?

– Peut-être. Je n'ai pas toutes les réponses. Mais je sais que je ne pense pas que Blythe & Compagnie se soit pas fourvoyé en nous jumelant.

Jack me regarde droit dans les yeux et je sens mon ventre papillonner, comme il le fait d'habitude quand je me trouve en face d'un homme qui ressemble à Aaron, Tadd ou Stuart.

– Alors, qu'en dis-tu ? me demande-t-il doucement.

C'est l'heure de décider, Anne. Alors, qu'est-ce que ce sera ?

– Je crois que nous devrions... nous marier. Qu'en penses-tu ?

– J'en pense que je suis d'accord avec toi.

Nous nous sourions. J'aime ses yeux verts. Les iris sont cerclés d'un anneau bleu, trace de leur couleur à sa naissance.

– Tu sais, tu ne m'as pas répondu tout à l'heure quand je t'ai demandé à quoi tu pensais.

– Je me disais que c'était toute une première *date*.

– C'est gentil.

Il a l'air troublé.

– Ce n'est pas comme ça que nous devrions penser, n'est-ce pas ?

– Je suppose que non, mais ce n'est pas facile d'effacer toutes ces années de conditionnement en une seule journée.

– Non.

– Peut-être que c'est ce à quoi doit servir la thérapie. « Nous avons les moyens de vous faire cesser d'espérer l'amour. »

– Encore le Dr Szwick.

– On ne peut pas lui échapper.

– J'imagine que non. Mais quand même...

Jack se penche vers moi et m'embrasse doucement. Sa barbe est plus douce que je ne l'imaginais. Ses lèvres sont fermes, compatibles avec les miennes. Après un moment, il s'éloigne un peu et me regarde timidement.

– Je t'ai acheté un petit cadeau aujourd'hui. Ce n'est pas grand-chose, mais je voulais pouvoir t'offrir quelque chose, dans l'éventualité où... tu dirais oui.

Il fouille dans la poche avant de sa chemise et en retire un anneau en argent. Il est serti d'une pierre turquoise, qui rappelle la couleur de l'océan. Elle luit d'une couleur bleu-gris dans la lumière de la lune.

– Elle est magnifique, dis-je.

Il enfile la bague à mon annulaire gauche. Elle me va à la perfection.

– Anne, veux-tu m'épouser?

– Oui, Jack. Je le veux.

CHAPITRE 11

DANSER, DANSER...
JE VOUDRAIS DANSER

Jack et moi quittons la plage pour remonter vers l'hôtel où les deux autobus nous attendent pour nous emmener à nos enterrements de vie de jeune fille/garçon. Mlle Cooper se tient sur le côté et discute avec un des couples. Jack va lui dire qu'on a décidé de se marier.

– Neuf et midi quinze, m'annonce Jack à son retour.

– Pardon ?

– Thérapie à neuf heures et mariage à midi quinze.

Deux plaisirs pour le prix d'un.

– Ah oui, d'accord.

Nous nous tenons là, mal à l'aise. L'effet de la plage sous le clair de lune commence à s'estomper.

– On se voit demain matin ? me demande Jack, après un moment.

– Oui.

– Amuse-toi bien ce soir.

– Toi aussi.

Il presse ma main gentiment et se dirige vers son autobus. Pendant que je le regarde s'éloigner, un restant de panique qui s'était dissipée sur la plage commence à refaire son chemin en moi. Je crois que ça part de mon annulaire gauche. Heureusement que je m'en vais prendre un verre.

Je suis la ligne de femmes qui embarquent dans l'autobus et je m'assoie près d'une fenêtre.

Margaret se glisse aussitôt sur le siège à côté de moi.

– Salut, Anne !

L'autobus démarre en trombe et tourne sur la même route qui nous a menées de l'aéroport jusqu'ici, il y a ce qui me semble une éternité.

– On va bien s'amuser !

– Sûrement. Tu sais où on va ?

– Dans un bar qui s'appelle *Señor Frogs*, me répond-elle dans un mauvais accent mexicain. Comment ça s'est passé ce soir ?

– Avec quoi ?

– Avec ton futur mari, voyons !

C'est vrai. Mon futur mari, Jack. Je vais me marier avec Jack. Je viens tout juste de dire oui, je le veux, sur la plage.

– Bien, je pense. Toi ?

– Ça s'est très bien passé.

– De quoi avez-vous parlé ?

– De mon enfant, du sien. Rien de spécial.

– Mais, vous vous êtes bien entendus ?

– C'est évident. Nous ne serions pas compatibles si ce n'était pas le cas.

– Ce n'est pas si évident.

Elle a l'air perplexe.

– Que veux-tu dire ?

– Eh bien, vous auriez pu avoir une bonne conversation sans être compatibles, non ?

– J'imagine.

– Une bonne conversation ne veut rien dire en soi.

Une trace d'incertitude traverse le visage de Margaret. Merde. Que suis-je en train de faire ? Elle est heureuse, et moi je l'utilise comme déversoir pour mes angoisses.

L'autobus ralentit et s'arrête dans le stationnement d'un bar tout illuminé. Une grenouille verte en néon est accroupie au-dessus de l'entrée dans laquelle s'engouffre une ligne d'hommes et de femmes.

Après avoir payé l'entrée à un portier très costaud, nous entrons dans le bar embué. Les pulsations de la musique sont tellement fortes que j'arrive à peine à m'entendre penser. Ce n'est peut-être pas une mauvaise chose. Les stroboscopes clignotent en de drôles d'angles, illuminant les murs noirs et l'énorme plancher de danse rempli de jeunes dans la vingtaine ruisselant de sueur et s'activant au rythme de la musique. L'air est chargé de l'odeur de trop de gens, de vieil alcool et de glace sèche.

Je commande une margarita pour moi et une piña colada pour Margaret auprès d'un barman qui porte un haut en filet noir. Nous trinquons et vidons nos verres. Pendant que l'alcool fait son chemin dans mes veines, je sens mes épaules se détendre et la tension commencer à s'évaporer.

– Allons danser ! me crie Margaret dans l'oreille.

Tout le vin, le stress et les margaritas réunis font paraître cette proposition comme une bonne idée. Je pose mon verre vide sur le bar et je la suis sur la piste. Elle commence aussitôt à se trémousser dans toutes les directions, comme les derviches tourneurs que j'avais vus dans un concert des Grateful Dead il y a quelques années, avant la mort de Jerry. Je danse plus sagement qu'elle, en me laissant fusionner avec la musique. Je ne sais pas si c'est la chaleur ou bien l'alcool, mais mon corps bouge de manière plus fluide que d'habitude. Il se pourrait bien que je m'amuse après tout.

– Puis-je t'offrir un verre? me demande un homme qui danse près de nous.

Il porte un T-shirt blanc, un bermuda cargo large et des sandales. Il est grand, mince, avec des cheveux foncés et des yeux clairs. Si je plisse un peu les yeux en le regardant, je pourrais le prendre pour Pierce Brosnan, cuvée 1985. Mais en plus jeune.

Oui, pourquoi pas.

Je le suis jusqu'au bar et il me commande une margarita.

– Comment savais-tu ce que je voulais boire? dis-je en criant pour me faire entendre par-dessus la musique.

– Je t'ai vue en boire tout à l'heure, me répond-il dans l'oreille, si près que sa respiration chatouille ma peau.

Oh là là! Il est mignon comme tout et il me regarde depuis tantôt. Et il a l'air d'avoir vingt-deux ans. Il a le mot «danger» écrit sur le front. Je m'éloigne un peu de lui.

– Eh bien, merci.

– Bienvenue. Je m'appelle Tom.

– Anne.

– C'est ta première fois ici, Anne?

– Oui.

– T'es venue seule?

Je fais un geste en direction de Margaret, qui se déhanche encore sur la piste de danse.

– Je suis comme un peu avec elle...

Il rit.

– Vraiment ? C'est ton amie ?

– Oui, en quelque sorte. Quel âge as-tu ?

– J'ai vingt-deux ans. Toi ?

– Quel âge me donnes-tu ?

Il prend une seconde pour bien me regarder.

– Vingt-six.

Ha ! Ce garçon veut finir dans mon lit. Dommage que je ne sois pas du tout intéressée.

– Non, mais, vraiment, quel âge me donnes-tu ?

Voilà qui devrait être intéressant...

Il hausse les épaules.

– Vingt-huit, vingt-neuf ?

Ça, c'est mon genre de gars...

– Bien essayé.

– J'ai raison ?

... et intéressé à moi en plus. Mais...

– Une femme ne révèle jamais ses secrets.

Il se penche vers moi. Il sent la bière et la plage.

– Tu veux danser ?

– ... je ne suis vraiment pas intéressée. Même pas un tout petit peu.

– D'accord.

Je le suis jusqu'à la piste de danse, fière de ma nouvelle immunité face à tous les Stuart de ce monde. Nous nous plaçons face à face et commençons à bouger au rythme de la musique, riant de voir Margaret aussi libre et désinhibée.

– Je peux me joindre à vous ? dit une voix que je reconnais.

C'est celle de Jack. Il a l'air un peu fâché. Ou jaloux. Peut-être les deux.

– Que fais-tu ici ?

– Le bar des hommes était ennuyeux.

– Celui-ci n'est pas tellement mieux.

Il jette un coup d'œil à Tom.

– Tu as quand même l'air de t'amuser.

Mon cœur fait un drôle de petit bond.

– Je ne faisais que danser.

– D'accord.

– Tu es jaloux?

– Quoi? Je ne t'entends pas.

Je répète plus fort.

– Tu n'es pas jaloux, j'espère?

La musique s'arrête à ce moment précis. Je suis en train de crier dans une salle silencieuse.

Tom met sa main sur mon épaule.

– Tout va bien, Anne?

Il regarde Jack avec un air de défi dans les yeux.

Je me dégage de sa main.

– Tout va bien. Tom, je te présente mon... fiancé, Jack.

Les yeux de Tom s'agrandissent.

– Tu ne m'avais pas dit que tu étais fiancée.

– Eh bien, elle l'est.

Tom nous regarde successivement, Jack et moi.

– Content de t'avoir rencontrée, Anne.

– Moi aussi, Tom. Merci pour le verre.

– De rien.

La musique repart de plus belle, sur une version remixée de *Hide and Seek* de Imogen Heap. Jack et moi nous regardons, sans trop savoir que dire ou que faire. Je m'approche de lui, de façon à ce qu'il m'entende sans que j'aie besoin de crier.

– Es-tu fâché?

– Devrais-je l'être?

– Il m'a payé un verre et m'a demandé de danser avec lui. Il a vingt-deux ans. Il ne s'est rien passé, et il ne se serait rien passé non plus.

– Mais c'est le même genre que les hommes que tu as fréquentés dans le passé, non?

– À peu près oui, mais…

– Que dois-je en conclure, Anne?

– Je ne sais pas, mais je peux te dire que je n'étais pas intéressée. Normalement, j'aurais dû l'être, mais je ne l'étais pas du tout.

Je fais un autre pas vers lui. Les petites lumières colorées parcourent son visage et illuminent sa barbe.

– Tu sais que tu es mignon quand tu es fâché?

– Ah, oui?

– Oui.

Ses traits s'adoucissent.

– C'èst bon à savoir.

– Suis-je pardonnée?

– Pour l'instant, oui.

– Tu veux danser?

Je lui tends la main et, après une seconde d'hésitation, il y met la sienne. Nous marchons vers un espace vide sur la piste et commençons à danser.

Nous prenons rapidement un bon rythme, en harmonie avec la mesure. Il me surprend par ses talents de danseur. Je ne sais d'ailleurs pas pourquoi cela me surprend. Après quelques minutes, je peux voir que toute trace de colère chez lui a disparu. Il vient danser plus près de moi; nos corps se touchent toutes les trois mesures et ça ne me déplaît pas. Je bouge vers la gauche et nos cuisses se touchent. Il bouge vers la droite et nos bras s'effleurent. Une mèche de cheveux tombe sur mon visage. Il la replace sur le côté. Je me sens frissonnante, comme si une main froide touchait ma peau, alors que la sienne est chaude.

Le DJ enchaîne avec une chanson plus lente, quelque chose de Colbie Caillat, je crois. Jack place ses mains sur mes hanches et nous bougeons ensemble au rythme de la musique. Je peux sentir le bout de ses doigts à travers ma robe. Ils sont chauds et forts.

Je lève les yeux. Le visage de Jack rayonne. Je place mes mains sur ses épaules et il se penche pour m'embrasser. Alors que nous nous inclinons dans le baiser, sa langue entrouvre mes lèvres. Il goûte la bière et la gomme à la menthe. Ses mains m'attirent plus près, de plus en plus près, et je peux maintenant aussi sentir son odeur : la forêt et le savon, et le sel de sa sueur à cause de la pièce surchauffée.

La musique s'arrête brusquement à nouveau, et nos corps se séparent, à bout de souffle. Ma tête tourne et j'ai l'impression d'avoir perdu quelque chose, sans savoir quoi exactement.

Jack me regarde avec une expression que je n'ai jamais vue avant.

– Anne...

– Ah, tu es là ! me crie Margaret, même si la musique est arrêtée.

– Salut, Margaret. Je te présente Jack.

– Tu n'es pas censé être ici, lui dit-elle aussitôt.

– J'ai voulu vérifier si Anne s'amusait comme il faut.

– Elle dansait avec un enfant !

Son visage se détend.

– J'ai bien vu ça !

– Pourquoi n'y a-t-il plus de musique ? dis-je à Margaret.

– Je pense que c'est le temps d'y aller.

Nous marchons vers la porte d'entrée et faisons la file pour sortir. Jack se tient derrière moi, assez près pour que nos corps se touchent. Je jette un œil à l'horloge au-dessus de la porte. Il est une heure du matin. Du matin de notre mariage.

– Alors, on se marie toujours aujourd'hui ? lui dis-je calmement.

Il place ses mains sur mes hanches, me tenant fermement.

– Pourquoi pas ?

CHAPITRE 12

SOYONS AMIS

Je me réveille d'un bond à six heures quinze du matin. Il est trop tôt pour me lever, mais je sais que je suis trop éveillée pour me rendormir, alors je repousse mon drap avec mes pieds et j'ouvre les rideaux. On dirait que ça va être une belle journée. Pas un nuage dans le ciel et la mer est toujours aussi calme.

Une journée parfaite pour se marier.

J'ouvre le placard et je regarde la robe que j'ai achetée la veille de mon départ. Elle est en coton crème, parsemée d'un motif de vigne et de feuilles brun pâle. Un ruban noir enserre la taille. La jupe est évasée, un peu bouffante, et elle me tombe sous les genoux. Ce n'est pas la robe de mariée que je m'étais imaginée, mais elle est assez jolie.

Je regarde mon réveil. Il est six heures vingt.

Seigneur. Tout ce temps à attendre, c'est de la torture.

Je mets mon bikini bleu poudre, un paréo et mes sandales, puis je quitte ma chambre. Il fait déjà chaud malgré l'heure matinale et la chaleur exacerbe l'odeur des bougainvilliers. Je respire leur effluve citronné en descendant le sentier.

La piscine, en forme de haricot géant, est entourée de chaises longues et de palmiers. Des employés en uniforme blanc y mettent des produits chimiques. Ils me disent qu'ils auront terminé dans dix minutes, alors je m'assois sur l'une des chaises et je ferme les yeux en essayant de bloquer les vagues de panique qui ne cessent de m'assaillir. Je me concentre sur l'effet du soleil sur ma peau et me rappelle le baiser de Jack devant ma porte, une réplique de celui sur le plancher de danse. Un baiser qui m'a tenue éveillée pendant des heures.

Une fois que la piscine est officiellement ouverte, je m'approche du bord et je teste la température de l'eau du bout de mon orteil. L'eau paraît froide, mais je prends mon courage à deux mains et je plonge.

L'eau est beaucoup plus froide qu'elle l'était hier dans la piscine d'à côté et je remonte à la surface, suffoquant à cause du choc thermique. Je fais quelques longueurs de crawl, puis je m'extrais de l'eau et j'enroule une serviette autour de moi en peignant mes cheveux avec mes doigts. Une femme dans la mi-quarantaine est assise sur une chaise longue près de moi, en train de froncer les sourcils devant son BlackBerry d'une façon qui me rappelle Sarah. Elle me manque. J'aimerais avoir pu lui dire pourquoi je venais ici et pouvoir compter sur son appui. Évidemment, elle n'aurait jamais approuvé cette décision, mais... ça m'aurait quand même fait du bien d'entendre sa voix.

Je regarde ma montre. Il n'est pas trop tôt pour l'appeler. Je sors mon téléphone cellulaire de mon sac de plage et compose son numéro.

– Allo, répond Sarah d'une voix assourdie, à moitié endormie.

Merde, peut-être qu'il est trop tôt pour appeler, finalement.

– Allo, Sarah, c'est moi. Je t'ai réveillée ?

– Anne ? Non, non, ça va. J'étais en train de me réveiller.

– Menteuse.

– D'accord, mais je devrais déjà être réveillée à cette heure-ci.

– Et pourquoi tu ne l'es pas ?

– J'ai fini tard au bureau hier soir. Je prévoyais faire la grasse matinée.

– Retourne te coucher. Je te rappellerai plus tard.

– Non, non. Je suis réveillée maintenant. Alors, qu'est-ce qu'il se passe ?

Je me marie aujourd'hui. Je panique totalement. J'ai besoin que tu me dises quoi faire.

– Rien. Je suis sur le bord de la piscine. Je me suis dit que je t'appellerais pour me vanter.

– Tu es sûre ? Tu as une drôle de voix.

Je me racle la gorge.

– Ça va. Je suis sortie danser dans un bar hier soir.

– Danser dans un bar... Tant mieux pour toi, Anne. Et c'est comment là-bas ?

– Chaud.

– Et les hommes sont beaux ?

– Euh... en quelque sorte, oui. Je pense que j'ai rencontré quelqu'un hier.

– Tu *penses* que tu as rencontré quelqu'un ?

– D'accord, j'ai rencontré quelqu'un.

– Déjà ?

– Oui, peut-être.

– Je ne comprends plus rien. Tu sors danser, tu rencontres des hommes... Qu'est-ce qu'ils mettent dans l'eau là-bas ?

Tu n'as pas idée.

– Ça doit être le nombre de margaritas.

Elle rit.

– Ah ha. Alors, il est comment ? Est-ce qu'il vient d'ici ?

– Oui, maman.

– Je ne veux juste pas que tu perdes ton temps avec quelque chose qui ne mène nulle part.

Sarah, Sarah, toujours la voix de la raison. Ah, si je pouvais mettre sa voix dans ma tête.

– Je sais, Sarah. Je te remercie de t'en faire pour moi. Mais, oui, il vit même près de chez toi et il est très gentil.

– De quoi a-t-il l'air ? me demande-t-elle, la voix pleine de soupçons.

– Pas comme tu l'imagines.

– Tant mieux.

Mon cœur s'arrête net alors que j'aperçois Jack tourner le coin. Il a les cheveux en bataille, comme s'il venait de sortir du lit, et il sourit en me voyant.

– Sarah, je dois te laisser.

– Rendez-vous doux au bord de la piscine ?

– Quelque chose comme ça.

– D'accord. Amuse-toi bien. Et ne fais pas ce que je ne ferais pas.

Trop tard !

– À plus.

Je ferme mon téléphone et lève les yeux vers Jack, en les protégeant du soleil avec ma main.

– Bon matin, Jack H.

– Est-ce que je suis pris avec ce nom-là pour toujours, maintenant ?

– Peut-être.

J'ai la voix qui grince, comme lorsque je m'apprête à faire un discours. Super.

– Je suis capable d'en prendre.

Il a l'air frais et dispos (comment est-ce possible?), et il porte un maillot rouge trop grand pour lui. Il a une trace de ce qui semble être de l'oxyde de zinc sur son nez.

Mais où as-tu trouvé ce truc?

Je me lève et j'en enlève un peu avec mon pouce.

– Quoi? Ce n'est pas ce que tout le monde utilise?

– Euh, non.

Il hausse les épaules.

– Ça traînait dans mon appartement, alors je l'ai pris avec moi.

– Ça traînait depuis une expédition sur le mont Everest?

– Un homme doit être prêt à toute éventualité.

Je relève mes cheveux et les attache avec un élastique.

– Je vais aller déjeuner maintenant. Tu veux te joindre à moi?

– Je viens juste de manger. Mais on se voit toujours à neuf heures pour la thérapie?

– Oui.

Nous restons là à nous fixer. Mon esprit rejoue la scène de nos baisers de la veille. Et peut-être que le sien fait la même chose.

– Je vais aller nager maintenant, me dit-il.

– Je vais aller déjeuner maintenant.

Jack me fait un grand sourire et court pour sauter dans la piscine, créant ainsi une vague géante qui manque noyer un homme âgé qui fait des longueurs.

– Désolé, mon vieux, désolé, s'excuse-t-il lorsqu'il remonte à la surface.

Je l'observe s'amuser dans l'eau. Il a l'air plus mince sans ses vêtements, même si son corps est moins svelte, moins athlétique que ceux des hommes pour qui j'ai toujours craqué. Je me rappelle en particulier les abdos d'acier parfaitement découpés de Stuart et le frisson que je ressentais toujours à les regarder.

Je chasse cette pensée de mon esprit. Je ne vais rien gagner en comparant Jack à mon type d'homme habituel.

Au buffet situé dans la salle à manger principale, je remplis mon assiette de saumon fumé, de pain doré et de fruits frais. Je me prépare un mélange de jus à l'apparence douteuse composé de papaye, de melon vert et de melon d'eau fraîchement pressés. Je vais me sentir brave après avoir bu cela, mais il se pourrait aussi que je passe plus de temps aux toilettes.

Je croise Margaret au bout de la file d'attente. Elle porte une longue chemise en lin avec des sandales.

– Où est Jack?

– À la piscine.

– Tu devrais garder un œil dessus. Il est mignon.

– Merci.

Je sens une sorte de fierté. Comme si j'avais contribué à le créer.

– Où est Brian?

– Il attend son omelette.

Elle m'indique la file d'attente pour les commandes spéciales, où – il n'y a pas d'autre façon de le dire – se trouve un homme obèse tenant une assiette entre les mains.

– Il a l'air... euh... gentil.

– Il est énorme, me dit Margaret d'un ton neutre.

Que répondre à ça? Il est effectivement énorme.

– Mais l'apparence n'a aucune importance pour toi, n'est-ce pas? C'est ce que tu me disais hier…

Bordel.

Margaret semble imperturbable.

– Oui. Je m'en fous, de son apparence.

– C'est bien. Et tu m'as dit aussi que vous aviez eu une bonne conversation… Je parie que vous êtes compatibles.

– Ça, c'est évident que nous le sommes. Mais dis donc, de ton côté, ça y allait assez fort avec Jack hier soir.

Je rougis.

– Ce n'est pas dans mes habitudes d'agir comme ça.

– D'avoir déjà une connexion sexuelle, c'est super. Vous êtes en avance sur le programme.

– Quel programme?

– Tu sais, *le programme.*

Jack passe devant la fenêtre, enroulé dans une serviette rayée. Il me sourit et articule silencieusement un «On se voit tantôt». Je lui envoie la main, et je sens les papillons dans mon ventre refaire surface et m'enlever mon appétit.

– Tu veux venir t'asseoir avec nous? me demande Margaret.

– Merci, mais je n'ai pas vraiment le temps. Nous avons notre séance de thérapie bientôt. Je vais manger ça en trois bouchées et y aller.

– D'accord. À plus tard.

Je transporte mon plateau jusqu'à une table vide. Je prends deux bouchées de chaque chose, mais tout a le même goût, sauf pour le jus «détox du côlon» douteux, et il ne s'agit pas d'un goût que j'apprécie.

Je repousse mon assiette et regarde ma montre. Il n'est même pas huit heures.

Je n'en peux plus de cette attente. J'ai l'impression d'être sur le point de craquer, que mes morceaux vont exploser dans toutes les directions, comme s'ils n'étaient tenus que par un fil, le fil le plus mince qui soit.

J'ai besoin de tuer le temps et de relâcher la pression avant ma séance de thérapie. J'ai besoin de me relaxer, j'ai besoin... d'un massage. Oui, ce serait parfait. J'abandonne mon assiette et je fonce vers le spa, en priant pour qu'il y ait de la place. J'ai de la chance, le premier rendez-vous de la journée n'a pas encore été pris. Je signe un formulaire et je suis escortée dans une pièce entièrement blanche. Il y a une fontaine japonaise dans un coin et une table de massage au centre. Je me couche sur le matelas souple et chaud et la massothérapeute me recouvre le corps avec un drap de coton blanc qui donne l'impression d'avoir mille fils au centimètre carré. Elle met une musique de relaxation typique qui est une version condensée de bruits de rivière, de vent et d'arbres, puis elle se met au travail, soulageant chacun des nœuds de mon dos, de mon cou et de mes jambes.

Les quarante-cinq minutes passent rapidement. À la fin, je me sens prête à ce qu'on examine ma tête.

Le Dr Szwick est assis dans un fauteuil dans sa chambre, l'air paisible. Il porte un bermuda avec une chemise hawaïenne.

– Jack, Anne, dit-il lorsque nous entrons, content de vous voir. S'il vous plaît, asseyez-vous.

Nous nous installons dans les deux fauteuils qui lui font face. La jambe de Jack ne cesse de sautiller, premier vrai signe de nervosité que je remarque chez lui.

– Alors, Samantha me dit que vous avez décidé d'aller de l'avant. C'est bien le cas?

Samantha? Ah oui, Mlle Cooper. «Samantha», ça semble beaucoup trop... humain.

– Oui, c'est ce que nous avons décidé, répond Jack pour nous deux.

– Très bien alors. J'ai travaillé avec vous individuellement jusqu'à maintenant, mais désormais, nos séances se feront à trois. Comme vous savez, Blythe & Compagnie recommande que chaque couple fasse au moins un an de thérapie après la célébration de son mariage.

Bon. Je sais que pour arriver jusqu'ici, vous avez déjà dû mettre de côté plusieurs de vos croyances et de vos idées préconçues sur la vie, et l'amour. Et vous pensez peut-être que vous êtes allés suffisamment loin dans la thérapie pour réussir cette nouvelle aventure. Vous avez tort. Vous avez franchi la première étape, certes, mais vous ne savez pas encore vraiment dans quoi vous vous êtes embarqués. Le mariage demande du travail, de l'engagement et des efforts. Et ce type de mariage sera encore plus difficile, sur certains aspects. Vous rompez avec les traditions. Vous allez cacher la vérité sur la manière dont vous vous êtes rencontrés à ceux qui vous sont le plus proche. On vous a dit que cette personne est la bonne pour vous, mais il y aura parfois des jours, peut-être même souvent, où vous vous demanderez si c'est bien le cas. Ce sont là seulement quelques-unes des raisons pour lesquelles la thérapie et votre engagement dans celle-ci sont nécessaires.

Alors, vous me verrez une fois par semaine pendant toute la prochaine année. Durant ces séances, nous travaillerons à construire une base solide qui vous gardera ensemble longtemps, et nous aborderons n'importe quel problème particulier qui pourrait survenir. Mais maintenant, nous avons une tâche beaucoup plus simple à accomplir: vous préparer pour l'étape que vous vous apprêtez à franchir aujourd'hui. Car, c'est comme ça que vous devez voir la journée d'aujourd'hui, comme une étape. Des questions?

Nous secouons tous les deux la tête.

– D'accord. Je veux discuter de quelques éléments précis que j'ai identifiés dans vos séances individuelles. Avez-vous discuté de l'endroit où vous alliez vivre?

– Non, dis-je.

Le Dr Szwick nous interroge successivement du regard.

– Alors?

Jack hausse les épaules.

– Je vis dans un studio.

– Anne?

– J'imagine que... Jack pourrait emménager chez moi.

Le Dr Szwick fronce les sourcils.

– Pourquoi dites-vous «j'imagine», Anne?

Je sens le regard de Jack posé sur moi, en attente de ma réponse.

– Vous n'allez pas accepter une réponse comme «Je ne sais pas», n'est-ce pas?

– À ce stade-ci, vous êtes capable de faire mieux. Allez, Anne, dites-moi ce qui cloche.

Je fixe mes pieds. J'aurais évidemment dû penser à ça avant, mais avec la précipitation des événements, l'excitation et tout le stress entre le coup de fil de Mlle Cooper et le vol pour arriver ici, je ne l'ai pas fait. Et je n'arrive pas vraiment à mettre le doigt sur la raison pour laquelle j'accorde de l'importance à l'endroit où nous allons vivre. Tout ce que je sais, c'est que je sens quelque chose d'étrange dans mon ventre, comme un avertissement.

– Nous pouvons trouver un nouvel appartement, si tu veux, me propose Jack en prenant ma main.

Nos regards se croisent et je sens quelque chose de différent dans mon ventre. Quelque chose de bien plus agréable.

– Merci.

Le Dr Szwick interrompt notre «moment».

– Ça devrait aller. Avez-vous parlé d'enfants?

Jack me serre la main un peu plus fort.

– Non.

– Eh bien, vous avez tous les deux indiqué vouloir des enfants, deux maximum. Évidemment, nous ne vous aurions pas jumelés si vous aviez eu des positions différentes sur ce sujet. Mais avez-vous discuté du moment où vous désirez avoir ces enfants? Jack?

Il hausse les épaules.

– J'ai pensé qu'on devrait apprendre à se connaître avant.

– J'ai l'impression que ce que vous voulez vraiment dire, c'est que vous n'avez pas de moment précis en tête. Je me trompe?

– Comment puis-je avoir un moment en tête alors que j'ai rencontré Anne pour la première fois hier soir?

– La plupart des gens savent quand ils veulent avoir des enfants, qu'ils soient en couple ou non.

– Eh bien, moi non.

Le Dr Szwick se tourne vers moi.

– Êtes-vous à l'aise avec ça, Anne?

– Oui, je ne suis pas pressée.

– Vraiment? Vous avez trente-trois ans.

– Je connais mon âge. J'ai encore pas mal de temps. Du moins, assez de temps pour d'abord apprendre à connaître Jack.

Je serre la main de Jack pour lui montrer que je suis de son côté. Il répond par un serrement.

– Bon, au moins vous semblez être d'accord. C'est un bon début.

Il nous regarde de nouveau à tour de rôle.

– J'ai l'impression que vous ressentez tous les deux une certaine hostilité envers moi en ce moment. Je me trompe?

– Qu'est-ce qui vous donne cette impression? demande Jack sur un ton incisif.

Le Dr Szwick claque la langue de manière désapprobatrice.

– Nous avons déjà parlé de ça, Jack. Je suis là pour vous aider à sortir de votre zone de confort, pour m'assurer que vous soyez sincère face à ce que vous ressentez vraiment et vous empêcher de vous cacher derrière des réponses qui satisferaient vos amis de taverne.

Jack me lâche la main.

– Oui. Je comprends.

– En êtes-vous certain? Ou sommes-nous en train de gaspiller notre temps ici? Gaspillez-vous le temps d'Anne?

– Bien sûr que non.

– J'espère que non. Bon, si je me fie à vos réponses précédentes, je présume que vous n'avez pas discuté des questions d'argent non plus. Je me trompe?

– Non, dis-je.

– Alors, puis-je vous demander de quoi vous avez parlé depuis hier?

– Nous avons parlé d'une tonne de choses. De nos vies, de nos relations passées. Des trucs de première *date*, quoi.

– Que voulez-vous dire par des «trucs de première *date*»?

S'embrasser. Jack qui me convainc de l'épouser. Ce genre de trucs.

– Euh... Je ne sais pas, je ne sais pas trop ce que je voulais dire...

– Elle voulait dire que nous avons fait le tour des sujets de base, comme on le fait lorsqu'on rencontre une nouvelle personne, dit Jack.

Le Dr Szwick nous fixe pendant un instant.

– Dites-moi, vous êtes-vous embrassés hier ?

Jack hésite.

– Oui.

– Plus d'une fois ?

– Oui.

Le Dr Szwick dépose son stylo.

– Je dois vous dire tout de suite que je suis inquiet à propos de vous deux. Vous êtes un excellent *match* – un *match* parfait, ou presque –, mais vous ne semblez pas prendre tout ça bien au sérieux, ni l'un ni l'autre. Vous allez vous marier dans quelques heures. *Vous marier.* Vous êtes à l'aube de construire une vie ensemble. Et plutôt que d'aborder les questions primordiales, de vous assurer que vous voulez les mêmes choses, vous vous comportez comme si vous étiez à l'étape des fréquentations, à essayer de voir si vous pouvez tomber amoureux l'un de l'autre. C'est une attitude qui mène tout droit vers l'échec. Comme je vous l'ai expliqué, ce processus n'a rien à voir avec le fait de tomber en amour. Il s'agit ici de bâtir un avenir qui s'appuie sur l'amitié, un avenir qui se crée à travers le partage d'expériences, de buts communs, et dont la fondation est la compatibilité. Bon, ce n'est pas mon intention de vous faire « capoter », comme diraient mes enfants. Vous avez l'air d'avoir créé une certaine complicité et c'est encourageant. Vous aurez besoin de cette complicité pour faire face ensemble à cette expérience unique. Mais si vous refusez de considérer mon aide et que vous ignorez mes conseils, ça va mal se terminer.

Il nous regarde avec intensité et nous soutenons son regard en silence. Je me sens comme à l'école secondaire quand quelqu'un avait fait quelque chose de mal et que le professeur décidait de punir toute la classe parce que personne ne voulait dénoncer le coupable.

Le Dr Szwick marche jusqu'au bureau situé dans le coin de la pièce et sort une feuille de la chemise qui s'y trouve.

– Avant de vous marier aujourd'hui, je veux que vous passiez à travers ces questions ensemble. Et pendant que vous le faites, je veux que vous ayez une discussion sérieuse sur les raisons qui vous poussent à aller de l'avant et sur vos attentes respectives. D'accord?

– D'accord, dis-je d'une petite voix.

– Jack?

Il prend une grande inspiration et expulse sa réponse en expirant.

– Oui, d'accord.

– Pensez-vous que nous devrions tout annuler? dis-je.

– Vous seule pouvez répondre à cette question, Anne. Allez en discuter avec Jack. Mettez en pratique les techniques que nous avons utilisées dans nos séances. Vous allez trouver la réponse par vous-même.

Nous quittons la chambre et descendons les marches jusqu'à la plage, tous les deux perdus dans nos pensées. Jack fixe les vagues pendant un instant, puis il s'éloigne de l'hôtel d'un pas décidé. Je le rattrape sur le bord de l'eau. Le vent a commencé à souffler, faisant tourbillonner mes cheveux.

– Jack… peux-tu m'attendre? S'il te plaît, Jack?

Il s'arrête et serre les poings.

– Bordel de merde.

Je le contourne pour lui faire face. Les vagues giflent mes chevilles, noyant mes sandales.

– Est-ce que ça va ?

– Je crois que je déteste cet homme.

– Je me sens aussi comme ça parfois.

Il pose ses yeux sur moi. Son regard est sombre et troublé.

– Au moins, on est sur la même longueur d'onde.

– Le sommes-nous ?

Plutôt que de me répondre, il met ses mains sur mes épaules et m'attire à lui. J'incline doucement la tête et nos lèvres se rencontrent. Comme hier soir, une chaleur intense nous submerge alors qu'on s'embrasse encore et encore. Ses mains longent mon dos et s'appuient sur mes hanches. Je m'approche de lui, désirant sentir son corps contre le mien, désirant qu'il n'y ait plus d'espace entre nous.

Une grosse vague s'abat sur nous, nous mouillant les jambes jusqu'aux genoux. Jack me prend de nouveau par les épaules.

– Est-ce que c'est de cette longueur d'onde dont on parle ? dis-je, à bout de souffle.

– Il semblerait que oui.

– Est-ce une bonne ou une mauvaise chose, selon toi ?

Il replace une mèche de cheveux derrière mon oreille.

– Je ne vois pas comment ça pourrait être une mauvaise chose.

Une autre vague nous frappe et je m'éloigne.

– Ne devrait-on pas faire l'exercice proposé par le Dr Szwick ?

– Probablement.

Je m'éloigne de l'eau et m'assois sur la plage, laissant mes talons s'enfoncer dans le sable. Je tape le sol à côté de moi.

– Viens t'asseoir.

Il se laisse tomber lourdement à mes côtés et je sors la liste de questions de ma poche.

– On dirait qu'il nous a déjà posé la plupart des questions qu'il y a là-dessus, mais il y en a une à laquelle nous n'avons pas répondu. Quelle est ta relation avec l'argent?

– Correcte, je pense.

– Que veux-tu dire?

– Ça veut dire que j'improvise la plupart du temps, dans le domaine des finances, on s'entend.

– Tu ne m'as jamais dit comment tu avais pu te payer le voyage pour venir ici.

Il se mord la lèvre.

– Ma tante est décédée et j'ai eu un petit héritage. Ça a couvert les frais, mais disons que je devrai me serrer la ceinture en rentrant à la maison. Je ne recevrai pas ma prochaine avance avant d'avoir remis le manuscrit sur lequel je travaille.

– Pourquoi tu ne fais pas un peu plus de pige?

Il me fait une drôle de face.

Ah, merde. Il doit penser que je me prends pour sa mère. Sauf qu'il n'a plus de mère. Double merde.

– Désolée, je ne veux pas t'embêter avec ça.

– Non, non. Ça va. Je fais un peu de pige, mais ça me demande beaucoup de temps d'aller chercher des contrats, ce qui me laisse peu de temps pour l'écriture comme telle. Tu dois penser que je suis un gros bébé, non?

– Peut-être un peu, mais je comprends ce que tu veux dire.

Il se passe la main dans les cheveux.

– Mais, je peux faire des efforts. Et nous épargnerons de l'argent en vivant ensemble.

– Mais on devrait peut-être garder mon appartement. Déménager, ça coûte cher

– Tu en es sûre?

– Il ne s'agit que d'un appartement, non?

Il m'embrasse avec fougue sur la bouche.

– C'est génial, Anne. Bon, quelle est la prochaine question?

La prochaine question me fait rougir.

– Alors? dit Jack.

Il appuie son menton sur mon épaule afin de lire la question par lui-même.

– «Selon vous, quel rôle devrait jouer la sexualité dans votre mariage?» Hum. Celle-là est facile .

Je me détache de lui.

– Ah oui?

– Absolument. Je suis pour le sexe. Pas toi?

– Eh bien, euh… évidemment, mais …

Je remarque une trace d'amusement passer sur son visage.

– Arrête, Jack! Ce n'est pas drôle.

Il rit dans sa barbe.

– Désolé, je n'ai pas pu résister à la tentation. Tu veux en parler?

– Euh… bien, j'imagine qu'on devrait …

Je fixe mes orteils, repensant à ce que Margaret m'a dit devant le buffet à propos du fait que Jack et moi étions en avance sur le programme, côté sexualité. A-t-elle lu une brochure que je n'ai pas eue?

Jack vient à ma rescousse.

– Je pense…

Il s'éclaircit la voix.

– Je pense que ça arrivera quand ça arrivera. Naturellement, tu vois ?

– Oui. Ça me va.

Un couple sur une motomarine rebondit sur les vagues et atterrit sur la plage. L'homme coupe le moteur de l'engin assourdissant. Sa partenaire s'accroche à sa taille et appuie sa tête contre son dos. Il se tourne pour lui dire quelque chose. Les mots sont avalés par le bruit des vagues. Elle sourit et lui ébouriffe les cheveux.

– C'est tout ? demande Jack.

– Quoi ?

– Pour les questions, il y en a d'autres ?

– Ah, oui.

Je regarde la liste. Il n'en reste qu'une seule, mais c'est du costaud.

– « Pourquoi êtes-vous réellement ici ? »

– Putain de bonne question ! dit Jack. Tu connais la réponse ?

– Non… mais…

– Mais quoi, Anne ?

– La seule réponse que j'aie, la chose qui me garde saine d'esprit en ce moment, c'est que je *suis* ici. J'ai couru un énorme risque, j'ai pris cette énorme décision, et je me dis qu'il doit bien avoir une raison pour tout ça, non ?

– Tu crois que tout dans la vie arrive pour une raison ?

– Non, je ne crois pas ça.

– Tu es vraiment étrange comme fille, toi, hein ?

– Je t'avais averti.

– Ça, oui.

Jack ramasse un coquillage plat et le lance dans l'eau. Il disparaît dans l'écume blanche. Un autre coquillage perdu à la mer.

– Et toi, Jack ? As-tu une réponse ?

– Pas vraiment. J'ai passé des heures à retourner ça dans ma tête, ça n'a aucun sens, mais il semble que j'aie envie de le faire malgré tout.

– Peut-être que c'est justement *parce que* ça n'a aucun sens que tu as envie de le faire.

– Est-ce que ça fait de moi un fou ?

– Je ne sais pas, il faudrait que tu le demandes au docteur Szwick.

– Je vais passer mon tour.

Je souris.

– Il a vraiment le don de te piquer, lui, hein ?

Il lance un autre coquillage à la mer.

– Je n'ai pas l'habitude de passer mon temps à me poser ce genre de questions, et ça m'énerve qu'il n'accepte jamais mes réponses.

– Je crois qu'il essaie surtout de nous faire sortir de notre zone de confort et de s'assurer qu'on lui réponde honnêtement.

– Peut-être, mais au final, ça ne fait que m'énerver.

– Tu as le mérite d'être clair.

– Je suis clair, hein ? me dit-il sur un ton espiègle en m'attirant sur ses cuisses.

– Comme du cristal.

Jack embrasse le creux de mon cou. Je prends sa tête entre mes mains et le regarde dans les yeux. Ils ont la couleur des morceaux de verre qu'on trouve sur la plage, un vert bouteille adouci par l'océan.

– Jack, es-tu sûr que c'est une bonne idée ? Devrait-on vraiment se marier ?

Jack soutient mon regard.

– C'est quoi le pire qui peut arriver ?

– On s'entretue comme dans *La guerre des Roses* pour les meubles que nous aurons choisis ensemble ?

Il rit.

– Oui, peut-être. Et alors ? Plein de gens ratent leur mariage. Au moins, on aura essayé.

– Laisser le processus suivre son cours ? Y aller au jour le jour ? dis-je en imitant de mon mieux la voix de Mlle Cooper.

– Oui... Mais nous pourrions aussi essayer de faire ce que le docteur Szwick nous suggère.

– Quoi ?

– Être amis et voir où ça nous mène.

– Tu veux suivre les conseils du docteur Szwick maintenant ?

– Bien... Ça peut lui arriver d'avoir de bonnes idées de temps en temps. Qu'en dis-tu ?

Amis. Ça me plaît... Mais les baisers, eux ? Et le fait que je sois assise sur ses genoux en ce moment même, nos visages à quelques centimètres de distance, et que je n'arrive à penser à rien d'autre qu'à l'embrasser ?

– Amis, hein ? dis-je.

– Bien... peut-être un peu plus que des amis..., répond-il en m'embrassant doucement.

CHAPITRE 19

À COMPTER DE CE JOUR

Jack cogne à ma porte à midi pile.

– Anne, c'est moi. Es-tu prête?

Je me regarde une dernière fois dans le miroir. Je porte ma robe crème et j'ai relevé mes cheveux autour de mon visage en laissant le reste boucler librement. Mes yeux ont l'air exorbité et apeuré.

Prête pas prête, j'y vais.

J'ouvre la porte.

– Je suis prête.

Il m'étudie de haut en bas, ses mains derrière le dos.

– Tu es magnifique.

Il porte un complet beige et une chemise vert pâle. Ses cheveux sont encore humides et frisent serrés sur sa tête. Il s'est même rasé. Il a l'air plus jeune sans sa barbe, plus vulnérable.

– Tu n'es pas mal non plus.

– Merci.

Il retire une main de derrière son dos. Elle tient un petit bouquet de fleurs multicolores.

– J'ai pensé que tu aimerais peut-être le porter... À moins que tu en aies déjà un?

J'avais décidé de ne pas avoir de bouquet, pour ne pas donner trop d'importance à tout ça. Évidemment, c'est illusoire, mais je peux prétendre aussi bien que n'importe qui.

Je prends le bouquet et le porte à mes narines. Ça sent l'été.

– Merci, Jack. Elles sont superbes.

– On y va ?

Le cœur battant la chamade, je marche avec Jack, main dans la main, en direction du hall d'entrée. Nous prenons l'ascenseur jusqu'au quatrième étage et suivons les indications qui mènent à la pièce où ont lieu les mariages. Mlle Cooper se tient à l'entrée, avec son habituelle écritoire à pince à la main. Elle coche nos noms.

– Vous pouvez y aller tout de suite.

Jack la remercie, mais je n'arrive pas à prononcer un mot. Suis-je réellement en train de vivre ça ?

Jack me tient fermement la main alors que nous entrons dans la salle. Au fond, d'immenses fenêtres donnent sur l'océan azur. La vue est spectaculaire, belle, apaisante. De la musique processionnelle classique joue doucement – du Pachelbel, je crois.

Nous remontons lentement l'allée en direction d'un petit autel. Un homme à la peau foncée, dans la mi-quarantaine, nous y attend, un petit livre noir à la main. Il se présente comme étant le pasteur Rodriguez et nous demande si nous sommes prêts à commencer. À nos hochements de tête, il commence à lire le texte de cérémonie. Je sens monter une envie irrépressible de rire, que j'essaie très fort de contenir.

Jack remarque mon inconfort.

– Qu'est-ce qu'il y a ? murmure-t-il.

– Rien.

Le pasteur Rodriguez continue, répétant ces mots sans âge.

Je l'écoute distraitement. Jusqu'à ce qu'une phrase retienne toute mon attention.

– John Graham Harmer, acceptez-vous, à compter de ce jour, de prendre pour épouse, Anne Shirley Blythe, pour le meilleur et pour le pire, et ce, jusqu'à ce que la mort vous sépare ?

– Oui, je le veux, dit Jack avec fermeté.

– Et vous, Anne Shirley Blythe, acceptez-vous, à compter de ce jour, de prendre pour époux, John Graham Harmer, pour le meilleur et pour le pire, et ce, jusqu'à ce que la mort vous sépare ?

Je regarde Jack. Il prend ma main dans la sienne et me regarde droit dans les yeux. Je sens mes genoux faiblir. Je prends une grande inspiration, et je plonge.

– Oui, je le veux.

– Vous avez les bagues ?

Jack fouille dans la poche de son veston, en sort une petite boîte contenant deux modestes anneaux en argent et m'en donne un. Je le tiens fermement dans ma main droite.

– Maintenant, répétez après moi. En t'offrant cet anneau, je fais de toi mon épouse.

– En t'offrant cet anneau, je fais de toi mon épouse.

Jack glisse l'anneau à mon doigt, à côté de celui qu'il m'a donné hier.

– À vous maintenant, Anne.

– En t'offrant cet anneau, je fais de toi mon époux, dis-je d'une petite voix à peine plus forte qu'un murmure, en enfilant l'anneau au doigt de Jack.

Le pasteur nous sourit.

– Je vous déclare officiellement mari et femme. Vous pouvez maintenant embrasser la mariée.

Jack pose deux doigts sous mon menton et m'incline la tête vers l'arrière. Il m'embrasse, comme il l'a fait la première fois hier, doucement, mais plus longuement. Ses lèvres sont chaudes et sèches, et j'ai la même sensation de picotements qui s'empare de moi.

Nous nous écartons l'un de l'autre.

– Félicitations, dit le pasteur Rodriguez.

– Merci, lui répondons-nous en chœur.

Jack et moi nous dirigeons, comme dans un nuage de brume, vers l'un des plus petits restaurants de l'hôtel. Nous prenons une table au milieu de couples qui ont tous l'air aussi abasourdis que nous le sommes.

Le poids des deux anneaux d'argent à mon annulaire me donne une sensation étrange. Je n'arrête pas de les tourner, comme pour essayer de leur trouver une position plus confortable. Nous mangeons lentement en parlant des gens qui passent près de la fenêtre, essayant de créer une diversion face à l'énormité du geste que nous venons de poser. Nous y arrivons presque.

– Hé, regarde, en voilà un autre, lui dis-je en pointant une grosse femme qui porte un T-shirt avec un imprimé de faux corps mince en bikini.

– Ils doivent les vendre à la boutique de l'hôtel.

– Madame, ce T-shirt fait tout sauf vous amincir.

Je joue avec les feuilles de salade dans mon assiette.

– Jack ?

– ¿Sí?

– Est-ce qu'on vient de se marier ?

– Je crois que oui.

– Alors ce n'est pas juste dans ma tête? Ce n'est pas un rêve complètement fou?

Il fronce les sourcils.

– C'est si terrible que ça?

– Je n'ai pas dit que c'était mauvais, juste fou.

– Disons que j'ai passé le seuil de la folie à la minute où je suis entré dans les bureaux de Blythe & Compagnie.

– Bon point.

– Ça va, Anne?

– Oui, c'est juste que… ce n'est pas exactement comme ça que j'avais imaginé mon mariage.

– Je ne suis pas le marié que tu imaginais?

– Non, non, ce n'est pas ça. Seulement, j'ai toujours pensé que je serais avec ma famille et mes amis.

– Et avec une robe blanche?

Je souris.

– Oui, peut-être. As-tu déjà pensé à ça par le passé? Ce à quoi ton mariage pourrait ressembler?

– Tu te rappelles que je suis un homme, n'est-ce pas?

– Oui, oui.

Il prend une gorgée de bière.

– Bien, peut-être un peu. J'imagine que j'ai toujours pensé que mes parents seraient là.

– Comment… Ça fait longtemps qu'ils sont…?

– Oui, j'avais vingt-trois ans. Un accident de voiture.

– Je suis désolée.

– C'est gentil. Merci.

Jack prend une bouchée de son burrito et la mastique pensivement.

– J'ai une idée.

– Quoi?

– Pourquoi ne pas essayer de ne *pas* paniquer et de voir comment les choses se déroulent?

– Que veux-tu dire exactement?

– Eh bien, nous avons chacun eu nos moments… toi, hier soir sur la plage, moi, ce matin sur la plage… Alors, je me disais que ce n'était peut-être pas une bonne idée de se poser trop de questions. Ce qui est fait est fait. Pourquoi ne pas simplement essayer de nous relaxer et de nous amuser?

– Tu peux faire ça, toi? Tu peux arriver à ne pas y penser?

– Je ne sais pas. Mais n'es-tu pas fatiguée de toujours penser à ce genre de choses? N'est-ce pas la raison pour laquelle tu as fait ça?

– Oui, c'était une des raisons.

– Alors, qu'en dis-tu?

– Je n'ai qu'à cesser de penser et à m'amuser, c'est ça?

– Tu crois que tu en es capable?

– Je peux essayer.

Il me fait un grand sourire.

– Bonne fille. Hé! En voilà une autre!

Je me retourne pour voir une femme qui doit bien peser 150 kilos avec le corps d'une femme qui fait la moitié de sa grosseur imprimé sur son T-shirt.

– Alors, quand est-ce que je déménage mes affaires?

Je me retourne vers lui d'un coup sec.

– Pardon?

– Devrais-je déplacer mes affaires dans ta chambre maintenant ou après le souper?

– Tu es sérieux?

– Y a-t-il une raison pour laquelle je ne devrais pas l'être ?

– Il y en a probablement une centaine, mais pourquoi pas, tu pourrais déménager tes affaires maintenant et... attends une seconde... es-tu en train de me faire marcher ?

Jack éclate de rire.

– Je n'avais pas l'intention de te faire marcher aussi fort.

Mon visage tourne au rouge.

– Je suis très crédule.

– J'ai remarqué.

– S'il te plaît, n'abuse pas de moi, d'accord ?

– Pas avant de t'avoir soûlée, promis.

– Belle façon de parler à ta femme.

Il retrousse son nez.

– Wow. Ça fait bizarre d'entendre ça.

– Je sais.

– OK. Changeons de sujet. J'ai vu des catamarans sur la plage. Tu veux aller faire de la voile ?

– Je ne sais pas naviguer.

– Pas de problème, moi, je sais.

J'hésite.

– J'ai un peu peur du large.

– C'est mignon.

– Non, c'est pathétique.

– Ce sera amusant, je te le promets. Et si tu n'aimes pas ça, on rebrousse chemin.

– D'accord alors.

Jack se frotte les mains d'excitation.

– Super ! Et après, je déménage mes affaires dans ta chambre.

– Euh... Jack... Merde ! J'ai failli me faire prendre encore.

– Bon Dieu ! Tu es *vraiment* crédule.

– Je t'ai dit de ne pas abuser.

– Désolé, ça n'arrivera plus.

– Menteur.

Quand j'arrive sur la plage, Jack y est déjà, portant le même short de bain rouge qu'il avait ce matin et une fraîche couche de zinc sur le nez. Il discute avec un employé, à côté d'un catamaran jaune et noir. L'employé – un jeune homme dans un short bleu – dit quelque chose qui fait éclater Jack de rire. Il a l'air tellement heureux et détendu que c'en est contagieux.

Je marche dans leur direction.

– Miguel, je te présente ma... femme, Anne.

Jack a un sourire gêné en prononçant le mot «femme». Je lui rends son sourire, me sentant heureuse. Après les échanges de politesse, Miguel donne ses dernières recommandations à Jack. Nous attachons les sangles de nos vestes de sauvetage, Jack serre la main de Miguel et m'aide à grimper sur le catamaran. Jack prend le gouvernail tandis que Miguel nous pousse vers l'océan. Le vent souffle assez fort et le bateau vogue rapidement en direction de Isla Mujeres, une île à quelques kilomètres de la côte.

Je m'agrippe au rebord en caoutchouc de la coque, m'assurant que mes pieds sont bien sécurisés sous les sangles en toile noire. Jack contrôle la grande voile blanche à l'aide d'une corde épaisse qu'il laisse aller et venir dans sa main droite.

Le ponton frappe une vague. Le bateau s'élève et s'écrase avec un gros *boum*. J'enlace mes mains dans les cordes qui relient la coque à la structure.

– Euh... Jack. On va plutôt vite, non?

– Tu veux que je ralentisse?

J'acquiesce d'un mouvement de la tête et il fait tourner le bateau hors de la portée du vent. Notre vitesse diminue de moitié.

– C'est mieux comme ça?

– Oui, merci.

Je commence à me détendre et à observer les alentours. La baie est parsemée de bateaux et de motomarines. Il n'y a pas un nuage dans le ciel et l'eau est très bleue, entrecoupée de petites vagues aux crêtes blanches. Je jette un œil vers Jack. Il est tellement penché vers l'arrière que sa tête touche l'eau.

– Que fais-tu?

– Il redresse sa tête et secoue l'eau de ses cheveux.

– Je faisais une saucette.

– Tu ne devrais pas plutôt regarder où on va?

– Ne t'inquiète pas. J'ai les choses bien en main. Pourquoi ne vas-tu pas t'étendre sur le pont?

– Est-ce que tu vas continuer à aller lentement?

– Promis.

Je libère mes pieds des sangles de sécurité et je trottine vers l'avant, m'étirant de façon à pouvoir regarder Jack. Je place ma veste de sauvetage sous ma tête et ferme les yeux, me laissant bercer par l'océan. Je plonge dans un état de demi-somnolence pendant que le soleil lèche ma peau.

– Tu t'amuses bien? me demande Jack.

Je me relève sur mes coudes.

– Oui, pas mal.

– Dommage qu'on n'ait pas apporté de bière.

– *Dos cervezas por señor Harmer, por favor.*

– Impressionnant.

– *Gracias.* Mais c'est tout ce que je sais en espagnol.

– Tu aurais pu me berner.

Je regarde par-dessus l'épaule de Jack. Notre hôtel a l'air petit et loin.

– Jack, je crois qu'on devrait faire demi-tour. Nous sommes vraiment loin de la côte

– Pas tant que ça.

– Mais ça ne va pas prendre plus de temps pour retourner, contre le vent ?

Il penche sa tête sur le côté.

– Je croyais que tu ne savais pas naviguer.

– Ça ne veut pas dire que je n'y connais rien non plus.

– Belle *et* intelligente. Bien joué, Blythe & Compagnie. D'accord, prépare-toi, je vais virer de bord.

– Attends, laisse-moi me réinstaller.

Je m'assois à ses côtés, et sécurise mes pieds dans les sangles.

– Il va falloir que je prenne de la vitesse pour tourner. Ne panique pas.

Jack fait virer le catamaran de manière à ce que le vent soit derrière nous et hisse la voile. Nous prenons de la vitesse, et Jack tire la barre vers lui avec un mouvement brusque.

– Oh, merde !

Le ponton gauche plonge sous une vague et reste là. Un instant plus tard, le droit fait la même chose. Mon cœur se met à battre à tout rompre alors que l'arrière du catamaran se soulève dans les airs. Quelque chose grince et siffle dans ma direction, et paf ! La bôme heurte le côté de ma tête et m'envoie directement valser dans l'eau.

– Putain de merde ! crie Jack, alors que je remonte à la surface en toussant, désorientée.

Mes oreilles bourdonnent à cause du choc de la barre en aluminium. Une vague blanche se brise au-dessus de ma tête, me noyant presque. Je me mets à nager de toutes mes forces, à bout de souffle, en me maudissant d'avoir enlevé ma veste de sauvetage. Je m'enfonce une fois, deux fois, puis les bras de Jack encerclent ma taille, me tirant de l'eau et contre sa peau. Il me tient serré, je sens sa peau mouillée.

– Tu vas bien?

– Bordel, Jack, je t'ai dit d'aller lentement...

– Je suis vraiment désolé, Anne. Je ne veux surtout pas te blesser.

– C'est bon. Je ne suis pas blessée.

– Tu en es certaine?

– Oui.

– Miguel m'avait dit de ne pas empanner. Merde.

Il donne un coup dans l'eau.

– Hé! Arrête de m'arroser.

Il tend la main et essuie l'eau sur mes yeux.

– Désolé, bébé.

Ma colère s'estompe.

– Bébé?

– Ça te dérange?

– Non, ça ne me dérange pas.

Il sourit et se penche vers moi. Sa bouche est froide et sa langue est rugueuse contre la mienne.

– Tu goûtes le sel, dis-je lorsqu'il desserre son étreinte.

– Et toi, tu deviens bleue. Nous ferions mieux de redresser ce bateau.

– Dis-moi quoi faire.

Je suis ses instructions et nous arrivons à soulever la partie droite du catamaran renversé. Jack se hisse sur le bateau et me tire vers lui en me prenant par les bras. Il m'embrasse de nouveau, en me tenant contre lui, jusqu'à ce que nos lèvres deviennent plus chaudes.

– Tu sais, je trouve que le bleu te va très bien, me dit il.

– Peut-on retourner sur la plage maintenant ?

– Oui, capitaine.

Nous passons le reste de l'après-midi au bord de la piscine, à essayer les différents cocktails proposés sur l'ardoise au-dessus du bar, du Bahama Mama au Tequila Sunrise. Au coucher du soleil, les contours des bâtiments commencent à être un peu flous.

À sept heures, nous remettons nos vêtements de céré-monie et nous nous rendons à la réception organisée par Blythe & Compagnie. Elle a lieu dans le même restaurant que la veille, mais la salle a été réaménagée en larges tablées de groupes. Il y a un groupe de musiciens en costumes à pail-lettes assortis, et on a décoré les lieux avec des centres de table et des chandelles. Nous allons consulter le plan de la salle. Nous sommes assis avec Margaret et son mari, ainsi que deux autres couples.

Margaret nous présente à Brian, un homme très doux, avec des yeux bruns chaleureux derrière des lunettes rondes. Elle papote gaiement pendant qu'il fixe la corbeille de pain.

Pendant le souper, Jack nous divertit en racontant notre mésaventure en mer. Je rajoute quelques détails. C'est comme si nous étions déjà un vieux couple avec plein d'histoires semblables en poche, même si nous n'en avons qu'une.

Après le souper, le groupe commence à jouer des chansons de mariage typiques – un mélange d'Abba, de Village People et des Jackson Five. Quelques couples s'agitent sur la piste de danse, jusqu'à ce que le groupe amorce une transition vers des chansons d'amour quétaines. Habituellement, c'est à ce moment-là que le maître de cérémonie invite les amoureux à venir sur la piste de danse. Et, bien sûr, si on est en couple, qu'on soit heureux, malheureux ou indifférents, on doit répondre à l'appel et danser en faisant semblant d'être en amour. Ce soir, il n'y a pas de maître de cérémonie, mais les tables se vident quand même, les couples laissant derrière eux des nappes tachées de miettes et de vin.

– Tu veux danser ? me demande Jack en articulant à peine.

– Oui.

Jack me guide jusqu'au milieu de la piste et me prend dans ses bras. Le groupe joue *Endless Love*. Nous tournons en cercle au son de la musique sirupeuse.

Jack se penche vers l'arrière. Son visage est rouge, et il semble avoir du mal à voir clair.

– Tu es ravissante.

– Tu es ivre.

– Je suis peut-être ivre, mais tu es quand même ravissante.

Jack pose ses lèvres sur les miennes, les pressant fermement, avec insistance. Les réprimandes du Dr Szwick me reviennent à l'esprit, mais je les chasse rapidement. Ça fait du bien d'être dans le tort comme ça. Je lui rends son baiser, en fermant les yeux et en remontant mes mains de sa taille vers son cou. Il presse sa langue sur mes lèvres et la passe sur mes dents, puis nos langues s'entremêlent, nos corps vissés l'un à l'autre. Me sentant étourdie et un peu trop exposée dans cette pièce remplie de nouveaux mariés, je m'écarte un peu. Nous nous regardons droit dans les yeux pendant que nous tournons lentement sur la piste. Les musiciens jouent une chanson à propos d'oiseaux moqueurs. La voix du chanteur est rauque.

– Je n'arrive jamais à me rappeler de qui est cette chanson, dis-je.

Il se concentre, l'oreille tendue.

– C'est *I'll be your baby tonight* de Bob Dylan.

– Ah, oui? Je pensais qu'il faisait seulement des chansons hargneuses sur les femmes.

– Comme quoi?

– Je ne sais pas. *Don't think twice*, c'est assez hargneux. Ou *Idiot wind*.

– Ça devait dépendre de son humeur.

Il commence à chanter doucement les paroles, qui parlent de la lune. Il a une bonne voix, riche et profonde.

– Tu sais chanter.

– Tu as l'air étonnée.

– Aucun homme n'a chanté pour moi avant.

– Et?

– J'aime bien.

Jack me masse le bas du dos. Ses doigts sont brûlants, à moins que ce soit ma peau.

– Tu veux qu'on sorte d'ici? me demande-t-il.

– Oui.

Dehors, l'air est chaud, avec une douce brise qui souffle. La piscine est illuminée par des flambeaux. L'eau reflète leurs flammes âcres. Jack m'enlace la taille par-derrière. Je m'appuie contre lui, appréciant la sensation.

– Où veux-tu aller? dis-je.

– Que dirais-tu de ta chambre ?

Un frisson me parcourt l'échine. C'est une option très tentante.

– Jack…

– Je rigolais. À moitié. Allons sur la plage.

Nous retournons à l'endroit où nous étions la veille, là où nous avons échangé notre premier baiser. La lune est encore presque pleine et la plage ressemble toujours à un décor de film. Jack trébuche lorsqu'il met le pied sur le sable et tombe à genoux. J'essaie de l'aider, mais il perd encore l'équilibre, atterrissant cette fois sur les fesses.

Il lève les yeux vers moi.

– Bonsoir, mon épouse.

– Ça sonne bizarre.

Je place mes mains sur ses épaules.

– Bonsoir, mon mari.

Je fais courir mes doigts sur son menton.

– Tu sais, j'aime bien ton visage rasé.

– Ah oui ?

– Oui.

– Alors que fais-tu perchée là-haut ?

– Où devrais-je être ?

– Par terre, avec moi.

Il tire sur mes bras et je tombe sur lui. En riant, je me retourne de façon à m'étendre sur le côté, lui faisant face. Il se relève sur un coude.

– C'est beaucoup mieux comme ça.

Je regarde ses lèvres bouger tandis qu'il me parle. Je les veux plus près de moi. Je veux qu'il m'embrasse.

– Que fais-tu là-haut ? dis-je à mon tour.

– Rien.

Je l'attire vers moi et sa langue se retrouve dans ma bouche, douce et rugueuse à la fois. Je me colle encore plus près contre lui. Il me caresse sur le côté avec sa main, laissant son pouce effleurer ma poitrine au passage. Je m'éloigne d'un coup.

– Que se passe-t-il?

– Ça chatouille.

– Qu'est-ce qui chatouille? me demande-t-il.

Il passe son pouce de nouveau sur ma poitrine, cette fois, plus lentement.

– Ça?

– Oui.

Il déplace sa main vers ma taille, caressant doucement le côté de mon ventre.

– C'est mieux comme ça?

J'acquiesce et nous nous embrassons encore, encore, et *encore*. Je peux sentir sa poitrine se soulever, sa respiration s'accélérer, au même rythme que la mienne. Sa main commence à jouer avec la couture de ma petite culotte, à travers ma robe.

– Jack…

– Mmm?

Je place mes mains sur ses épaules et le repousse gentiment.

– Attends une minute.

Il relève la tête de mon cou.

– Je t'ai encore chatouillée?

– Non, ce n'est pas ça. Je crois que peut-être… que nous allons peut-être un peu trop vite.

Jack soupire et se tourne sur le dos.

– Tu as raison. Je suis désolé.

– Ne t'excuse pas.

J'appuie ma tête sur son épaule, laissant ma main reposer sur sa poitrine. Il joue avec mes cheveux, les enroulant autour de ses doigts.

– Est-ce mal si j'ai vraiment envie de faire l'amour avec toi en ce moment ? dit-il.

– Je serais déçue si tu n'en avais pas envie.

J'entends son rire à travers sa poitrine.

– Et toi ? me demande-t-il.

– Même chose pour moi.

– Je suis content.

Nous restons étendus à observer les nuages noirs flotter autour de la lune, et à écouter les bruits de l'océan. Je me sens somnolente, à cause de l'alcool et du manque de sommeil de la nuit précédente.

– Anne ?

– Oui.

– C'est une sacrée deuxième *date*.

Je glousse.

– En effet.

– Le Dr Szwick ne serait pas fier de nous s'il nous voyait.

– Probablement pas.

Jack m'embrasse doucement sur le front et me serre dans ses bras.

Nous restons étendus là, sur le sable, jusqu'à ce que nous nous endormions.

CHAPITRE 14

TOUT PEUT ARRIVER

Nous nous réveillons au lever du soleil, couverts d'une fine buée d'embruns. J'ai le côté gauche engourdi et les cheveux collés sur le visage. J'ai l'impression d'avoir reçu mille coups de massue sur la tête et mon estomac est aussi agité que la mer du matin.

Jack remue à côté de moi en maugréant.

– Ma tête. Merde. Ma tête.

Je me tourne pour lui faire face. Aïe. Mon estomac n'a pas apprécié.

Jack garde ses yeux fermés. Sa chevelure est incrustée de sable.

– Tu vas bien? lui dis-je.

Il entrouvre un œil. Ce qui devrait être le blanc de ses yeux est injecté de rouge.

– Ça reste à voir. Toi?

– Pas super.

– Si tu te sens à peu près comme moi, c'est bien peu dire.

Je m'assois. Tout se met à tourner.

– En effet.

Nous restons un moment immobiles, le temps que le monde s'arrête de tourner. Mais il ne le fait pas, alors nous nous retirons dans nos chambres respectives pour prendre une douche et dormir.

J'enlève ma robe de mariage fripée et je me place sous le jet d'eau chaude, laissant la chaleur extraire les toxines de mon corps. En sortant de la douche, je m'enroule dans une serviette et j'essuie mes cheveux, tout en essayant de libérer les tensions dans mon cou. Je mets un pyjama en coton léger, me glisse entre les draps frais, non défaits, et appuie ma tête endolorie sur l'oreiller moelleux.

Pendant que je vacille entre le sommeil et l'éveil, je repense aux choses que j'ai laissé Jack me faire hier soir, avec le même mélange de fierté et d'embarras qu'à l'université, les lendemains de fêtes de dortoir et de rencontres semi-regrettées.

Ai-je vraiment fait ça?

Oh, que oui, je l'ai fait.

Vers midi, je trouve Jack endormi sur une chaise longue près de la piscine, un livre en travers de la poitrine. Il porte un short en tissu écossais et un polo marine. Ses yeux sont cachés par des lunettes d'aviateur. Ses avant-bras commencent à brunir.

Je m'assois sur la chaise à côté de la sienne et j'ouvre mon livre, en attendant que le soleil me donne un peu d'énergie.

Il relève ses lunettes.

– Salut, toi. Depuis quand es-tu là?

– Je viens d'arriver.

– Pourquoi ne m'as-tu pas réveillé?

– Tu avais l'air bien.

Il s'assoit et fait rouler ses épaules.

– Je me suis vraiment détruit le dos la nuit dernière.

– Ça t'apprendra à dormir avec une fille étrange sur la plage.

– C'est vrai. Je devrais avoir retenu la leçon depuis le temps. Mais je crois qu'on peut faire une exception quand la fille étrange est sa femme.

– Je n'avais pas remarqué cette exception dans les règles.

– C'est pourtant bien indiqué, à la page trois de la brochure. C'est un des principes de la «philosophie de l'amitié» dans le mariage.

Je commence à rire.

– Vraiment? Le docteur Szwick ne l'a jamais mentionné.

Il me fait un sourire en coin.

– J'aurais juré que c'était bien lui qui m'en avait parlé. En fait, c'est ce qui m'a convaincu d'aller de l'avant dans le processus.

– Que penses-tu que le Dr Szwick dirait de nos modalités d'hébergement d'hier soir?

Il balance ses jambes de façon à ce qu'elles pendent au bout de sa chaise. Ses pieds sont longs et blancs.

– Je n'en suis pas certain. Mais il faut dire que je ne suis pas en train de compter jusqu'à dix.

– Il t'a fait le truc de la chaise à toi aussi?

– Agaçant, n'est-ce pas?

– Tellement.

Nous nous sourions.

– Alors..., dis-je.

– Alors... je nous ai inscrits à une activité cet après-midi.

– Ah, oui? Laquelle?

– Plongée en apnée.

– Cool. Ça fait longtemps que je n'en ai pas fait.

– Le bateau part à quatorze heures, alors nous avons suffisamment le temps de manger avant.

– Est-ce ta manière de me dire que tu as faim?

Jack se frotte le ventre.

– Je pourrais manger.

Nous nous installons au restaurant près de la piscine et nous commandons une grande assiette de nachos recouverts de bœuf, d'oignons, de tomates et de sauce au fromage. Lorsqu'elle arrive, nous plongeons dedans. Pendant un moment, tout ce que l'on peut entendre est le bruit de nos bouches qui mâchent la bouffe graisseuse.

– Je crois que je peux sentir mes fesses grossir, dis-je en repoussant l'assiette presque vide loin de moi.

Jack regarde sous la table.

– Elles m'ont l'air très bien, à moi.

– Ôte ta tête de là, petit comique.

Il redresse la tête en souriant comme un petit garçon.

– Tu veux une bière?

Le simple fait d'y penser me lève le cœur.

– Non, merci.

– Tu iras mieux quand tu en auras pris une.

– N'est-ce pas comme ça que les gens se retrouvent en désintox?

– Probablement.

Je m'essuie les mains avec une serviette et je remarque le livre qu'il a posé sur la table. C'est *Je parler français*[1], un recueil de nouvelles de David Sedaris.

– C'est bon?

---

1. David Sedaris, *Je parler français* (traduction de *Me talk pretty*), Paris, J'ai lu, 2002.

– C'est très drôle. As-tu déjà lu des trucs de lui avant ?

– Non, mais mon amie Sarah ne cesse de me dire que je dois le lire.

– Elle a raison, tu devrais.

– C'est quoi ton livre préféré ? Non, attends, ne me le dis pas... *Sur la route* ?

– Comment as-tu deviné ? me demande t il, surpris.

Parce que tous les gars adorent ce livre. C'est comme le film avec Peter Sellers.

– Tu veux dire *Le Party* ?

– Je suis certaine que tu adores ce film. Ça et *Spinal Tap*.

– Aussi connu comme « Le film le plus drôle de tous les temps ».

– Je le savais.

– Quoi ? Tu n'aimes pas ce film ? Maudit sois-tu, Blythe & Compagnie !

Il brandit son poing dans les airs.

– Pas besoin d'aller te plaindre au onzième étage.

Une vague de soulagement traverse le visage de Jack.

– Merci, mon Dieu. Je retire ce que je viens dire, Blythe & Compagnie. Je ne remettrai plus jamais la qualité de vos services en question.

– Es-tu sûr ? Parce que j'ai une confession à faire : je n'ai jamais lu *Sur la route*.

– Hum. C'est très sérieux, mais nous pouvons remédier à la situation. Je vais même t'en prêter un exemplaire que j'ai justement avec moi dans ma chambre.

– Tu en as un avec toi ? dis-je en lui souriant avec indulgence.

– Quoi ? C'est une excellente habitude. On ne sait jamais quand une urgence *Sur la route* peut se produire.

– Évidemment.

– Je vais te le prêter, mais à la condition que tu me laisses lire ton livre d'abord.

– Vraiment?

– Oui, je veux le lire.

– On verra.

– De toute façon, je pourrai me le procurer en librairie bientôt, me fait-il remarquer.

– Oui, mais c'est dans quelques mois. D'ici là, tu me connaîtras mieux.

– Quel est le rapport?

– Ce sera plus difficile pour toi de me dire que tu l'as détesté.

– Tu ferais mieux de t'endurcir, Anne. Les chances sont que quelqu'un quelque part n'aimera pas ton livre.

– Je sais, mais… tu n'es pas «quelqu'un quelque part».

Il sourit.

– Content de te l'entendre dire.

– Oui?

– Oui.

Nous passons l'après-midi à faire de la plongée en apnée et à prendre un coup de soleil dans le dos alors que nous flottons dans l'eau salée à regarder les poissons nager devant nous. Le point fort de notre après-midi est lorsque j'aperçois un gros requin gris qui fait des allers-retours sous nous – d'accord, peut-être que «point fort» n'est pas tout à fait la bonne expression. Je n'ai jamais nagé aussi vite de ma vie, même si nous en avons ri par la suite, étendus sur le pont du bateau.

Nous soupons au restaurant mexicain, puis allons prendre un digestif au bar de la réception. Il se peut que nous ayons besoin d'un séjour en désintox après cette escapade loin de la réalité.

– Alors, me dit Jack, j'ai vérifié le programme de la soirée, ici, au Royaume de l'ennui. Jeux de cartes, quelle surprise ! Ça ne me dit pas trop. Mais à côté, au Royaume des hédonistes dans la vingtaine, il y a une activité qui s'appelle «Tout peut arriver» et qui a l'air amusante.

– T'arrive-t-il de prendre quelque chose au sérieux ?

Il prend mon bras et embrasse l'intérieur de mon poignet.

– Je prends certaines choses très au sérieux.

Je le chasse du revers de la main.

– Que crois-tu que ça signifie, «Tout peut arriver» ?

– Pourquoi ne pas aller voir de quoi il en retourne ?

Nous traversons le long sentier qui mène de l'hôtel réservé par Blythe & Compagnie à son jumeau et nous arrivons dans un amphithéâtre identique à celui où nous nous sommes rencontrés. Il a fait chaud toute la journée et l'air sous le toit de toile blanche est épais.

– On se croirait dans *Mad Max* ici, dit Jack.

– Tu as vu ce film ?

– Ce n'est pas tout le monde qui l'a vu ?

Nous nous asseyons à mi-hauteur d'un côté des gradins, entre un jeune couple et un groupe de jeunes filles gloussantes, qui ont l'air d'être à peine âgées de dix-huit ans. Une mince femme blonde prend le micro. Elle porte une camisole noire serrée et un short en jean très court.

– Mesdames et messieurs, mon nom est Jill et c'est la soirée «Tout peut arriver» dans laquelle tout peut, littéralement, arriver. Ceux d'entre vous qui ne sont pas à l'aise avec la nudité, la consommation d'alcool et le chaos en général ne devraient probablement pas rester. Et vous devez savoir qu'il n'y a qu'une seule règle dans le jeu « Tout peut arriver » : c'est qu'une fois qu'on commence, on n'a pas le droit d'arrêter ! Alors, quiconque n'est pas prêt pour une aventure devrait quitter la salle dès maintenant.

– Crois-tu qu'elle est sérieuse ? dis-je à Jack en chuchotant.

– On dirait qu'elle l'est. Tu veux partir ?

– Non, à moins que tu veuilles t'en aller ?

– Non. Moi, ça va.

Je regarde quelques personnes se lever et partir, l'air embarrassé. Je me sens nerveuse quant à notre décision de rester, mais bon, quelle est la pire chose qui puisse arriver ?

Hum. Il me semble que je dis ça souvent ces temps-ci.

– Maintenant que les perdants sont partis, commençons à jouer au *Strip Bingo* ! Les règles sont simples. Tout le monde a une carte. Si le numéro qui sort n'est pas sur votre carte, vous devez enlever un morceau de vêtement et le mettre au milieu de l'arène. Si vous avez le numéro, vous pouvez garder vos vêtements.

Je jette un coup d'œil à ce que je porte : un short beige, une camisole bleue, mon soutien-gorge, ma petite culotte et mes sandales. Un total de cinq morceaux – ou six, si je calcule chaque sandale séparément. Ce que je compte bien faire. Mais même ainsi, je vais me retrouver nue.

– Je parie que tu souhaiterais avoir apporté un chandail, me murmure Jack à l'oreille.

– Je n'ai aucun problème avec la nudité.

– Ah, non ? Vraiment ?

– Bon... peut-être un peu.

Jill amène un boulier et donne à chacun une carte de jeu et un marqueur. Quand toutes les cartes ont été distribuées, elle tamise les lumières de manière à ce que nous soyons assis dans une semi-pénombre.

Peut-être que ce ne sera pas si terrible après tout. Peut-être que je suis capable d'enlever mes vêtements dans cet amphi théâtre rempli d'étrangers et devant cet homme qui sait si bien m'embrasser.

Je lance un regard à Jack. Il lève un sourcil de manière suggestive, manifestement heureux à la pensée que je serai peut-être nue dans quelques minutes.

À bien y penser, peut-être vaut-il mieux que je gagne la partie.

– B12, annonce Jill.

Merde. J'enlève une de mes sandales et pose mon pied sur le béton froid. Jack enlève ses deux sandales. Il fait bouger ses orteils devant moi.

– Tricheuse.

Je lui tire la langue.

– N19

Oui ! Je marque la case avec mon stylo. Jack enlève sa chemise.

– Exhibitionniste.

– Je n'ai vraiment aucun problème avec la nudité, *moi*.

– O39

J'enlève ma deuxième sandale alors que Jack fait une marque sur sa carte, l'air déçu.

– Allez, tout le monde ! Vous devez mettre vos vêtements en pile au milieu de l'arène. Ne soyez pas gênés. Apportez-les ici ! commande Jill.

Plusieurs personnes déjà plutôt dévêtues descendent les marches dans la pénombre et posent leurs vêtements en pile. Je ne bouge pas, gardant mes sandales là où je peux les retrouver.

– G23

Camisole ou short? Camisole ou short? Je décide d'enlever ma camisole. Être en soutien-gorge, c'est comme être en bikini. Aucun problème.

J'enlève ma camisole et la place près de mes sandales. Jack glisse hors de son short, le roule en boule et l'envoie directement dans la pile au milieu de l'arène. Il porte des boxers blancs.

– Bonne chance pour le retrouver.

– Tu penses?

Il prend ma camisole et la lance sur la pile.

– Hé!

– Les règles sont les règles, Anne. Tu ne veux tout de même pas nous causer des ennuis, non?

– I17.

Je le savais! Je me lève et je déboutonne mon short. le tiens fermement sur mes cuisses alors que Jack tente de me l'enlever.

– Arrête ça!

Je lui donne une claque sur la main.

– I25

Là, ça va trop loin!

– Bingo!

S'il vous plaît, faites que ce ne soit pas une fausse alarme.

J'attends nerveusement que Jill vérifie la carte de la femme qui a crié «Bingo».

– Nous avons une gagnante !

Toute la salle applaudit.

– Nous allons maintenant allumer les lumières et tout le monde doit tenter de retrouver ses vêtements !

Je maudis Jack du regard. Il me sourit d'une manière rassurante.

– Ne t'en fais pas, je vais retrouver nos affaires. Attends-moi ici.

Il descend tranquillement les marches et revient rapidement avec nos vêtements. Je renfile mon short et ma camisole pendant que Jack fait la même chose à côté de moi.

– C'est un peu nul, non ? me dit-il.

– Nous aurions dû partir tout à l'heure.

– Partons alors !

– Mais ils ont dit qu'on n'avait pas le droit.

Il me fait un large sourire.

– La crédulité te va bien. Allez, suis-moi.

Nous grimpons l'escalier sombre jusqu'au bord du toit de toile. Jack le tire, dévoilant un escalier d'urgence.

– Comment savais-tu que c'était ici ?

Il tape du bout de son doigt sur le côté de sa tête.

– J'ai un cerveau énorme.

– Ce n'était pas inscrit sur ta fiche de Blythe & Compagnie.

– Je vais devoir leur parler de ça.

Nous descendons l'escalier et nous nous éloignons de l'amphithéâtre. Nous pouvons entendre des cris en provenance de l'intérieur.

– Je me sens tellement poule mouillée, dis-je.

– Tu as épousé un parfait étranger, hier. Tu es tout sauf une poule mouillée.

– Oui, bon point. On fait quoi maintenant ?

– Une promenade sur la plage ?

La plage. La scène du crime. Et puis merde, pourquoi pas ?

Nous enlevons nos sandales et marchons en direction d'une talle de lumières distantes, de l'autre côté de la haie. Jack entre dans l'eau. Toutes les deux minutes, une grosse vague roule sur la plage et il bondit pour l'éviter.

– Tu savais qu'ils ont dû pomper tout ce sable au fond de l'océan après l'ouragan ? me demande-t-il.

– Oui, j'ai entendu ça.

– Ils ont utilisé de ces grosses machines à succion, parce que les plages étaient directement sur le roc.

– Oui, c'est ce que j'ai lu.

– Désolé, est-ce que je t'ennuie ?

– Pas du tout. Pourquoi dis-tu ça ?

– Je ne sais pas. Trouves-tu que la journée a été décevante ?

– Comment peux-tu qualifier une journée où on a vu un requin et joué au *Strip Bingo* de décevante ?

Il sourit.

– C'est vrai que c'était un méchant gros requin.

– Il a joué dans *Les dents de la mer*, c'est sûr.

– Non, mais sérieusement...

– Parce qu'hier nous avons pris cette décision majeure qui va changer nos vies et qu'aujourd'hui rien n'est vraiment différent ?

– Oui.

– À quoi t'attendais-tu ?

– Je n'en suis pas certain. Oublie ce que je viens de dire.

– Veux-tu que quelque chose soit différent ? Je veux dire, veux-tu que je sois différente ?

Il se tourne vers moi.

– Non, Anne. Tu es super. Je crois que c'est seulement le syndrome post-anticipation. Tu sais, quand tu attends anxieusement un gros événement, lorsqu'il arrive, tu te sens toujours un peu déçu après. Non pas que je sois déçu...

– Ça va, je comprends ce que tu veux dire. Nous avons fait le plus gros, il nous reste maintenant le plus difficile à accomplir : vivre ensemble le restant de nos jours.

– Bien, j'espère que ce ne sera pas trop difficile.

– Moi aussi. Mais n'avions-nous pas décidé que nous ne penserions plus à ce genre de choses ?

– Tu as absolument raison.

Les lumières qu'on apercevait au bout de la plage se révèlent être celles de deux bateaux de pirates géants arrimés à une marina, prêts à accueillir les passagers pour une excursion de nuit.

– Que penses-tu qu'ils font sur ces bateaux ? dis-je.

– Ils vont au milieu de la baie et font une bataille simulée.

– J'aurais dû le deviner.

Il a l'air penaud.

– Quand je suis arrivé, j'ai lu toutes les brochures pour tuer le temps.

– Quoi ? Tu ne passais pas ton temps à rôder dans l'hôtel à essayer de trouver qui j'étais ?

– Ça aussi, me dit-il en soulevant légèrement le coin de sa bouche.

– Tu t'en es bien sorti ?

– J'ai misé sur la bonne.

– Tu m'as identifiée parmi toutes les femmes qu'il y a ici ?

– Mmm, hum.

– Tu bluffes.

– Je te le jure.

– Comment as-tu fait ?

– Je te l'ai dit. J'ai un cerveau énorme.

– Oui, oui, je sais. Sérieusement, dis-moi comment tu as fait.

– Il n'y avait qu'une seule vraie rousse dans la bonne tranche d'âge, même avec la marge « plus ou moins ».

– La marge « plus ou moins » ?

– Oui. Plus ou moins dix ans. Tu sais, les femmes qui ont l'air d'avoir vingt-cinq ans, mais qui pourraient aussi bien en avoir trente-cinq, et vice versa.

De la musique commence à se déverser des bateaux de pirates alors que les passagers embarquent à la queue leu leu. Nous regardons les lumières clignoter et une horde de gens se ruer sur la passerelle.

– Et suis-je plus ou moins ?

Il pose ses mains sur mes hanches.

– Moins dix, assurément. Pas un jour au-delà de vingt-cinq ans.

Il me tire vers lui, et nos hanches se touchent.

Je mets mes mains dans ses poches arrière.

– Tu me taquines, là, non ?

– Je ne le dirai jamais.

Ses lèvres effleurent les miennes.

– Crois-tu que nous aurions dû rester dans l'amphithéâtre ?

– Tu t'emmerdes ?

– Non.

– Bien. Que dirais-tu de jouer à « Tout peut arriver », version privée ?

– On verra.

Il m'embrasse le côté du visage et le cou. Le volume de la musique provenant de l'autre côté de la plage diminue.

– Jack?

– Hum?

– Nous avons vu un requin aujourd'hui.

Je peux le sentir sourire contre ma peau.

– Un méchant gros requin.

Je l'attire plus près, mes mains toujours dans ses poches arrière.

– Da-dum, da-dum, me chante-t-il, la bouche collée sur ma clavicule.

– Da-dum, da-dum, lui murmuré-je à l'oreille.

CHAPITRE 15

NE PAS NOURRIR LES ANIMAUX

Je suis assise à côté de Jack dans un autobus, à essayer de lire *Sur la route* pendant qu'il est concentré sur mon roman. Il n'a pas cessé de m'embêter pour que je le laisse le lire et j'ai fini par céder ce matin, lui donnant le jeu d'épreuves que j'ai reçu de mon éditeur avant mon départ. J'étais censée le relire une dernière fois, mais disons que j'ai été un peu préoccupée.

Nous sommes en route vers les ruines d'une cité maya située à quelques heures de notre hôtel. Nous avons passé les deux derniers jours à nous prélasser sur le bord de la piscine, à lire, boire, manger et parler. Je suis passée par toutes les teintes de rouge alors que Jack devient de plus en plus bronzé chaque jour. Et le soir, nous avons passé des heures à nous… tripoter est le seul verbe qui me vient à l'esprit, avec tout ce que cela implique. En fait, je me sens souvent comme si nous étions au secondaire. Je bois trop, je mange trop, je dis toutes sortes de choses que je ne dirais jamais si j'étais sobre, et mes lèvres me font mal d'avoir trop embrassé.

Jack s'est présenté à ma porte à six heures trente ce matin avec un sac sur le dos et un gros gobelet de café dans les mains. L'arôme corsé a chatouillé mes narines endormies.

– Oh, merci mon Dieu. Où as-tu trouvé ça ?

Il m'a tendu le gobelet.

– Un des employés a eu pitié de moi. Fais attention, c'est chaud.

Je prends une grosse gorgée sans faire attention à l'avertissement et je me brûle la langue.

– Merde.

– Je te l'avais dit.

– Je m'en fous. Ça valait la peine.

– Droguée.

– Tu l'as dit, bébé.

– Madame est de bonne humeur ce matin.

– Il faut croire que oui.

Il m'a tendu le bras.

– On y va, ma chère ?

Bras dessus, bras dessous, nous marchons vers l'entrée de l'hôtel. L'air était différent de l'autre côté de l'hôtel : plus poussiéreux, moins salé, plus chaud. J'hésite un moment sur le seuil.

– Te rends-tu compte que nous n'avons pas quitté cet endroit depuis des jours.

– As-tu peur ?

– Non, mais j'ai cette sensation qui me prend toujours lorsque j'ai été enfermée dans mon appartement à écrire. Tu sais, quand tu sors pour la première fois et que tout paraît nouveau, ou différent, comme si quelque chose avait subtilement changé en ton absence.

– Des pensées profondes pour une heure aussi matinale.

– Oublie ça.

– Tu es prête à voir ce qui nous attend à l'extérieur ?

– Certainement.

Nous rencontrons notre guide pour la journée, Marco, dans le stationnement. Il est dans la jeune quarantaine, a des cheveux brun pâle et porte une casquette de baseball Puma blanche. Il s'exprime bien, mais avec l'accent local.

Nous avons grimpé dans l'autobus et mis nos sacs à dos dans les compartiments au-dessus des sièges. Et ça fait maintenant une heure que nous roulons sur une route cahoteuse.

Je suis trop nerveuse pour me concentrer sur la course folle de Sal Paradise. Je jette un coup d'œil à Jack. Il porte une chemise kaki et un Panama un peu trop petit pour lui. Mon manuscrit est entre ses mains. Il sourit, et puis quelques minutes plus tard, il rit aux éclats.

– Alors, qu'en dis-tu?

– Jack baisse le manuscrit.

– Anne, je t'ai dit un million de fois que je ne te dirai rien tant que je ne l'aurai pas terminé.

– Donne-moi seulement un indice. S'il te plaît?

Jack approche ma main de ses lèvres.

– Lis ton livre.

Je lis une autre page, mais les mots restent en suspens plutôt que de me happer. Je referme le livre en soupirant. Quand je lève les yeux, Jack me regarde en souriant.

– Quoi?

– Viens ici.

Il place ses mains de chaque côté de mon visage et m'embrasse brièvement. Il déplace ses lèvres près de mon oreille.

– C'est bon, Anne.

– Pour vrai de vrai?

– Vrai de vrai. Allez, Anne, tu le sais que c'est bon.

Je plisse mon nez.

– Parfois je trouve ça bon et parfois je trouve que c'est de la merde. Ou que c'est insignifiant. Ou trop personnel.

– C'est le personnel qui fait que c'est bon. Qu'est-ce qui te fait penser que c'est de la merde?

– Quand je lis les livres des autres ou quand je vois un bon film.

– Comme quoi?

– Comme *Brokeback Mountain*. J'ai pratiquement arrêté d'écrire après avoir vu ce film.

– Tu es vraiment une fille étrange, Anne Blythe.

– C'est ce que tu n'arrêtes pas de dire.

Jack me fait un sourire las et réprime un bâillement.

– Oh, mon Dieu. Mon livre est *vraiment* ennuyant. Il t'endort!

Je le savais.

– Relaxe, Anne. Je n'ai pas beaucoup dormi ces derniers temps, c'est tout.

– Ah, oui? Et qu'est-ce qui t'empêche de dormir comme ça?

Je regarde le paysage défiler par la fenêtre, et j'essaie de me calmer. Nous sommes sur une route secondaire poussiéreuse. L'autobus avance en cahotant et en nous secouant.

– Je crois que tu sais ce qui m'a empêché de dormir, me dit Jack. Et ce qui m'aiderait à mieux dormir.

Je me retourne vers lui, le rouge aux joues.

– Tu veux parler de ça, *ici*?

– Pourquoi pas?

Parce que je ne suis pas certaine d'être prête à coucher avec toi encore, et que si nous n'en parlons pas, je ne suis pas obligée d'y penser?

– Pourquoi ne parlons-nous pas plutôt de ton roman ? Quand vais-je pouvoir le lire ?

Il a l'air déçu, mais ça ne dure pas.

– J'ai apporté une copie.

Il prend son sac à dos dans le compartiment au-dessus de nos têtes, en sort un livre et me le tend. Sur la couverture vert forêt, il y a une photo d'une chaîne de montagnes escarpées et enneigées. Le titre en lettres blanches – *Une course jusqu'à la fin* – apparaît en caractères gras au milieu. Je le retourne pour lire le résumé sur la quatrième de couverture. Sur sa photo en noir et blanc, Jack sourit à la caméra.

– C'est une très bonne photo de toi.

– Trompeuse, n'est-ce pas ?

– Ce n'est pas ce que je voulais dire. Je peux le lire maintenant ?

– Bien sûr. Mais je veux qu'on ait quand même la discussion sur nos « Nuits blanches au Mexique »[2] plus tard.

– On verra.

Je me renfonce dans mon siège, casse le dos du livre et entame ma lecture.

Ça me plaît instantanément. Jack écrit dans un style net et précis, et je suis immédiatement happée par l'histoire. C'est à propos d'une équipe d'aventuriers de compétition et peut-être aussi – je ne peux pas le dire encore – d'une histoire d'amour entre le narrateur et la seule femme du groupe.

– Jack.

Mon manuscrit repose sur ses cuisses et ses yeux sont fermés.

– Hum ?

---

2. En référence au film *Nuits blanches à Seattle* (*Sleepless in Seattle*).

– Comment peux-tu dormir en sachant que je suis en train de lire ton livre?

Il ouvre un œil.

– J'arrive à ne pas y penser en fantasmant sur nous deux sur la plage.

– Jack!

– Je peux continuer à dormir maintenant?

– D'accord.

– Merci, parce que tu es très sexy dans mon fantasme.

Je le frappe avec son livre et il se frotte le bras en riant. Puis, je me replace confortablement sur mon siège et je laisse Jack me raconter une histoire.

Mesdames et messieurs, bonjour! dit Marco, notre guide. Nous serons bientôt à Coba, alors je veux vous donner quelques informations avant d'arriver. D'abord, afin de pouvoir nous retrouver facilement aujourd'hui, je vous appellerai les «Pumas», comme ma casquette.

Il prononce le mot en allongeant les syllabes: *Pooouummmaaas*, et en pointant sa casquette.

– Donc, quand vous entendrez «Pumas», venez me rejoindre. Tout le monde a compris? «Pumas», venez à moi, «Pumas», venez à moi.

Il regarde les occupants de l'autobus, dans l'attente d'une réponse. Je me retiens d'éclater de rire.

– OK, ensuite, nous devons commander notre dîner en sortant de l'autobus. Nous irons dans un restaurant qui sert de la cuisine maya authentique et il y a trois choix. Premièrement, il y a le tatou. Le tatou goûte le poulet. Ensuite, il y a le serpent. Le serpent goûte le porc. Puis, il y a l'alligator. L'alligator goûte le bœuf. Donc, en sortant de l'autobus, vous n'avez qu'à me dire tatou, serpent ou alligator. D'accord?

– Anne, dis-moi que tu n'es pas en train de gober tout ça.

Totalement. Je pensais justement que je ne voulais manger *aucune* de ces choses.

Je lève le menton.

– Bien sûr que non.

– Mmm, hum.

– Je blague, les Pumas, je blague, dit Marco. Les choix sont poulet, porc ou bœuf. Dites-moi ce que vous voulez en sortant. Maintenant, nous arrivons à Coba, sur le site de la plus haute pyramide maya de la péninsule du Yucatán.

Il prononce le mot « maya » de la même façon que « Pumas » : *Maaayyyaaa*.

– Les gens pensent que celle de Chichén Itzá est plus haute, mais ils ont tort. En plus, vous ne pouvez pas grimper sur la pyramide là-bas, alors, vous avez bien choisi votre excursion, les Pumas.

– Mais d'où sort ce mec? dit Jack.

Nous nous arrêtons dans un stationnement rempli d'autobus et nous sortons du nôtre. Nous prenons nos billets d'entrée et suivons Puma Marco dans une randonnée pédestre de trois kilomètres à travers la jungle. La canopée est si épaisse qu'elle bloque les rayons du soleil et garde prisonnière l'humidité qui s'évapore du sol. Même si je sais que tout cela est réel, on dirait que l'air est rempli des bruits d'une fausse jungle.

Nous nous arrêtons devant les ruines d'un ancien terrain de jeu où les Mayas jouaient au *poq-poq*, un jeu de balle primitif. Marco nous explique la croyance populaire voulant que les perdants de ce jeu étaient tués.

– Mais il n'y a aucune preuve ou trace de sacrifice humain sur ce site. Seulement des preuves de sacrifice personnel. Saacccrriifffiice peerrrsonnneel, répète-t-il, en faisant le geste de se couper les veines des poignets.

– C'est aussi pourquoi vous avez choisi la bonne excursion, les Pumas : vous allez connaître la vérité aujourd'hui.

La pyramide de pierres grises érodées que nous sommes venus voir fait quarante-trois mètres de haut – l'équivalent d'un immeuble de dix étages – et se tient au milieu d'une clairière. Des touristes grimpent à la file indienne l'escalier central à l'aide d'une corde.

– On fait la course ? me demande Jack, l'œil pétillant.

– Oh, je ne sais pas…

Je me penche pour attacher mon soulier, puis me lance dans un sprint en direction de la pyramide.

– Hé !

Je garde la tête baissée et me concentre à monter l'escalier le plus vite possible. Jack me rejoint après environ une trentaine de marches. Nous nous faufilons parmi les touristes bedonnants avec des ampoules aux pieds. Il y a cent vingt marches à monter, et je commence à avoir des crampes aux mollets à la quatre-vingt-troisième.

– Allez, Anne, tu ne vas tout de même pas abandonner si près du sommet ? me crie Jack à mes côtés, haletant.

– *Ja … mais …* »

Je puise dans mes dernières réserves d'énergie et monte d'un seul coup les trois dernières marches avant de m'effondrer sur la plateforme carrée au sommet.

– J'ai gagné, dis-je aussi triomphalement que je le peux.

Jack s'écroule à côté de moi. Son visage est rouge vif et sa chemise est trempée de sueur. Il cherche son souffle.

– Si tu es aussi rapide… peut-être que tu devrais faire le prochain rallye d'aventures avec moi…

– Aucune chance.

Je me place de façon à admirer la vue et tente de reprendre mon souffle. La quasi-crise cardiaque en valait la peine. Nous pouvons voir des kilomètres à la ronde. D'autres ruines pointent à travers la jungle. Les gens en bas paraissent minuscules. Je suis contente d'avoir pensé à emporter mon appareil photo.

Quelques clichés plus tard, j'entends Marco crier d'en bas :

– Allez, les Pumas…

Nous avons du mal à nous relever. Je regarde les marches à descendre. Grosse erreur. Jack me prend le bras pour me stabiliser.

– Ne regarde pas en bas, Anne.

– Dommage que tu ne m'aies pas dit ça il y a quelques secondes.

– Tu crois que tu peux y arriver ?

– Ce qui monte doit redescendre, non ?

– Tiens la corde et vas-y une marche à la fois. Je vais être juste à côté de toi.

Je prends la corde. Elle est rendue glissante par la sueur d'un million de touristes. Je pose le pied avec précaution sur la première marche, comme quand j'avais trois ans. Premier pied, deuxième pied, stop. Premier pied, deuxième pied, stop.

Jack m'accompagne pas à pas. Lorsque nous arrivons enfin au pied de la pyramide, je me sens presque aussi triomphante que lorsque j'en ai atteint le sommet.

Nous suivons Marco vers le stationnement à travers la jungle, embarquons dans l'autobus et roulons deux kilomètres jusqu'au restaurant maya « authentique ».

Des tables pour vingt personnes sont dressées dans un style familial à l'intérieur d'une large structure en bois foncé. Il y a un toit de chaume au-dessus. Nous nous asseyons au bout d'une de ces tables en bois mal équarri. Jack prend deux bières dans un grand seau de glace au milieu de la table.

– Alors, tu as réussi.

Jack trinque sa bouteille contre la mienne.

– Grâce à toi, merci.

– C'est quand tu veux.

– Ça vous dérange si on s'assoit avec vous ? nous demande Margaret.

Elle porte une longue robe de coton informe. Brian sue silencieusement derrière elle dans des jeans et un T-shirt blanc.

Je surprends le regard d'avertissement de Jack et l'ignore.

– Bien sûr que non.

Ils s'assoient. Brian tend la main vers une bouteille de bière avec avidité.

– D'où arrivez-vous ? dis-je. Je ne vous ai pas vus dans l'autobus.

– Ah, nous sommes dans un autre autobus, me répond Margaret de manière vague.

– Qu'as-tu pensé des ruines ?

Elle hausse les épaules.

– Pas aussi impressionnant que je l'avais imaginé.

Jack a l'air perplexe.

– Que voulez-vous dire ?

– Je croyais qu'elles seraient plus hautes. Vous savez, comme les pyramides égyptiennes.

– Je ne crois pas qu'on puisse comparer les deux.

– Pourquoi pas ? Ce sont toutes les deux des pyramides.

– Oui, mais ils n'avaient pas la même technologie.

– Que vient faire la technologie là-dedans ?

– Avez-vous déjà entendu parler de l'invention de la roue ?
Je pose ma main sur le bras de Jack.

– Eh bien, moi, j'ai été impressionnée.

Un serveur vient à notre table vérifier qui a commandé le poulet, le porc ou le bœuf.

– J'ai choisi le tatou, dit Margaret.

– Aussi connu sous le nom de poulet, murmure Jack en roulant les yeux vers le ciel à l'intention du serveur.

– Allez-vous au village maya cet après-midi ? dis-je.

– Oui, répond Margaret avec enthousiasme. J'ai trop hâte de voir leurs maisons et les petits enfants. Il paraît qu'ils sont super mignons.

– On va dans les maisons ?

– Oui, pour voir comment ils vivent. Nous pouvons entrer et regarder toutes leurs choses.

Le serveur arrive avec nos plats. Le poulet est très tendre. Il a été cuit dans un four en argile avec des tomates et des épices, et il sent délicieusement bon. Nous nous servons du riz, de la salsa et des tortillas à même de gros plats déposés sur la table.

Jack s'ouvre une bière et s'appuie au dossier de sa chaise. Il a un soupçon de malice dans le regard.

– Et puis, Margaret, comment aimez-vous le Mexique jusqu'à maintenant ?

– C'est bien. Mais ce n'est pas aussi bien que la Chine.

– La Chine ?

– Oui, c'était super. La grande muraille de Chine, ça, c'était impressionnant.

– Vous ne pouvez pas vraiment être en train de comparer la Chine au Mexique...

– Pourquoi pas ?

– Parce que... personne ne dit « Devrais-je aller au Mexique ou en Chine ? » On ne va pas à ces deux endroits pour les mêmes raisons.

– Mais ce sont deux pays à visiter, non ?

– Oui, je suppose. Mais, si vous y pensez un peu...

– Je ne vois pas la différence.

Jack secoue la tête.

– Si vous ne la voyez pas, je ne peux pas l'expliquer.

Margaret pique un morceau de viande avec sa fourchette et le tient dans les airs.

– Ce tatou goûte vraiment le poulet.

– Les Pumas ! Maintenant, nous allons visiter un authentique village maya. Les familles qui y vivent gagnent environ cent cinquante dollars – oui, cent cinquante dollars – par semaine. D'où vous venez, vous paieriez cent cinquante dollars pour ne pas avoir à vous lever le matin, n'est-ce pas, les Pumas ? Mais ici, c'est un bon salaire.

Mais faites attention à une chose, les Pumas. C'est important de ne pas donner d'argent aux enfants, aussi mignons soient-ils. Sinon, ils prennent de mauvaises habitudes. Nous avons dû retirer une famille du tour parce que leurs enfants demandaient de l'argent de manière trop insistante. Donc, s'il vous plaît, ne leur donnez pas d'argent. Des bonbons, oui ; mais de l'argent, non. D'accord, les Pumas ?

Jack se penche vers moi.

– Que crois-tu qu'il veut dire par « nous avons dû retirer une famille du tour » ?

– Je ne sais pas. Peut-être que c'est une sorte de Disney version maya et qu'il s'agit d'un faux village ?

– Ah, mais non, les Pumas, c'est censé être authentique !

Marco poursuit ses explications.

– Pour votre information, les Pumas, ils ont un très bon système de santé ici, le deuxième après celui de Cuba. Ils ont de très bonnes choses à Cuba. Le système de santé, l'éducation.

Il hausse les épaules.

– Bien sûr, le peuple n'est pas libre, mais on ne peut pas tout avoir.

Jack est pris d'un fou rire.

– Peu importe ce que nous avons payé pour cette excursion, ce n'était pas assez.

Le village « maya » est en fait un regroupement de dix cabanes de tôles alignées sur une route très poussiéreuse. Deux petites filles brunies par le soleil sont assises sur le seuil de la première maison. Elles portent des blouses paysannes blanches et des jupes de chiffon aux motifs colorés. Elles nous envoient la main et nous sourient de leurs dents extrêmement blanches.

À l'intérieur, la maison est éclairée par une unique ampoule nue. Une femme dans la mi-quarantaine est assise devant une ancienne machine à coudre Singer. Un feu crépite dans le coin. La pièce est remplie de fumée âcre qui fait pleurer mes yeux.

– Tu veux sortir d'ici ? me demande Jack, qui semble aussi déconcerté que moi.

– Oui.

Nous sortons par la porte avant et marchons en silence dans la rue. Un garçon de dix ans nous évite de justesse sur sa bicyclette, avec son ami assis derrière lui, riant de plaisir.

Jack se retourne pour les observer alors qu'ils filent sur la route, soulevant un gros nuage de poussière derrière eux.

– Cet endroit fait penser à la séquence d'ouverture d'un film sur un révolutionnaire sud-américain.

– Je vois ce que tu veux dire.

– Je n'aime pas ça. Je ne crois pas que c'est bien d'être ici.

– Moi non plus.

– OK, les Pumas ! C'est le temps de retourner à la maison.

– Bonne idée.

De retour à l'hôtel, Jack donne un généreux pourboire à Marco et nous nous séparons pour aller prendre nos douches. Une heure plus tard, Jack vient me chercher pour le souper, vêtu d'une chemise vert lime et de pantalons en lin. Son visage est encore plus bronzé que ce matin. Je ne sais pas si c'est le souvenir de ses mains sur ma peau ou le fait que son odeur agit sur moi comme une drogue, mais je le trouve plus beau chaque jour.

– Alors, comment c'était de grandir en portant le nom d'un personnage de roman ? me demande Jack, pendant que nous savourons notre dessert.

– C'était plus difficile pour Gilbert, mon frère. Les filles couraient après lui dans l'espoir de rejouer un scénario qu'elles avaient lu.

– Ça n'a pas l'air si mal, il me semble.

– C'est parce que tu crois que ce sont des filles attirantes qui sont obsédées par Anne... *la maison aux pignons verts*.

– Tu ne l'étais pas ?

Je souris.

– C'est différent. Quand j'étais petite, je croyais que ces livres avaient été écrits à propos de moi, que quelqu'un avait écrit ce que ma vie devait être.

– Et maintenant ?

– Et maintenant... j'essaie d'écrire ma propre vie.

– C'est ce que nous faisons tous, non ?

– Parlant d'écrire sa vie... qui est Kate ?

– Kate ? Celle dans mon livre ?

– Oui, celle-là.

– Personne. C'est de la fiction.

Je l'observe jouer avec sa fourchette, poussant un restant de gâteau au chocolat dans son assiette.

– Tu l'aimes encore.

– Absolument pas.

– Je pensais qu'elle n'existait pas.

Il lève sa main en signe de reddition.

– D'accord, d'accord, tu gagnes.

Je sens mon estomac se nouer.

– Alors, tu l'aimes encore ?

– Non, non. Je voulais dire que, oui, elle existe. Nous nous sommes fréquentés, mais ça n'a pas duré. Ce n'était pas important.

– Ce n'est pas ce qu'il me semblait dans le livre.

– C'est de la fiction, Anne.

– Mais basée sur ce que tu as vécu, non ?

– Oui, c'est ce que je fais, mais ça ne veut pas dire que je n'ai pas d'imagination.

– Désolée. Je voulais seulement être certaine qu'il n'y ait pas de questions irrésolues.

Il place sa main sur la mienne.

– Nous avons tous les deux un passé, Anne. Mais je peux t'assurer que tu n'as aucune raison d'être jalouse. Je suis sorti avec elle, ça n'a pas fonctionné, nous avons rompu. Y a-t-il autre chose que tu veux savoir?

– Non, ça va pour le moment.

– D'accord. Alors, as-tu envie de participer à l'activité ce soir?

– J'imagine que tu parles de l'activité de l'autre hôtel, là où les enfants s'amusent.

– Naturellement.

– C'est quoi ce soir?

– Un concours de *calage* d'alcool, je crois.

– Ce n'est pas ce que toute cette semaine a été, un concours de *calage*?

– Exactement. Il faut mettre notre entraînement à profit.

– Je suis plutôt fatiguée, en fait. Je pensais aller me coucher tôt. Ça te dérange?

– Non, bien sûr que non.

Je me lève pour partir et il se lève aussi.

– Pourquoi ne resterais-tu pas, toi? Finis ta bière. Je te verrai demain matin.

– En es-tu certaine?

Je pose un baiser sur sa joue bronzée, à l'orée de sa barbe qui recommence à pousser.

– On se voit demain matin.

Deux heures plus tard, je suis étendue sur mon lit, avec le sentiment d'un étrange mélange de fatigue et d'énervement. Chaque centimètre carré de mon corps réclame le sommeil, mais mon cerveau refuse de s'éteindre. Il continue de projeter un kaléidoscope d'images de Jack. La façon dont il lisait mon livre, avec un petit sourire sur le visage. Son air enfantin, heureux, sur le catamaran. La façon dont il m'avait regardée lorsque nous nous étions embrassés tellement longtemps que notre baiser semblait ne jamais devoir finir.

Je me tourne sur le côté, presse un oreiller contre ma poitrine et ferme mes yeux très fort, m'ordonnant de m'assoupir. Ça fonctionne après un petit moment. En fait, je suis sur le point de glisser dans le sommeil quand j'entends des petits coups contre ma porte.

– Anne? C'est moi.

Je me sens un moment désorientée, comme si je rêvais.

– Jack?

– Oui.

– Attends.

J'enfile une robe de chambre en coton léger par-dessus mon T-shirt et ma petite culotte, et je replace mes cheveux derrière mes oreilles. J'allume la lampe près de la porte et j'ouvre. Jack est appuyé contre le cadre de la porte, oscillant légèrement.

– Que se passe-t-il?

– Je suis venu embrasser ma femme et lui dire bonne nuit.

– Es-tu soûl?

Il se concentre.

– Il est possible que je sois un tout petit peu pompette.

– Hum. Je croyais que passé trente ans, j'en avais fini avec les gars soûls qui se présentent à ma porte en plein milieu de la nuit.

– Bien… peut-être que tu pourrais faire une exception…

– Je vais y penser.

– Et pour le baiser?

– Ça, tu peux l'avoir.

Il pose ses mains sur mes hanches et m'attire à lui, avec ce regard dans les yeux, ce regard qui m'empêchait de dormir. Il goûte la bière. Sa bouche est douce et humide. Mes bras sont autour de son cou et mon dos est appuyé au cadre de porte, mais je le sens à peine. Je suis encore à moitié endormie, encore à moitié pleine des images rêvées de nous s'embrassant, alors maintenant que nous sommes là, en train de nous embrasser, goulûment, avec la langue et les dents et les genoux qui flanchent, ça semble irréel.

 Ses lèvres se déplacent doucement jusqu'à mon oreille.

– On va dans ta chambre?

– Oui, dis-je.

Oui.

Je peux sentir son sourire alors qu'il m'emporte dans ses bras.

– Ce n'est pas le jour de notre mariage, mais c'est tout comme, me dit-il, espiègle.

Il me porte dans la chambre et referme la porte derrière lui avec son pied. Il marche jusqu'au lit et me dépose doucement. La lumière dans la pièce est tamisée.

Il s'agenouille devant moi et commence à défaire le nœud de ma robe de chambre.

– Je peux?

– Oui, dis-je.

Oui.

Il tire sur le nœud, écartant les pans de tissu et les faisant glisser sur mes bras. Il fait courir ses mains le long de mes bras, jusqu'à ce que ses pouces effleurent mes seins, nus sous le tissu mince de mon T-shirt.

– Et là, je peux aussi ?

– Mmm, hum…

Il glisse ses mains jusqu'au bord de mon T-shirt, puis en dessous. Ses doigts sont doux et fermes contre mes côtes. Ses traits sont adoucis par l'alcool. Je l'observe, en attente, alors qu'il glisse ses mains le long de mes jambes et les étend sur le lit. Le bout de ses doigts effleure l'intérieur de mes cuisses. Je sursaute et m'éloigne un peu.

– Quoi ?

– Tu me chatouilles.

Il sourit et presse de nouveau sa bouche sur la mienne. Nous nous embrassons, encore et encore, jusqu'à ce que je ne puisse plus distinguer où ma bouche s'arrête et où la sienne commence. Il me pousse sur le dos et s'installe entre mes jambes, embrassant mon visage, mon cou, mes lobes d'oreille. Il me murmure des choses, douces et sexy. Je suis incapable de parler. Tout ce que je peux faire, c'est penser.

Jack, Jack, *Jack*.

– Jack.

– Mmm.

Il se déplace vers un autre centimètre carré de ma peau.

– Jack.

Je pose mes mains sur ses épaules et le repousse gentiment. Il roule sur le côté, son visage à quelques centimètres du mien.

– Tu veux que je parte ?

– Non. Je veux seulement qu'on discute un peu de ce que nous sommes en train de faire.

– Ne t'inquiète pas, j'ai ce qu'il faut.

– C'est bien, mais ce n'est pas ce que je veux dire.

– Alors, de quoi veux-tu parler ?

Il baisse la tête pour m'embrasser dans le cou. Je remets mes mains sur ses épaules.

– Je n'arrive pas à me concentrer quand tu fais ça.

– Je sais.

– Jack.

Il remonte la tête pour me faire face de nouveau.

– Ça ne va pas trop vite, Anne. C'est parfait comme ça.

– En es-tu certain ?

– Ça devait arriver à un moment ou à un autre. Laisse-toi aller.

– Me laisser aller ?

Il effleure mes lèvres avec les siennes.

– Oui.

– Me laisser aller, dis-je dans un murmure contre sa bouche. Je peux faire ça.

Je commence à défaire les boutons de sa chemise, un à un. Je laisse mes doigts parcourir son torse et l'enchevêtrement de doux poils frisés qui couvrent son sternum. Je sens la chaleur de sa peau sur la mienne à travers mon T-shirt.

Jack se retourne et m'attire à lui. Il enlève tous ses vêtements sauf ses boxers, puis il retire mon T-shirt. Nous sommes si près l'un de l'autre qu'on a la sensation de n'avoir qu'une seule et même peau. Tout ce que je perçois est ses mains et son souffle, touchant chaque partie de moi.

– Je veux être en toi, Anne, me murmure Jack à l'oreille.

J'acquiesce d'un mouvement de la tête, et en un instant, il a enlevé mes sous-vêtements et les siens.

Et puis, il est en moi, et je ne peux plus penser.

CHAPITRE 16

RAYONNANTE

Je me réveille le lendemain matin comme si j'avais passé la nuit dans la chanson *Your Body Is a Wonderland*[3]. Nos jambes sont entremêlées à travers les draps et les couvertures, et mon corps est détendu, étiré. La porte du balcon est ouverte. Je peux entendre le bruit des vagues s'abattre sur la rive, en jouant avec la lumière du soleil éclatant.

Je jette un œil vers Jack. Il a les deux yeux bien fermés, comme un petit garçon qui ne veut pas se réveiller de sa sieste.

– Tu dors ?

– Mmm.

– Tu veux que je te laisse dormir ?

– Mmm.

Il tire sur la couverture, se tortillant jusqu'à ce qu'il soit plus près de moi. Il se met à embrasser mon épaule nue.

– J'aime l'odeur de ta peau.

– Beurk. Je ne dois pas sentir bon en ce moment.

– Nooon. Tu sens « nous ».

---

3. *Your Body Is a Wonderland* est une chanson de John Mayer qui pourrait se traduire par « Ton corps est un pays des merveilles ».

– Quand même, je pense que «nous» aurait besoin de prendre une douche.

Il se tourne sur le dos et glisse son bras sous moi, me tirant dans l'espace entre ce dernier et son torse. J'appuie la tête sur son épaule, me sentant heureuse et sereine.

– Tu as bien dormi? me demande-t-il.

– Oui. Et toi?

– Mieux que tout le reste de la semaine.

– Ça doit être à cause des tensions qui se relâchent, dis-je pour l'agacer.

– On peut dire qu'elles sont relâchées, mais elles peuvent toujours revenir si tu veux...

– Ça fait tellement adolescent comme phrase.

– Chaque homme est un garçon de quatorze ans sous la surface.

– Que c'est décourageant.

Jack m'embrasse sur le dessus de la tête. Nous restons couchés comme ça encore quelques minutes, pendant que Jack me caresse les cheveux.

– À quoi penses-tu? finis-je par demander.

– Encore cette question.

– Je suis désolée. Est-ce que c'est classé X?

– En fait... j'étais en train de me demander si j'avais envie de me lever.

– As-tu pris une décision?

– Je ne me suis pas rendu là. Toi?

– Je réfléchissais au fait que les relations sexuelles changent la dynamique entre deux personnes. Que tout est différent par la suite, peu importe le nombre de personnes avec qui on a couché avant.

Jack rit doucement.

– Tu as vraiment des pensées profondes le matin.

– C'est le moment où j'écris d'habitude.

– Moi, c'est l'après-midi.

– Je croyais que nous étions compatibles ?

– Je nous trouve pas mal compatibles, moi.

– J'imagine que tu as raison.

– Bien sûr que j'ai raison. Viens ici.

– Ici ?

– Mmm, hum.

Alors que nous brunchons, beaucoup plus tard, Jack me demande :

– Alors, comment désires-tu passer ta dernière journée au paradis ?

– À relaxer autour de la piscine ?

– Pour achever ta transformation en homard ?

– Je commence quand même à bronzer, non ?

Il prend mon bras gauche et l'examine.

– Le seul brun que je vois, ce sont des taches de rousseur.

– Je crois que nous avons rendez-vous avec le Dr Szwick d'abord, de toute façon.

– Ah. Joie.

Je jette un coup d'œil à ma montre.

– Merde. Je n'ai pas vu le temps passer. Notre rendez-vous est dans cinq minutes.

– Allons-y alors, qu'on en finisse.

Nous marchons vers la chambre du Dr Szwick, transformée en bureau de consultation improvisé. Jack enlace mes doigts avec les siens, et je commence à gambader comme quand j'étais petite, en balançant sa main. Jack rigole et j'accélère le pas, le traînant derrière moi. Nous arrivons devant la porte du Dr Szwick pile à l'heure.

– La thérapie en plein milieu des vacances... il y a de quoi tuer l'ambiance, dit Jack.

– En effet.

Je cogne à la porte.

– Entrez.

Le Dr Szwick porte encore une chemise hawaïenne criarde.

– Jack, Anne, heureux de vous voir. Asseyez-vous, s'il vous plaît.

Il nous observe pendant que nous prenons place, nous analysant.

– Vous avez l'air détendu tous les deux.

– Merci, dis-je.

– Alors, vous vous êtes mariés ?

Nous hochons de la tête à l'unisson.

– Et comment vont les choses ?

– Bien.

– Êtes-vous d'accord avec ça, Jack ? Les choses se passent-elles bien ?

– Oui.

Le Dr Szwick nous examine un moment.

– Ah, je vois. Vous avez couché ensemble.

– Pourquoi pensez-vous ça ?

– Ai-je tort ?

– Non, vous avez raison, dit Jack. Nous avons couché ensemble. Est-ce un problème ?

– Pensez-vous que c'est un problème ?

– Pourquoi penserais-je qu'il s'agit d'un problème ?

– N'est-ce pas une partie de votre *pattern*? Coucher avec les femmes avant d'être certain que vous désirez vous engager émotionnellement?

Quoi?

La bouche de Jack forme une ligne mince.

– Ce n'est pas le cas, ici.

– En êtes-vous certain?

Je me tourne vers Jack, à la recherche de son regard, mais il fixe le Dr Szwick dans les yeux.

– Je pense qu'Anne aussi veut connaître la réponse, Jack.

– J'ai déjà pris un engagement envers elle, non?

– Une forme d'engagement, oui.

– Que voulez-vous dire par là?

– Tant que vous ne vous serez pas engagé complètement envers quelqu'un, autant émotionnellement que physiquement, vous ne serez pas capable de rendre l'autre personne heureuse.

Le visage de Jack rougit.

– C'est ce que j'essaie de faire. C'est ce que je fais.

– J'ai l'impression que vous vous retenez encore à certains égards, Jack, et que ce n'est pas sans importance.

– Je n'ai pas cette impression, dis-je, m'immisçant dans leur conversation. Je crois qu'il a fait ce que vous nous avez suggéré: être amis, et essayer de créer un lien, une connexion.

Jack me lance un regard empreint de gratitude.

– Je suis content de vous l'entendre dire, Anne. Et j'espère que vous avez raison. Je veux tout de suite mettre quelque chose au clair avec vous. Je ne suis pas l'ennemi. Je suis ici pour vous aider à réussir, et non pas pour vous séparer. Mais si vous ne faites pas le gros du travail maintenant, vous allez tomber en morceaux plus tard, comme dans toutes vos relations passées, peu importe à quel point vous êtes compatibles.

– Pensez-vous que c'est un problème, le fait que nous ayons couché ensemble? dis-je.

– Pas nécessairement. Je veux simplement m'assurer que vous ne commenciez pas à reproduire les mêmes *patterns* que dans le passé sans vous en apercevoir. Pensez à moi comme à votre mémoire institutionnelle. Je suis ici pour pointer les signaux d'alarme qui indiqueraient que vous êtes en train de retourner au programme original, plutôt que d'avancer. Métaphoriquement parlant.

– Afin que nous devenions Anne et Jack 2.0? demande Jack.

– On peut le dire comme ça.

Je me mords la lèvre.

– Et un des signaux d'alarme de Jack est de coucher trop rapidement avec quelqu'un?

– Oui.

– C'est vrai, Jack?

Jack soupire.

– Oui.

Nos regards se croisent.

– Peux-tu me dire que ce n'est pas ça qui se passe maintenant, entre nous?

– Je ne pense pas que c'est ça. Je pense ce que je t'ai dit hier soir. Ce n'était pas trop tôt.

Jack soutient mon regard, et le Dr Szwick disparaît de mon champ de vision alors que je me rappelle la connexion que nous avons créée dans mon lit hier soir.

– Je le crois aussi, dis-je.

Jack me sourit et se tourne vers le Dr Szwick avec un air dur.

– Puis-je vous demander quelque chose? Pourquoi parlez-vous de ce que nous avons discuté en thérapie individuelle? Ne devriez-vous pas garder ça confidentiel?

– En thérapie normale, vous auriez raison. Mais ceci n'est pas une thérapie normale. Je ne vous ai vus tous les deux seuls que dans le but de vous préparer au processus et de ramasser le plus d'information possible pour les séances de couple. Tout ce que vous m'avez dit est sur la table, Jack. C'est ainsi que cela fonctionne. Et c'est la seule façon pour que ça fonctionne. Compris?

– Oui, répondons-nous à l'unisson.

Nous passons le restant de l'après-midi au bord de la piscine. Je fixe les nuages blancs et floconneux pendant que Jack gribouille dans son carnet de notes à côté de moi. Pour la première fois depuis des jours, je sens ma vraie vie me rattraper, et ça commence à me faire peur.

Je jette un œil par-dessus ma margarita en direction de Jack.

– As-tu pensé à ce que nous allons dire à tout le monde à notre retour?

Il ferme son carnet.

– J'ai pensé que nous pourrions utiliser le classique «nous-nous-sommes-rencontrés-en-vacances, nous-avons-eu-un-coup-de-foudre, nous-nous-sommes-mariés-un-soir-alors-que-nous-étions-très-soûls et nous-vivrons-heureux-jusqu'à-la-fin-des-temps».

– D'accord, mais quel soir nous sommes-nous mariés? Qui nous a mariés? Pourquoi n'avons-nous pas annulé le mariage le lendemain à notre réveil?

Jack me regarde avec de grands yeux.

– Je sais que ça a l'air cinglé, mais je connais ma meilleure amie, et elle va nous poser ces questions. Nous devons avoir une histoire très détaillée.

– Pourquoi serait-elle aussi curieuse?

– Parce que c'est une fille, parce que tout ça, ça ne me ressemble pas, parce qu'elle est avocate. Tu as le choix pour la réponse.

– D'accord. Voyons voir… Nous dirons que nous nous sommes rencontrés le premier soir, que nous avons parlé pendant des heures et ç'a cliqué. Nous sommes sortis dans un bar et nous avons fini sur la piste de danse à nous embrasser, après que je t'ai sauvée d'un jeune punk de vingt-deux ans qui ne te lâchait pas. Tu voulais coucher avec moi, mais étant un gentleman, j'ai refusé en te disant que nous avions tout notre temps pour ça.

Jack réussit de justesse à esquiver le bâtonnet de plastique que je lui lance.

– Nous passons le lendemain et les jours suivants à discuter toute la journée et à nous embrasser toute la soirée… et lors de notre avant-dernière soirée, nous avons un long souper romantique, pendant lequel plusieurs bouteilles de vin sont consommées.

Il claque des doigts trois fois rapidement.

– Et plus tard, bien enivrés, nous tombons sur le vrai mariage de quelqu'un d'autre, et nous décidons de se la faire à la Britney Spears et Jason Alexander. Nous nous sommes réveillés avec un gros mal de tête, mais le cœur heureux, et nous avons décidé de nous donner une chance. Je crois que ça fait le tour. Qu'en dis-tu?

– Je crois que je suis contente de ne pas avoir été ta mère lorsque tu étais adolescent. Dis-moi, comment connais-tu le nom du premier mari de Britney Spears?

– Je te l'ai déjà dit un million de fois: j'ai ...

– Un cerveau énorme. Je sais. D'accord, ce sera notre histoire, mais je crois que ce serait plus crédible si c'était toi que ne me lâchait pas sur la piste de danse.

– Et que fait-on du gars de vingt-deux ans auquel j'ai dû t'arracher?

– Serait-ce de la jalousie que j'entends?

– Je ne le dirai jamais.

Il se renverse sur le dos sur sa chaise et ferme les yeux. Quelques minutes plus tard, Margaret s'approche tranquillement de moi. Elle a encore mis de côté son haut de bikini et s'est fait faire des tresses africaines. Sa poitrine pend, longue et plate, contre son ventre, très blanche par rapport au bronzage qu'elle a acquis au cours de la semaine.

Jack lui renvoie son bonjour par un «Allo» sans conviction, marmonne quelque chose à propos d'une autre bière, se lève et s'en va.

– Peux-tu croire que la semaine est déjà terminée? me demande-t-elle. Brian me disait justement à quel point ç'a passé vite.

– Les choses vont bien entre vous deux? Il semble plutôt réservé.

– Il ne l'est pas quand nous sommes seuls. Je crois que Jack l'intimide.

– Ah, oui? Pourquoi?

– Il est tellement sarcastique.

– Il l'est?

– Très.

– Qu'allez-vous faire pour votre dernière soirée?

– Je ne sais pas. Peut-être que nous allons coucher ensemble.

Un grognement de rire m'échappe avant que je ne puisse l'arrêter.

– Ça semble être une bonne idée.

– Je me demande si ce sera bien.

– Hum…

– Il me plaît vraiment, tu sais.

– Je suis contente pour toi. Dis-moi, avez-vous pensé à ce que vous allez faire à votre retour? À ce que vous allez dire à vos proches?

– Je vais probablement leur dire la vérité.

– Que fais-tu de la politique de confidentialité de Blythe & Compagnie?

– On s'en fout. Je ne vais pas mentir à ma famille, surtout pas à mon enfant.

Sa voix devient férocement protectrice.

– De toute façon, ma sœur est déjà au courant.

– Tu n'as pas peur de t'attirer des problèmes?

– Comment est-ce que ça pourrait m'attirer des problèmes?

– Je ne sais pas, peut-être qu'ils pourraient vous exclure du programme ou …

Je sens que mon intelligence se dérobe, comme c'est toujours le cas quand il est question de Blythe & Compagnie.

– Anne, nous sommes mariées. Ils nous ont trouvé un mari. Ils ont déjà fait tout ce qu'ils pouvaient pour nous. Pendant que j'y pense, as-tu un bout de papier?

– Pourquoi?

– Je veux te donner mon courriel, pour garder contact.

Est-ce que je veux garder contact avec Margaret? Je suis à peu près certaine que Jack, lui, ne le veut pas. Mais bon, il ne s'agit que de courriels.

– Oui, d'accord. Attends une seconde.

Je prends le cahier de notes de Jack, resté sur sa chaise, et j'en arrache une feuille vierge. Je prends son stylo et j'écris mon adresse courriel. Je tends la feuille à Margaret.

– Voilà.

– Merci.

Elle écrit son adresse courriel sur le bas de la feuille, l'arrache et me la tend.

– As-tu hâte de rentrer à la maison?

La tête assurément-en-état-de-choc de Sarah passe en un éclair devant mes yeux.

– J'imagine que oui…

– Moi, j'ai vraiment hâte. Les choses ont l'air de bien aller avec Jack. J'ai raison?

– Oui. On dirait que ça fonctionne.

– C'est super. On se voit plus tard?

– Bye.

Elle s'éloigne. Une minute ou deux après son départ, Jack revient avec une bière dans chaque main. Je place ma main au-dessus de mes yeux.

– Étais-tu en train d'attendre qu'elle parte?

– Tu me connais déjà trop bien.

– Elle n'est pas si terrible que ça. En fait, je l'aime bien.

– Tu es une femme très tolérante.

Il regarde le bout de papier avec l'écriture de Margaret que je tiens encore dans ma main.

– Qu'est-ce que c'est?

– Nous avons échangé nos adresses courriel. J'ai déchiré une feuille dans ton cahier de notes. J'espère que ça ne te dérange pas.

– En fait, oui.

– Ce n'était que la dernière page. Quel est le problème?

Il s'assoit sur sa chaise et boit sa bière silencieusement.

– Je dois t'expliquer un truc. La seule chose que je tiens vraiment à garder privée est mon écriture. Je ne laisse personne me lire, pas même un tout petit peu, avant d'avoir terminé. Alors, je vais te demander de ne pas toucher à mon cahier de notes, celui-là ou n'importe quel autre. Je sais que ça paraît cinglé, mais c'est un peu une obsession et c'est très important pour moi.

Il me fait un grand sourire, tentant de dissiper le malaise créé par ses propos.

Je me sens devenir fâchée, et un peu jalouse, à l'idée qu'il puisse vouloir me cacher quelque chose. Quoique... je pourrais aussi avoir des choses que je voudrais garder pour moi. Ce qu'il dit n'est pas déraisonnable.

– D'accord, Jack. Je suis désolée.

– Non, c'est moi qui suis désolé d'être aussi chiant.

– Tu n'es pas chiant.

– Je vais garder ça en mémoire pour plus tard.

– Margaret m'a dit que Brian pense que tu es sarcastique, et que tu l'intimides.

– Penses-tu ça de moi?

– Non.

– Alors, c'est tout ce qui importe.

Jack regarde sa montre.

– Je commence à avoir faim. Tu es prête à y aller ?

Je regarde autour de moi, les clients de l'hôtel sur les chaises bleues, brûlés par le soleil. Une serveuse se faufile entre eux, transportant un plateau rempli de cocktails. Il repose lourdement sur son épaule. Une grosse femme, qui porte l'un de ces T-shirts avec un corps de fille mince dessus, s'allume une cigarette et chasse la fumée en secouant la main. Au-dessus de tout cela, le soleil brille, éclatant, impitoyable.

Je me tourne vers Jack, cet homme que j'ai rencontré il y a une semaine. Mon amant. Mon ami. Mon mari.

– Après toi.

TROISIÈME PARTIE

CHAPITRE 17

ENTENDRE UNE MOUCHE VOLER

Notre avion atterrit un peu après dix-neuf heures. Nous attendons une trentaine de minutes qu'un douanier estampille nos passeports, puis nous récupérons nos bagages et prenons un taxi en direction de la maison. Après une visite rapide de l'appartement – c'est ici que je mange, c'est là que j'écris, c'est ici que je regarde trop la télévision –, nous commandons des mets chinois et nous passons le reste de la soirée au lit.

Je suis réveillée le lendemain matin par Jack qui me secoue doucement l'épaule.

– Réveille-toi, paresseuse !

Je sors la tête de sous les couvertures. Jack porte de vieux jeans usés et un T-shirt délavé.

– Quoi ?

– Il est neuf heures. C'est le temps de se lever.

Je tire les couvertures par-dessus ma tête.

– Il me semblait que tu m'avais dit que tu étais un lève-tard.

– J'ai dit que j'écrivais l'après-midi. Je réserve mes matinées pour torturer la femme avec qui je couche.

– Super. Tu sais que je n'ai pas beaucoup dormi la nuit passée.

– Ce n'est pas ma faute si je fais l'amour comme un dieu.

Je redescends la couverture, et lui lance un regard incrédule.

– Comme un dieu? T'exagères un peu, là.

– D'accord, qui sont mes concurrents?

Je fais une grimace.

– Oublie ça, je ne veux pas vraiment le savoir.

– Pourquoi sommes-nous pressés, au juste?

– Je veux déménager mes affaires aujourd'hui. Il faut aller chercher le U-Haul dans une heure.

– Veux-tu bien me dire quand tu as eu le temps de réserver ce camion?

Il prend un air coupable.

– J'ai fait la réservation à partir de l'hôtel, par Internet, après que nous nous sommes mis d'accord... Après que tu m'as dit que je pouvais emménager ici.

– As-tu beaucoup d'affaires?

Je regarde ma chambre, les meubles que j'avais réaménagés à la perfection.

– Ne t'en fais pas. La plupart de mes meubles ne valent rien de toute façon. Je ne vais apporter que mes vêtements, ma dactylo, mon fauteuil en cuir, mes livres et mon écran plat.

– Tu écris à la dactylo?

– Je le recommande fortement. Les effets sonores en eux-mêmes en valent la peine.

Hallucinant.

– Je disais exactement la même chose récemment.

– Donc, tu me comprends. Alors, maintenant, mettons-nous au travail.

Je me lève, je prends une douche rapide et j'enfile de vieux jeans et un chandail miteux. La vue de mon cellulaire sur ma commode me rappelle que je n'ai pas vérifié mes messages depuis une semaine. Je compose le numéro de ma boîte vocale. J'ai quelques messages pour le travail et un de Sarah.

– Anne chérie. Où es-tu? Tu arrives ce soir, non? J'espère que tu t'es bien amusée au Mexique! J'ai hâte d'entendre tous les détails à propos de cet homme que tu as peut-être rencontré. J'ai pensé qu'on pourrait aller prendre un verre avec Mike ce soir au bar. J'ai mon cellulaire avec moi. Appelle-moi.

J'efface le message de Sarah en me mordant la lèvre.

– Jack?

Il passe la tête dans le cadre de porte.

– Qu'est-ce qu'il y a?

– Tu te sens d'attaque pour rencontrer ma meilleure amie ce soir?

– S'agit-il de cette meilleure amie qui va nous demander tous les détails juteux?

Oui, elle-même.

– Tu crois que c'est une bonne idée?

– Je vais devoir lui faire face un jour ou l'autre. Autant le faire le plus vite possible.

Il réfléchit un instant.

– Oui, d'accord. Et maintenant, tu es prête à partir?

– Laisse-moi d'abord faire un appel.

Je compose le numéro de Sarah et tombe sur sa boîte vocale.

– Hé, Sarah. Je suis de retour. Désolée de ne pas t'avoir appelée hier soir, j'étais trop fatiguée. Je suis partante pour aller prendre un verre. J'ai du nouveau à propos de «l'homme». Il s'appelle Jack. Et il sera là ce soir, pour que tu puisses le rencontrer. Mais peut-être qu'on peut se voir seules avant?

Que penses-tu de dix-neuf heures trente ? Envoie-moi un texto pour me le confirmer. J'ai un tas de trucs à faire aujourd'hui. Je t'aime. À plus.

Je raccroche et fixe mon téléphone. Sarah ne va pas du tout apprécier ce que je vais lui apprendre. Tant pis. Je ne peux pas y faire grand-chose maintenant.

– Tu es prête, bébé ?

– Prête.

Nous passons une bonne partie de la journée à déménager les affaires de Jack de son appartement vers le mien. Heureusement, nous sommes presque en mars et la température nous facilite les choses. Le soleil brille faiblement pendant que nous emballons en vitesse ses livres dans des boîtes et ses vêtements dans des sacs-poubelle. Il avait raison à propos de ses meubles – on dirait des restants de mobilier d'étudiant. Nous les laissons pour le prochain locataire.

– Crois-tu que ça prendra beaucoup de temps pour souslouer ton appartement ?

– J'ai déjà eu cinq offres depuis que j'ai mis l'annonce sur Craigslist.

Je parcours du regard son studio de six cent cinquante pieds carrés. Il y a de grosses plaques de poussière aux endroits où se trouvaient le fauteuil de cuir et l'écran plat de Jack. L'unique fenêtre donne sur un mur de brique et aurait besoin d'un bon coup de Windex. Sans les affiches de film encadrées de Jack sur les murs, l'endroit a l'air abandonné et étouffant.

– Le marché immobilier est si mal en point que ça ?

– Nan, c'est moi qui écris des descriptions redoutables. «Studio coquet, détails d'origine, à quelques pas de tout ce que vous avez besoin pour vivre votre vie de célibataire. Faites vite ! »

– Un homme confiant.

– Mets-en.

Il m'embrasse sur le front et scelle la dernière boîte avec du ruban adhésif.

Nous trouvons une place de stationnement en face de ma porte d'entrée. Je vide quelques tiroirs de ma commode et fais de la place dans mon placard, créant ainsi des piles de vêtements à donner. Jack renforce le mur du salon avec un deux par quatre afin d'y installer son écran plat et ses haut-parleurs. Je ne suis pas certaine d'être heureuse qu'une télévision géante occupe la moitié du mur de mon salon, mais je sais que je ne peux pas garder les choses exactement comme elles étaient, si je veux que ça fonctionne entre nous.

Vers seize heures, nous faisons face à une crise quant à nos collections de livres respectives. Jack a négligé de mentionner qu'il avait environ vingt boîtes de bouquins, qui, manifestement, n'entreront pas dans ma bibliothèque déjà surchargée.

– Je ne vois pas pourquoi nous aurions besoin de deux exemplaires de chaque livre, dis-je en brandissant son volume de *L'histoire secrète*, de Donna Tartt.

– Oui, mais c'est mon exemplaire. Il y a mes notes dedans.

– Tes notes ?

– Des pensées que j'ai en lisant. J'aime les garder.

– Pour quoi faire ?

– J'aime simplement savoir qu'elles sont là.

– Bon, alors, j'imagine que je pourrais me débarrasser de ma copie.

Il fronce les sourcils.

– As-tu l'intention de relire ce livre un jour?

– Oui, pourquoi?

– Eh bien... C'est que je n'aime pas trop qu'on lise mes notes...

– Un peu comme pour ton cahier de notes et l'écriture?

– Oui...

– Bon, alors on oublie cette solution.

Il fixe le mur derrière le divan quasi louche.

– Et si je construisais des étagères qui couvriraient tout ce mur?

– Construire des étagères?

– Absolument. J'ai suivi des cours d'ébénisterie. Je sais comment faire.

– Et en attendant, on fait quoi?

– Je vais les mettre ici, dans le coin. Et je vais commencer les étagères la semaine prochaine.

Je le regarde empiler quelques boîtes.

– Euh, Jack?

– Oui?

– Veux-tu garder tes livres séparés des miens juste au cas où ça ne fonctionnerait pas entre nous?

Il marche vers moi et met ses deux mains sur mes épaules.

– Pourquoi dis-tu ça, Anne?

– Je ne sais pas. La réalité qui me rattrape, je suppose. Je crois que ça me rend nerveuse d'avoir à l'annoncer à Sarah.

– As-tu des doutes?

– Noooon...

– Ta réponse me remplit de confiance.

– C'est juste que tout s'est passé tellement vite, et te voilà, en train de t'installer. La dernière fois que j'ai habité avec quelqu'un, ça s'est mal terminé...

– Anne, ce ne sont que des objets. Ça m'a pris quelques heures à les déménager et ça me prendrait seulement quelques heures à repartir avec eux. Tout va bien, Anne. Ne jouons pas trop au Dr Szwick, d'accord ?

Je le regarde dans les yeux. Ils sont pleins d'assurance.

– D'accord.

– Parfait.

Il m'ébouriffe les cheveux.

– Tu es toute sale. Que dirais-tu de prendre une douche pendant que je nous sers un verre ?

– Bonne idée. Tu vas être gentil avec Sarah, hein ?

– Bien sûr.

– Je veux qu'elle t'aime.

– Et je veux l'aimer. Allez, ça suffit. Va prendre ta douche.

J'arrive au bar vingt minutes à l'avance, devançant Sarah pour une fois. Je m'assois à une table pour quatre, faisant face à la porte, pour la voir lorsqu'elle entrera. J'ai fait promettre à Jack d'arriver pas plus tard qu'à vingt heures, ce qui me laisse trente minutes pour déballer mon sac.

Je fonctionne mieux avec des délais serrés.

Je commande une bière à la serveuse et je la sirote en essayant de me calmer les nerfs. Je n'arrête pas d'enlever, puis de remettre, les bagues que Jack m'a offertes.

Sarah entre dans le bar quinze minutes plus tard, vêtue d'un imperméable ceinturé sur des jeans moulants et des bottes aux genoux. Elle tient son BlackBerry à l'oreille. Je peux deviner à ses épaules tendues qu'elle n'aime pas ce qu'elle entend. Je glisse mes mains sous la table et j'enlève mes bagues pour les enfouir dans ma poche.

Elle termine son appel par un « À plus tard » sec.

– Hé ! Tu es resplendissante. Tu es même bronzée !

– C'est la preuve que les miracles existent. Comment vas-tu ?

Elle place son manteau sur le dossier de sa chaise.

– Occupée, occupée, occupée. Planifier un mariage est un travail à temps plein, mais je crois que je vais m'en sortir. Comment était le Mexique ?

– Le Mexique était…

La serveuse vient prendre la commande de Sarah. Lorsqu'elle quitte notre table, Sarah me regarde, attentive. Je prends une grande inspiration et recommence.

– Le Mexique était génial. Belle température, belle mer, belles plages.

– On s'en fout des plages ! Parle-moi de l'homme que tu as rencontré. Et pourquoi ne m'as-tu pas rappelée ?

– J'étais tellement occupée à relaxer que j'ai oublié.

– Oui, c'est ça.

– D'accord, d'accord. Il s'appelle Jack. Il est écrivain. Il est brillant et gentil. Je ne sais pas quoi dire de plus. Que veux-tu savoir ?

– Euh, tout !

– Je lui ai dit que tu voudrais tout savoir.

– Évidemment. Mais pourquoi avez-vous discuté de ce que je voudrais savoir ?

Oups.

– Aucune raison en particulier. Je lui disais simplement que ma meilleure amie était très curieuse et qu'elle voulait toujours connaître tous les détails de ma vie.

– Est-ce une mauvaise chose ?

– Bien sûr que non.

– Alors, dis-moi tout.

Je repense à l'histoire que Jack a inventée au bord de la piscine. Je peux presque goûter le mélange salé-sucré de la margarita sur ma langue et la puissance des rayons du soleil sur ma peau.

– Nous nous sommes rencontrés le soir de mon arrivée. Nous avons commencé à parler et ç'a vraiment cliqué. Nous nous sommes mis à passer tout notre temps ensemble, et hum, il est génial, et brillant... Je t'ai déjà dit qu'il était brillant, n'est-ce pas? Oui, je te l'ai dit. Où en étais-je?

Un pli apparaît entre les yeux de Sarah.

– Anne, que se passe-t-il? Tu es bizarre.

Je ravale ma salive.

– Je suis juste très nerveuse.

– Pourquoi?

– Parce que quelque chose d'énorme est arrivé, et j'ai peur de ta réaction.

– Quoi? As-tu couché avec lui le premier soir? Je sais que tu penses que je suis conservatrice, mais c'est vraiment seulement en ce qui me concerne. Si tu l'as fait, il n'y a rien là. Je ne vais pas te juger.

– Non, ce n'est pas ça. J'ai couché avec lui, mais pas le premier soir...

– Alors, c'est quoi le problème? Ce n'est pas comme si vous vous étiez mariés quand même?

Je garde le silence. Elle me dévisage, incrédule.

– Quoi? Vous avez fait quoi? Anne, ce n'est pas drôle.

Je m'éclaircis la voix.

– Nous nous sommes mariés.

Son visage pâlit d'un seul coup.

– Tu me niaises?

– Non, je ne te niaise pas. Oui, nous nous sommes mariés.

– Seigneur.

Elle prend une grosse gorgée de son martini. Elle a l'air déçue et bouleversée.

– Mais merde, Anne, à quoi t'as pensé?

– Bien, nous étions, euh… assez soûls. Mais pas trop quand même. C'est assez romantique d'une certaine manière. Nous sommes tombés sur le mariage d'un autre couple et le prêtre nous a demandé à la blague si nous avions besoin de ses services. Nous nous sommes regardés, et l'instant d'après, nous étions en train de nous marier.

– Tu t'es mariée alors que tu étais soûle? … Bon, nous pourrons toujours utiliser cet argument. D'accord. Je peux te mettre en contact avec un gars que je connais. Il est habitué à ce genre de truc. Si tu étais soûle, ce sera plus facile.

– Plus facile pour quoi?

– Pour faire annuler le mariage, bien sûr. S'il était légal au départ, évidemment. Je ne connais pas vraiment la loi au Mexique, mais je peux m'informer.

Sarah sort son BlackBerry de son sac et commence à consulter sa liste de contacts.

– Sarah.

Elle ne me regarde pas.

– Sarah.

– Quoi?

– Je ne vais pas faire annuler le mariage. Nous avons décidé d'essayer.

Elle relève la tête rapidement.

– Quoi ? Es-tu cinglée ?

Et tu ne connais même pas la moitié de l'histoire.

– Non, dis-je d'une petite voix.

– Si tu ne le fais pas annuler maintenant, tu vas devoir obtenir un divorce plus tard. Les annulations ne sont généralement acceptées que lorsque les demandes sont faites tout de suite après le mariage.

– Alors, je divorcerai. Ou peut-être que ça va fonctionner.

Les traits de son visage se durcissent.

– Sois sérieuse, Anne.

– Je *suis* sérieuse. Jack a emménagé chez moi aujourd'hui.

– Seigneur.

Elle s'écrase sur sa chaise, avec un air défait.

– Écoute, je sais que c'est un choc pour toi. Moi aussi, je suis un peu en état de choc. Mais je pense que c'est peut-être une bonne chose. Je crois que ça peut fonctionner. Mais je vais avoir besoin de ton soutien. J'ai besoin que tu sois là, derrière moi, pour m'appuyer.

– Je ne sais pas si j'en suis capable.

– Pourquoi pas ?

– Je ne voudrais pas que tu m'encourages si je faisais quelque chose de stupide.

– Comment sais-tu que c'est stupide ?

– Anne, tu n'es pas sérieuse ?

Je sens la colère monter en moi.

– Et si je pensais que Mike était un crétin ? Voudrais-tu sérieusement que je te le dise ?

– Oui. C'est pourquoi je t'ai parlé des infidélités de ton ex-connard, au cas où tu l'aurais oublié. Tu penses que Mike est un crétin ?

– Non, Mike est formidable. Ce qui s'est passé avec Stuart est différent. C'est plus que de ne pas aimer quelqu'un. Et tu m'as soutenue quand j'étais avec lui, même si tu ne l'aimais pas. Nous étions assises toutes les deux ici, le soir de ma rupture, et tu m'as dit que tu avais gardé tes sentiments pour toi parce que tu trouvais que c'était mieux de rester dans les parages pour veiller sur moi, tu te rappelles? Et c'est ce dont j'ai besoin, Sarah. Une bonne amie dans les parages.

Sarah me sourit d'un air piteux.

– Comment veux-tu que j'argumente quand tu me cites?

– Vraiment?

– Je suppose. Mais je suis inquiète pour toi, Anne. Je sais que tu t'es sentie un peu perdue et déprimée ces derniers temps, mais tomber dans les bras du premier venu n'est pas une solution à tes problèmes.

Ouch.

– Je sais que c'est de quoi ç'a l'air, Sarah, mais ce ne l'est pas. Peux-tu seulement attendre de le rencontrer avant de te faire une idée? Il est vraiment différent des autres hommes avec qui j'ai été.

Elle a l'air sceptique.

– En quoi est-il différent?

– Premièrement, il n'a pas les cheveux noirs et les yeux bleus.

– C'est un début, je suppose. Dis-m'en plus.

– Je ne sais pas… Je sens que… c'est la première fois que je suis avec quelqu'un avec qui je pourrais vraiment être amie. Et je pense que c'est réciproque.

– Amis, hein? dit-elle sur un ton sarcastique.

– Oui, amis. C'est un gars formidable, Sarah. J'ai vraiment de la chance.

Je plonge ma main dans ma poche et en ressors mes bagues.

– Regarde, il les a achetées pour moi.

Elle touche la bague sertie d'une pierre bleue, avec une expression qui est tout le contraire de la mienne lorsque j'ai vu sa bague de fiançailles.

– Es-tu certaine qu'il est différent des autres ?

– Oui, j'en suis certaine. Tu verras.

– Tout ça est difficile à accepter pour moi.

– Je sais. Et je te suis reconnaissante d'être inquiète pour moi. Mais peux-tu lui donner une chance avant de le juger ?

– Je vais essayer. Mais dis-moi, penses-tu honnêtement être amoureuse de cet homme ?

Jack vient d'entrer dans le bar, avec Mike juste derrière lui. Je sens une vague de chaleur me parcourir quand j'aperçois son visage fraîchement rasé au-dessus de son vieux blouson d'aviateur.

Je les salue tous les deux et ils réalisent en marchant vers nous qu'ils se dirigent vers la même table. Ils s'échangent leur nom et se serrent la main. À la manière toute simple qu'ont les hommes de faire connaissance.

– Sarah, je te présente Jack Harmer.

Elle l'étudie de haut en bas et fronce un peu les sourcils.

– Salut, Jack.

– Enchanté, Sarah.

Il lui fait son plus grand sourire. Les traits de Sarah s'adoucissent légèrement.

Jack s'assoit à côté de moi et Mike à côté de Sarah. Ils commandent des bières à la serveuse. Nous nous regardons les uns les autres, mal à l'aise.

– Mike, Jack et Anne se sont mariés au Mexique, dit Sarah en brisant le silence.

Mike ne sait plus où regarder.

– Oh.

– Tu as le droit de flipper, Mike, dis-je. Sarah vient de le faire.

Il sourit.

– Merci. Je me demandais justement qu'elle était la réaction appropriée.

– Choc et Stupeur, raille Sarah.

– Ce n'est sûrement pas aussi terrible que le bombardement de Bagdad, quand même ? dit Jack.

– Hum. Je n'en suis pas si sûre, dit-elle en fronçant de nouveau les sourcils.

C'est le genre de truc qui met fin abruptement à une conversation, non ? Je veux dire qu'on pourrait stopper n'importe quelle conversation en disant : « J'ai épousé un étranger au Mexique, quelques jours après l'avoir rencontré. » On est assuré d'entendre une mouche voler.

– J'aurais pensé que c'était plutôt une bonne manière d'entamer une conversation. Pense à l'encre que ça fait couler chaque fois qu'une célébrité fait la même chose.

Jack lui fait encore son grand sourire, mais ça ne marche pas cette fois.

– Anne et toi n'êtes pas des célébrités.

– C'est vrai. Et tu n'es pas couchée inconsciente dans une mare de sang.

– Je ne te suis pas.

– Il n'y a pas eu de bombe ici. Il n'y a aucune séquelle permanente, non plus.

– Touché.

Sarah se tourne vers moi.

– Il a un laissez-passer probatoire. Pour le moment.

Mike tend son verre en direction de Jack.

– Tu t'en es bien sorti, mon gars.

Jack prend une longue gorgée de bière.

– C'est pas ce qu'il m'a semblé.

– Tu devrais la voir au tribunal, comment elle traite les témoins.

– Je peux l'imaginer.

– Est-ce qu'on commande? dis-je, mon estomac criant famine maintenant que la tension s'est dissipée.

Tout le monde est d'accord. Nous faisons signe à la serveuse et lui passons notre commande.

– Alors, Jack. Dis-moi comment tu as convaincu ma meilleure amie de t'épouser.

Jack se tourne vers moi.

– Je te l'avais dit, lui dis-je en articulant les mots silencieusement.

Un sourire malicieux se dessine sur son visage.

– En fait, c'était son idée ...

Plus tard, nous sommes dans la salle de bains en train de nous brosser les dents.

– Une de faite, trois autres à faire.

– Trois?

– William. Mon frère. Mes parents.

– Peux-tu combiner ton frère et tes parents?

– Peut-être. Et toi? Quand vas-tu le dire à tes proches?

Jack crache dans le lavabo.

– Bien, je n'ai pas de parents à qui le dire, comme tu le sais, et mon meilleur ami est en voyage autour du monde pour les six prochains mois, et je ne crois pas que c'est le genre de nouvelles qui s'annonce par courriel.

– Et le gars dont tu parlais, ton éditeur?

– Nous n'avons pas ce genre de relation.

– Mais de la façon dont tu m'en parlais, il semblait être une figure paternelle pour toi.

– Seulement si les figures paternelles viennent avec une tendance à l'abus verbal. Il est plutôt comme un de ces professeurs qui soutirent l'excellence de leurs élèves par la peur.

Il se rince la bouche et m'attire à lui. Il a l'air jeune et mignon avec ses boxers et son T-shirt blancs. Il commence à m'embrasser dans le cou.

– Tu n'as pas d'autres amis?

– Oui, j'en ai. Des amis avec qui je sors de temps en temps, surtout. Je leur dirai la prochaine fois que je les verrai. Avec eux, ça peut attendre.

– Penses-tu que je suis trop mélodramatique à propos de tout ça?

– Non, je pense que tu es une fille. Les filles ont besoin de parler des choses et de les analyser. Il n'y a rien de mal à ça. Ce n'est simplement pas une affaire de gars. Prends la réaction de Mike, par exemple. Bon gars, en passant. Sa réponse a été «Oh». Ça résume pas mal ce que la plupart de mes amis diront.

– Et la bataille des sexes continue.

– J'espérais plutôt une rencontre des sexes, en fait.

J'approche mon nez du sien.

– Ah, oui?

Il frotte son nez contre le mien.

– Oh, oui.

De retour au travail le lundi matin, je passe au travers de l'équivalent d'une semaine de courriels et j'organise mon agenda en fonction des échéanciers de la semaine. Je reçois un appel de l'assistante du docteur Szwick tôt en matinée pour fixer notre premier rendez-vous, vendredi après-midi. Lorsque la «nazie de la mode» quitte son poste de travail pour une rencontre, j'appelle Gilbert.

– *Holà*, Cordélia. Bon retour.

– Salut, Gil.

– Comment a été ton voyage?

– Très bien.

– Tu ne donnes pas de détails?

– Que veux-tu savoir?

– Tu as fait la fête comme une déchaînée?

– Ce n'était pas un voyage de semaine de relâche.

– J'aurais cru que oui.

Je joue nerveusement avec le fil du téléphone.

– Écoute, Gil, j'ai une nouvelle à t'annoncer.

– Quoi?

– Eh bien, euh, j'ai rencontré quelqu'un au Mexique.

– Et tu vas enfin sortir du placard?

– Gilbert!

– Désolé, désolé. Continue.

– Oui, bon, j'ai rencontré quelqu'un, il s'appelle Jack et, euh, *ons'estmariés*.

Ça sort tout d'un trait.

– Pardon ?

– Nous nous sommes mariés.

Silence complet au bout du fil.

– Gil ? Tu es encore là ?

Gilbert siffle dans le téléphone.

– Maman et papa vont disjoncter.

– Je sais.

– Comment c'est arrivé ?

– Comment tu penses ? Un gars nous a posé des questions et on a dit « Oui. »

– Tu sais ce que je veux dire.

– Je ne sais pas. C'est un peu embrouillé dans mes souvenirs.

– Ah, je vois. Une cérémonie margarita.

– Quelque chose comme ça.

– Je connais un gars qui peut arranger ça pour toi.

– Seigneur, Gil, c'est ce que Sarah m'a dit aussi. Je ne t'appelle pas pour ça. Je ne vais pas faire annuler le mariage. Il a emménagé chez moi et nous allons nous donner une chance.

– Relaxe. J'essaie juste de protéger ma petite sœur.

– Merci.

– C'est fou ton histoire.

– Je sais. Mais je veux que vous le rencontriez. Tu veux bien ?

– Laisse-moi voir avec Cathy et on va organiser quelque chose.

– Merci, Gil.

– *No problemo*.

– Je me demandais si tu pouvais faire une autre chose pour moi.

– Quoi ?

– Le dire à maman et papa ?

Il rit, d'un rire de ventre profond.

– Hors de question. Mais je veux absolument être présent lorsque tu leur annonceras la nouvelle.

– Peut-être que je vais attendre à la prochaine fête officielle.

– Poule mouillée.

– Tu serais bien brave si c'était *toi* qui devais leur annoncer que tu t'es marié avec quelqu'un que tu as rencontré en vacances.

– Pardon ?

Je lève les yeux. William se tient à l'extrémité de mon cubicule, le teint deux tons plus pâles qu'à la normale.

– Gil, je dois y aller. Je t'appelle plus tard pour organiser notre souper.

William s'écrase sur ma chaise de visiteur et me fixe, les yeux écarquillés.

– Je devine que tu as entendu ma conversation avec Gil.

Il hoche la tête tranquillement.

– Alors, tu m'as entendue dire que je me suis mariée ?

Il acquiesce de nouveau.

– Allez, William. Ressaisis-toi. Ce n'est pas si surprenant que ça, non ?

– Définis « surprenant ».

– Quelque chose qui est incroyable, stupéfiant ou complètement inattendu.

Il coche dans les airs.

– *Check, check, check.*

– Il est intéressant de savoir que vos amis ne vous croient pas capable de faire quelque chose que vous avez fait.

– Mais comment est-ce arrivé, Anne ? Je t'ai dit de te reposer, de t'amuser, mais jamais je n'aurais pu imaginer que...

– Je me suis reposée, je me suis amusée. Et j'ai aussi rencontré un gars formidable et, enfin... c'est une drôle d'histoire, si tu veux l'entendre.

Je lui transmets les détails sur lesquels Jack et moi nous sommes entendus. L'histoire semble un peu plus vraie chaque fois que je la raconte. William m'écoute sans m'interrompre, probablement parce qu'il est trop estomaqué pour dire quoi que ce soit.

– Eh bien, je n'arrive toujours pas à le croire.

– C'est vrai, je t'assure.

– Quand vas-tu me le présenter, afin que je détermine s'il est assez bien pour toi ?

– Il est assez bien.

Jack débarque devant mon cubicule.

– Je l'espère, dit-il.

Il porte des jeans qui lui vont vraiment bien, avec une chemise bleue oxford un peu usée, et ses cheveux sont décoiffés juste comme il faut.

Il tend la main.

– Tu dois être William. Content de te rencontrer.

William se lève et lui serre la main.

– Alors, c'est toi l'homme qui a convaincu Annie la petite orpheline de se caser ?

– Elle n'a pas eu besoin de tant de persuasion que ça. Seulement quatre ou cinq cocktails.

William lui lance un regard dur.

– C'est vrai qu'elle a un faible pour les cocktails.

– J'ai cru le remarquer.

– Mais un gentleman n'abuserait pas de cette faiblesse.

– Remettez-vous en question mon honneur?

– Non, je défends celui d'Anne.

– Dans ce cas, d'accord. Est-ce que ce sera l'épée ou le fusil?

La bouche de William commence à tressauter.

– Oh, le fusil, je crois.

– Avez-vous par hasard eu la chance de rencontrer Sarah?

– Bien sûr. Charmante jeune femme.

– Je crois que vous seriez capable de lui en donner pour son argent.

Le visage de William s'éclaire d'un grand sourire.

– D'accord, A.B., tu n'es rendue qu'à moitié folle. Je vous laisse seuls, les enfants.

– Que viens-tu faire ici? dis-je à Jack, une fois que William est parti.

– J'étais tout seul à la maison à essayer d'écrire et j'ai pensé que je n'étais pas encore passé dans le tordeur d'un de tes amis aujourd'hui...

Je me lève et prends un élan pour lui donner un coup, qu'il esquive aussitôt.

– J'ai pensé qu'on pourrait aller dîner ensemble.

– Bonne idée.

– Y a-t-il quelqu'un d'autre contre qui je devrais me préparer avant que nous quittions la sécurité de ton adorable cubicule?

– Il n'y en a pas qui me viennent à l'esprit.

– Fiou.

Je l'embrasse sur la joue.

– Tu t'en es très bien sorti.

– Merci, très chère.

CHAPITRE 18

SANS RÉSERVE

Nous passons le restant de la semaine à nous installer dans notre routine de vie à deux. Je vais au travail, Jack me rejoint pour le dîner, je retourne au travail, je rentre à la maison, nous commandons notre repas et nous passons la soirée au lit. Je n'ai pas eu une seule bonne nuit de sommeil depuis mon départ pour le Mexique et je commence à en ressentir les effets.

Je suis particulièrement fatiguée ce matin. Le fait que je sois complètement en panne d'inspiration pour mon article à propos du débat municipal qui fait rage sur la question de remplacer le gazon naturel des terrains de soccer par une surface synthétique ne m'aide pas du tout.

Mon téléphone sonne. Je coince le combiné entre mon oreille et mon épaule.

– Yallo !

– Je viens de comprendre.

– Tu viens de comprendre quoi, Sarah ?

– Pourquoi tu as épousé Jack.

La «nazie de la mode» passe à côté de moi en faisant claquer ses talons aiguilles de dix centimètres. Elle jette un regard dédaigneux sur mes pantalons noirs et mon chemisier mal repassé. Je lui fais un sourire forcé et parle le plus bas possible.

– Mais je t'ai déjà dit pourquoi j'ai épousé Jack.

Elle soupire.

– Oui, c'est vrai, mais je crois savoir ce qui se passe vraiment.

Comment le pourrait-elle ?

– D'accord...

– J'y ai beaucoup réfléchi cette semaine, et je crois que c'est peut-être ma faute.

– Ta faute ?

– Bon, pas *ma faute* exactement, mais peut-être que le fait que je me marie t'a fait sentir abandonnée et jalouse, alors tu es allée te marier.

Ses mots me font l'effet d'un coup de poing dans le ventre.

– Pardon ?

– Je sais que ça peut sembler égocentrique, mais je pense que si tu réfléchis à tes actes depuis que je t'ai dit que je me mariais, tu verras que j'ai raison.

J'essaie de contrôler le ton de ma voix.

– De quels actes en particulier parles-tu, Sarah ?

Elle hésite.

– En fait, il s'agit d'un seul acte, mais c'en est tout un, tu ne penses pas ?

– Bien sûr que c'est gros, Sarah. Mais je ne vois vraiment pas en quoi c'est lié à toi.

– Tu ne vois pas le lien ? Je me fiance, et en l'espace de quelques mois, tu pars en vacances à la dernière minute et tu épouses le premier venu. C'est évident, non ? Il ressemble même un peu à Mike.

– Quoi ?

– J'ai dit qu'il ressemble un peu à Mike.

– Sarah, de quoi parles-tu, bordel ?

– Merde, tu es fâchée, hein ? Je savais que tu serais fâchée.

– À quelle autre réaction t'attendais-tu ? Tu m'appelles au travail pour me dire que l'une des décisions les plus importantes de ma vie n'est en fait qu'une réaction de jalousie à propos de ce qui se passe dans *ta* vie. Et pour couronner le tout, que je suis à la recherche d'un homme exactement comme le *tien*. Hé, peut-être que tu penses même que c'est *ton* homme que je veux.

– Je n'ai jamais pensé ça, Anne, pas une seule minute. C'est injuste.

– Ce qui est injuste, c'est que tu me prennes au piège avec ton appel.

– Je suis désolée, d'accord ? Tu sais que parfois je parle avant de penser.

– Non, ce n'est pas vrai. Tu penses toujours exactement ce que tu dis, et tu penses toujours avant de le dire.

– Bon, peut-être que tu as raison, mais je ne voulais pas te blesser.

– Sarah, écoute-moi bien, je ne suis pas à la recherche d'une raison pour justifier ce que j'ai fait. Je ne cherche pas un moyen de m'en sortir. Je ne cherche que le soutien de mes amis, ou de ceux que je croyais être mes amis.

– Anne, s'il te plaît. Je suis désolée.

Elle semble sur le point de pleurer, ce qui est tout à fait inhabituel pour elle, et ça fait monter les larmes à mes propres yeux.

Je m'éclaircis la voix.

– Je n'ai pas de temps pour ça, maintenant. J'ai un échéancier à respecter.

Je raccroche avant qu'elle puisse ajouter quoi que ce soit. J'essuie mes larmes rageusement. Merde, merde, *merde*! Pourquoi est-elle allée me dire ça? Pourquoi ne peut-elle pas se contenter de me laisser essayer d'être heureuse, comme elle?

Pourquoi doit-elle toujours avoir raison?

Je rejoins Jack plus tard ce jour-là dans l'entrée de la Telephone Tower pour notre première séance de thérapie depuis le Mexique.

Il m'embrasse sur une joue et me lance un regard intrigué.

– Qu'est-ce qui ne va pas?

Je bats des paupières rapidement pour empêcher mes larmes de couler.

– Je viens de me disputer avec Sarah.

– À propos de quoi?

– De toi, de moi, de nous.

– Je croyais qu'elle avait cédé l'autre soir.

– Nan. Elle ne fait que commencer.

– Que t'a-t-elle dit?

– Je te raconterai plus tard.

Il prend ma main dans la sienne et la serre.

– Je suis désolé.

– Oui, moi aussi. On devrait y aller.

Nous prenons l'ascenseur jusqu'au bureau du Dr Szwick. Il a laissé les rideaux ouverts. La pièce a l'air moins chaleureuse avec la pluie de mars qui tombe contre la fenêtre.

Le Dr Szwick ouvre son calepin à une page vierge.

– Alors, Jack, Anne, comment vous adaptez-vous à votre nouvelle vie?

– Ça va bien, je crois. Jack a emménagé chez moi la fin de semaine dernière, dis-je.

– Ah, le mariage des objets. Toujours un moment difficile. Comment ça s'est passé?

– Assez bien. Jack n'a pas apporté beaucoup de choses à part son énorme collection de livres.

– Nous avons tous les deux beaucoup de livres, dit Jack sur la défensive.

Je lui souris pour lui montrer que je le taquinais.

– C'est vrai.

– Je vais construire des étagères. J'ai acheté le matériel aujourd'hui.

Le Dr Szwick hoche la tête dans sa direction, comme s'il lui disait «C'est bien, mon garçon», puis se tourne vers moi.

– Au Mexique, vous sembliez réticente à l'idée d'accueillir Jack chez vous. Avez-vous encore des hésitations?

– Je m'ajuste.

– Que voulez-vous dire, Anne?

Décidément, il n'en manque pas une.

– Je veux dire que c'est un ajustement, mais que, dans l'ensemble, je suis heureuse que Jack soit là.

– C'est correct aussi si vous n'êtes pas heureuse qu'il soit là.

– Je sais.

– Et vous, Jack, ça vous dérange qu'Anne ait été réticente à ce que vous emménagiez chez elle?

Il écrase ses paumes sur ses cuisses.

– Non.

– Allez, Jack. Pas même un tout petit peu ?

– Je comprends ce qu'elle peut ressentir.

– Parce que vous vous sentez de la même façon ?

– N'est-ce pas normal de se sentir un peu envahi après avoir emménagé avec quelqu'un ?

– Bien sûr que ça l'est. Mais ça ne répond pas à ma question. Est-ce que *vous* vous sentez envahi ?

Jack lui fait un sourire crispé.

– Pas vraiment. Anne est à l'extérieur toute la journée, alors je peux écrire. Même que je me suis fait un petit coin d'écriture, un endroit juste à moi...

– Nous ne sommes pas à *Oprah*, Jack, dit le Dr Szwick.

– Ça va bien, je le jure. Croix de bois, croix de fer, si je mens, je vais en enfer. Peut-on passer à un autre sujet ?

– D'accord, mais nous y reviendrons plus tard. Comment s'est passée l'annonce de votre mariage à vos proches ? Anne ?

– Mon frère l'a plutôt bien pris. Je ne l'ai pas encore dit à mes parents, mais je l'ai annoncé à mes amis les plus proches.

– Et ?

Je prends une grande inspiration, en essayant d'atténuer la douleur causée par les mots de Sarah.

– Ma meilleure amie a tenté de me convaincre de faire annuler le mariage et aujourd'hui, elle m'a dit qu'elle pensait que j'avais épousé Jack parce que j'étais jalouse d'elle.

– C'est pour ça que tu étais bouleversée tout à l'heure ? me demande Jack.

– Oui.

Le Dr Szwick feuillette son calepin, à la recherche de quelque chose.

– Ah, oui. Nous avons déjà parlé de ça dans le passé. Vous avez appelé Blythe & Compagnie tout de suite après qu'elle vous ait annoncé ses fiançailles, non ?

– Oui, mais...

– Oui, mais quoi, Anne ?

– Je ne savais pas quel genre de service offrait Blythe & Compagnie lorsque j'ai téléphoné. Je cherchais une *date*, pas un mari.

– Vous ne cherchiez pas de mari ? Alors, c'est une simple coïncidence si vous avez accepté de vous engager dans le processus une fois que vous avez connu la véritable nature des services de Blythe & Compagnie ?

Le Dr Szwick et Jack me regardent, attendant tous deux ma réponse.

– Je ne sais pas. Peut-être. C'est la raison pour laquelle j'ai téléphoné, mais pas de la façon dont Sarah l'entend. Elle croit que j'ai épousé le premier venu parce que je ne supportais pas d'être seule. Ça ne s'est pas passé comme ça.

– Êtes-vous amère d'avoir été obligée de lui raconter que vous vous étiez mariée sur un coup de tête ?

– Oui, peut-être un peu.

– C'est difficile, je sais, mais êtes-vous prête à la laisser être fâchée contre vous, et peut-être à mal percevoir vos actions, dans le but de maintenir la façade ?

– J'imagine. Si vous croyez que c'est nécessaire.

– Ça l'est.

– Pourquoi encore ? demande Jack.

– C'est la meilleure formule que nous ayons trouvée. Aussi difficile que cela puisse être pour vos proches d'accepter que vous ayez posé un geste aussi impulsif, ils peuvent quand même le comprendre s'ils pensent que vous vous êtes laissé emporter par le romantisme. Mais que des gens puissent choisir de troquer l'idée de l'amour romantique contre celle d'une amitié profonde, c'est beaucoup plus difficile à accepter, croyez-moi.

Jack n'a pas l'air convaincu.

– Si vous le dites.

– Je vous le dis. Anne, croyez-vous pouvoir résoudre le conflit avec... quel est le nom de votre amie?

– Sarah.

– Sarah. Êtes-vous capable d'en parler? Avez-vous ce genre de relation?

– Je pensais que oui.

Il a un air compatissant.

– Laissez-lui du temps, Anne. C'est un gros ajustement pour tout le monde.

– C'est vrai.

– Et vous, Jack, comment ça s'est passé avec vos amis?

– Je ne l'ai dit à personne.

– Pourquoi pas?

Il hausse les épaules.

– Je n'ai personne à qui le dire, vraiment.

– J'ai de la difficulté à le croire. Vous savez, tout ça demeurera du faux-semblant tant que vous ne le ferez pas entrer dans le réel.

– Pour moi, c'est très réel.

Le Dr Szwick passe sa main sur son menton.

– Dites-moi, pourquoi êtes-vous toujours sur la défensive?

– Je ne le suis pas.

– Oui, vous l'êtes. Vous l'êtes depuis le tout début. Et ce comportement pourrait créer, et créera, un mur entre Anne et vous. Nous devons travailler là-dessus, le faire cesser, avant que ça ne devienne un problème.

Il nous regarde à tour de rôle, comme s'il réfléchissait à une solution.

– Alors, pour notre prochaine séance, Jack, je veux que vous trouviez deux personnes à qui le dire. Et je ne veux pas d'excuses pour ne pas le faire. D'accord ?

Jack hoche sèchement de la tête.

– Je vous vois la semaine prochaine.

– La classe est terminée, marmonne Jack.

– Que dirais-tu d'une aventure ? me demande Jack, le jeudi suivant, alors que nous roulons vers la maison de Gil et Cathy dans sa vieille Jeep déglinguée.

Nous sommes pris dans un bouchon de circulation d'heure de pointe. Les jointures de Jack sont blanches sur son volant, alors que nous avançons de deux centimètres à la fois sur la voie rapide. Je n'arrête pas de changer de chaîne de radio, alternant entre la station de rock classique qu'aime Jack et le Top 40 que j'écoute habituellement. Le quotient de compatibilité ne va pas jusque dans les préférences musicales, apparemment.

– Mais pourquoi des gens vivent-ils ici ? demande Jack.

– Des cours arrière, des fêtes entre voisins, des rues pour jouer au hockey.

– Ces choses sont surévaluées.

Nous prenons la sortie près de la gare ferroviaire et nous nous engageons sur la voie de service en passant devant une allée de petites maisons carrées construites dans les années cinquante. Le soleil s'approche de l'horizon. Des restants de lumières de Noël scintillent sur quelques galeries et certains arbustes.

– Prends la prochaine à gauche. À quelle sorte d'aventure pensais-tu?

– As-tu déjà fait de la descente de rapides?

– De la descente de rapides? Dévaler une rivière déchaînée dans un canot de sauvetage?

Ma voix est un ton plus aigu.

– Oui, dit-il avec enthousiasme.

– Je n'en ai jamais ressenti le besoin. Tourne ici.

– Alors?

– C'est dangereux?

– Pas du tout.

Près de la maison de mon frère, j'aperçois un espace entre deux VUS et le lui indique.

– N'est-ce pas un peu tôt dans l'année pour aller sur une rivière? L'eau doit être glacée.

– Le parcours sera ouvert à la mi-avril. Ils ont des combinaisons de plongée pour nous garder au chaud.

Je n'ai plus d'excuses, sauf peut-être…

– Jack, pourquoi essaies-tu continuellement de me tuer?

Il éteint le moteur bruyant de sa Jeep.

– Je n'essaie pas de te tuer, je te le jure. Mais j'aime partir à l'aventure. Ça me permet de m'évader de mon quotidien.

– Et que fais-tu au juste dans ton quotidien? dis-je pour l'agacer.

– La plupart du temps, je m'assois devant une feuille blanche et je la fixe. Alors, tu veux y aller avec moi?

Nous sortons de la voiture et faisons face à l'entrée de la maison de Cathy et Gil. Je replace ma jupe. Jack joue avec le col de sa chemise.

– Quand pensais-tu y aller ?

– J'ai appelé et ils ont deux places pour le 12.

– Mais c'est la journée de mon lancement !

– Je sais. Nous irons le matin et nous serons de retour à temps pour le lancement. Et avant que tu me quittes pour ta grande tournée.

Je souris.

Ce n'est qu'une semaine.

– Et ce n'est qu'une rivière.

– C'est vrai. Bon, d'accord, je vais y aller.

– Super.

– Prêt pour ce soir ?

Il me fait un demi-sourire.

– Ai-je le choix ?

– Non.

– Alors, allons-y.

Nous marchons vers la porte d'entrée. Avant même que j'appuie sur la sonnette, Jane ouvre brusquement, en sautant de joie.

– Matante Anne, matante Anne ! Maman ! Matante Anne est arrivée !

Je me penche pour l'embrasser. Elle porte un pyjama à pattes et sent comme si elle venait tout juste de sortir du bain. Elle se tortille d'excitation dans mes bras.

– C'est qui, lui ? me demande-t-elle en jetant un œil par-dessus mon épaule.

– C'est mon ami Jack. Jack, je te présente Jane.

Il se penche et tend sa main vers la sienne.

– Bonjour, Jane, je suis Jack.

– Oh, je sais qui tu es. Tu es le *mali* de Anne.

– Oui, c'est ça.

– Qui t'a dit ça, ma chérie?

– J'ai entendu papa le dire à grand-maman et à grand-papa. Super.

– Et c'était quand ça? Au téléphone?

– Nan, dans le salon.

– Où ça?

– Dans le salon, répond Gil à sa place, alors qu'il avance dans le corridor vers nous.

Il porte un chandail gris en cachemire, des pantalons noirs et affiche un sourire jubilant. Tout ce qui lui manque c'est une pipe et un auditoire pour compléter son *look Our town*, la pièce de théâtre de Thorton Wilder.

– Je suis le frère d'Anne, Gil, dit-il à Jack en lui serrant la main fermement, à la manière d'un homme d'affaires.

Il considère Jack de haut en bas.

– Eh bien, tu n'as certainement pas l'air du genre d'homme de Cordélia.

– Gil !

– Je suis le modèle amélioré, lui répond Jack.

Gil lève les sourcils.

– Je vois.

– Gil, est-ce que maman et papa sont dans le salon en ce moment?

Il se balance légèrement sur ses talons.

– Ouaip.

– Alors, quand je t'ai dit que je voulais que tu leur annonces la nouvelle, et que tu as dit non…?

– J'ai changé d'avis.

– Et tu ne me l'as pas dit parce que …?

– C'est beaucoup plus amusant comme ça.

– Qu'y a-t-il de plus amusant, chéri ?

Ma mère étire sa tête hors du salon. Elle porte un tailleur Chanel classique rose qu'elle a hérité de la même tante qui lui a laissé le manteau de fourrure qu'elle portait pour célébrer la signature de mon contrat d'édition. Il me semblait bien que cette sensation d'être au théâtre n'était pas qu'une sensation.

– Anne, que fais-tu là à rester au milieu du passage ? Viens dans le salon. Et vous, jeune homme, je suppose que vous êtes le... mari de ma fille.

Elle renifle l'air, comme si elle essayait de sentir s'il est quelqu'un de bien.

– Maman, arrête avec ton imitation de Rachel Lynde, s'il te plaît !

– Un autre personnage d'Anne... *la maison aux pignons verts*, je suppose ? me marmonne Jack.

– Quoi d'autre ? Tu peux encore t'enfuir, si tu veux, lui dis-je en marmonnant.

– C'est bon, avançons, avançons.

Je fais une grimace à Gil et suis ma mère au salon. Jane ne cesse de faire des allers-retours entre nous, ce qui amène Gil à la menacer de la mettre au lit. Mon père est installé dans le fauteuil préféré de Gil, avec un grand verre de scotch à la main. Il en a bu quelques-uns, à en juger par les vapeurs dans la pièce.

Je présente Jack à mes parents, et nous prenons place dans la causeuse sous la baie vitrée. Nous restons assis là, à nous regarder les uns et les autres en silence, jusqu'à ce que Cathy entre dans la pièce. Elle porte une robe noire en tissu extensible qui supporte parfaitement son ventre arrondi par la grossesse. Ses longs cheveux blonds tombent lâchement dans son dos.

– Que se passe-t-il ici? Gil, pourquoi n'as-tu pas encore servi à boire à Jack et à Anne? Ils ont certainement l'air d'en avoir besoin, tout comme moi d'ailleurs, dit-elle en faisant un grand sourire. Mais comme je suis à des mois de pouvoir boire quoi que ce soit, je vais me contenter de regarder vos verres avec envie.

Gil prend nos commandes avec un air piteux et part en direction de la cuisine pour les préparer.

Cathy s'assoit sur le divan à côté de ma mère et pose ses mains sur son ventre.

– Alors, Jack. Parle-moi de toi.

– Que désires-tu savoir?

– D'où viens-tu? Comment as-tu rencontré Anne? Comment l'as-tu convaincue de t'épouser? Ce serait un bon début. Et peut-être qu'après, quand tu auras répondu, les langues de tout le monde vont se délier.

Jack me lance un regard et commence à répondre à ses questions. Cathy l'écoute avec attention, alors que mon père reste concentré sur son scotch et que ma mère feint le désintérêt, alors qu'elle ne rate pas un mot de ce qu'il dit.

Une chance que Cathy existe, la plus normale d'entre nous. Je croise son regard et lui dit, en articulant silencieusement: «Merci».

Elle hoche la tête doucement et me répond: «Il est mignon.»

Trois heures plus tard, nous sommes devant la porte d'entrée, à tenter de nous enfuir. Malgré l'heure du dodo passée depuis longtemps, Jane s'accroche à la jambe de Jack. Elizabeth, groggy de s'être fait réveiller, s'accroche à la mienne.

Le temps que Jack finisse de répondre aux questions de Cathy, mes parents avaient assez bu pour surmonter leur gêne. Malheureusement. C'est à peine si ma mère s'est arrêtée pour reprendre son souffle au cours des deux dernières heures, sautant du coq à l'âne en racontant ses histoires. Et mon père n'a pas arrêté de poser à Jack des questions aléatoires qui rivaliseraient avec celles du questionnaire de Blythe & Compagnie. Quel était le nom de son père ? Quel jour était-il né ? Où avait-il grandi entre l'âge de quatre et six ans ? Je réussis finalement à l'arrêter en lui demandant s'il a l'intention de faire la carte du ciel de Jack.

– Quoi ? Non. Je ne sais même pas ce que ça veut dire.

– Pourquoi toutes ces questions bizarres, papa ? Pourquoi veux-tu savoir ce genre de choses ?

– Matante Anne ! Matante Anne, regarde-moi faire une culbute.

– Dans une minute, chérie.

– De quelle autre façon suis-je censé apprendre à connaître mon gendre ?

– Matante Anne ! Matante Anne ! Je fais des meilleures culbutes qu'elle. Regarde-moi, regarde-moi !

– Les filles, s'il vous plaît. Je parle avec grand-papa. Je ne sais pas, papa. Comme une personne normale ?

– Que veux-tu dire par là ?

– Ça me rappelle quand Anne faisait partie d'une chorale en troisième année, lance ma mère, en nous interrompant. Elle faisait le solo, mais une autre fille, qui chantait très mal, pensait elle aussi qu'elle faisait le solo, alors Anne, toujours aussi futée, a compris que cette fille allait chanter et elle l'a fait taire et puis elle a chanté son solo. C'était merveilleux.

– Qu'est-ce qui est normal au juste? Qui n'est pas une personne normale?

Je me penche et détache Elizabeth de ma jambe.

– Les filles, dites bonne nuit à oncle Jack.

– Bonne nuit, oncle Jack, disent-elles en chœur.

Il les embrasse à tour de rôle sur la joue. Elles gloussent et s'enfuient en criant de joie. Une longue nuit attend Cathy et Gil.

– Bonne nuit, maman, bonne nuit, papa. Merci, Gil.

Je le fusille du regard, même si, franchement, je suis contente qu'il ait fait l'annonce à mes parents à ma place. En plus, le Dr Szwick sera content. Un bénéfice ajouté.

La porte se referme enfin derrière nous et nous marchons vers la voiture de Jack. Loin de la ville, le ciel est rempli d'étoiles scintillantes. Je cherche l'étoile Polaire, me sentant légèrement étourdie.

– Tu es en état de conduire? dis-je.

Jack me fait une grimace.

– Plus que toi.

Je me redresse un peu.

– C'était mon seul moyen de passer au travers de la soirée.

– Moi qui croyais que tu buvais beaucoup de margaritas au Mexique, je n'avais rien vu.

– Et moi qui croyais avoir épousé un bon garçon...

– Je crois que ton père a bien démontré ce soir que *je suis* un bon garçon.

Nous grimpons dans la voiture. J'ai de la difficulté à attacher ma ceinture de sécurité.

Jack me la prend des mains et la boucle à ma place.

– Merci. Et désolée pour ce soir. Mes parents ne sont pas toujours aussi... bizarres.

– Oublie ça.

Il démarre la voiture et recule dans la rue.

– Je te dirai plus tard quelle sera ta punition.

– On verra. Alors, est ce que ma famille t'a découragé de fonder une famille?

– Tes nièces sont très mignonnes.

Pendant que Jack nous conduit vers l'autoroute, je regarde les spacieuses maisons individuelles défiler. Nous nous arrêtons à un stop. Dans la maison sur le coin, le salon est illuminé comme une scène de théâtre, et l'image de la télévision frétille comme un stroboscope. Plus jeune, j'essayais toujours d'imaginer ce qui pouvait se passer derrière les rideaux des maisons comme la mienne. Pouvais-je choisir une porte et essayer une toute nouvelle vie?

– As-tu parlé à Sarah récemment? me demande Jack doucement.

Je grimace.

– Non.

– Non comme dans « Je ne lui parlerai plus jamais », ou non comme dans « Je n'en ai pas encore eu la chance »?

– Je ne le sais pas encore. Elle m'a vraiment blessée, tu comprends?

Il se penche vers moi et m'ébouriffe les cheveux.

– Garde la tête haute, poussin.

– Poussin?

– Quoi?

– D'où sors-tu ce genre de truc?

– J'en ai des millions comme ça.
– Merci d'être venu ce soir.
Je me penche vers lui et l'embrasse sur la joue.
– Pas de problème.

CHAPITRE 19

À VOS MARQUES, PRÊTS, PARTEZ !

Un mois s'écoule. Je travaille et passe du temps avec Jack. Je me prépare pour mon lancement et la petite tournée qui le suivra. Et même si je le fais presque, même si j'en ai envie, même si ça me tue de ne pas le faire, je n'appelle pas Sarah. Ce mélange d'émotion m'empêche de dormir. Je m'endors facilement, dans le creux des bras de Jack, mais à trois heures du matin, mes yeux s'ouvrent brusquement, réglés comme une horloge. Le seul avantage à cela, c'est qu'avec toutes ces heures supplémentaires dans ma journée, j'ai plus de temps pour écrire. Mais quand, la nuit suivante, je relis les pages que j'ai écrites, je les froisse et les jette à la poubelle.

Cette nuit, je n'attends même pas. Après trois pages, je lance le fruit de mon travail vers la corbeille de métal dans le coin. Et je la rate.

– Tu sais, je pourrais trébucher là-dessus, me dit Jack, à moitié endormi, dans l'embrasure de la porte.

Son corps a l'air fantomatique sous l'éclairage tamisé de la lampe sur pied sous laquelle j'essaie d'écrire.

– J'allais le ramasser. Désolée, je t'ai réveillé?

Il bâille et se gratte la tête.

– Nan. Je me réveille toujours à quatre heures du matin pour jouer au basketball avec les histoires ratées.

– Très drôle.

Il ramasse mes pages, les lisse et commence à les lire.

– Hé, tu n'as pas le droit de lire ce que j'ai jeté. Même que tu n'as pas le droit de lire quoi que ce soit qui n'est pas terminé.

Il s'assoit à côté de moi.

– Tu as raison. Mais pourquoi l'as-tu jeté? Ça m'a l'air très bien.

– C'est ennuyant, et sans originalité.

– Un peu sévère comme critique pour le milieu de la nuit, tu ne trouves pas? Es-tu toujours aussi dure envers toi-même?

– Seulement quand je dors cinq heures par nuit.

– Peut-être que tu devrais appeler Sarah.

– Peut-être que tu devrais te mêler de tes affaires.

Il recule, surpris.

– Désolée. Je ne veux pas me défouler sur toi.

Il place ses mains sur mes épaules, pétrissant les nœuds de tension accumulée. Je ferme les yeux et me concentre sur la force et la chaleur de ses doigts.

– C'est mieux comme ça?

– Hum, ça s'en vient.

Il déplace ses mains le long de mon cou, sur mon visage, jusqu'à mes tempes, tout en continuant à me masser.

– Et là, c'est mieux?

– Je vais te le faire savoir dans une minute.

– Si tu es si tendue, il n'y a qu'une seule chose qui peut te guérir.

J'ouvre les yeux et lui souris.

– Ah, oui?

– Oui.

– Tu crois que tu peux me guérir?

– Je peux toujours essayer.

– Alors, essaie donc, pour voir.

Nous roulons sur une route cahoteuse et détrempée, à une heure de chez Gil et Cathy. À travers les grands conifères qui bordent la voie, j'aperçois la rivière que nous allons descendre. Elle a l'air large. Elle a l'air profonde. Elle a l'air rapide. Elle a l'air pleine. Mais surtout, malgré cette superbe journée printanière, elle a l'air froide.

– Est-ce vraiment prudent d'y aller alors que la rivière est si haute?

Jack me lance un regard, les yeux dissimulés derrière ses lunettes fumées. L'image que me renvoient les verres est celle d'une petite fille effrayée.

– Serais-tu en train de te dégonfler par hasard?

– Non… mais tu sais, ce serait vraiment, vraiment bête de mourir la journée d'un lancement.

– C'est sécuritaire, je te le promets.

Nous entrons dans un stationnement, près d'une cabane en bois rond, en bordure de la rivière noire scintillante. Un groupe d'étudiants vêtus de bermudas et de camisoles joue au volley-ball de plage dans le sable. Une demi-douzaine de femmes d'à peu près mon âge sont assises à deux tables de pique-nique, à prendre du soleil. Des sacs de charbon sont appuyés contre un barbecue, prêts à être utilisés. Nous allons dans la cabane pour payer et on nous remet un formulaire à signer. Signez sur la ligne pointillée et vous n'avez plus aucun recours contre la compagnie, peu importe sa négligence. Pendant que je lis le formulaire, je me surprends à m'ennuyer de Sarah – c'est bien à cause d'elle que j'essaie de lire ce genre de document juridique.

Nous signons et on nous présente notre guide, Steve. C'est un jeune homme athlétique de dix-neuf ans aux cheveux blonds et au visage bronzé. Il porte un gilet de sauvetage rouge par-dessus une combinaison de plongée. Le devant de sa combinaison est juste assez ouvert pour révéler un jeu de muscles rassurants. Il nous donne une brève explication sur la façon de se tenir dans le canot de rafting, puis on nous équipe de combinaisons, de gilets de sauvetage et de pagaies. Jack attache mon gilet, en serrant les courroies tellement fort que je ne bouge pas lorsqu'il me soulève avec les sangles pour les tester.

– C'est plus sécuritaire comme ça.

– Mais je croyais que c'était *déjà* sécuritaire.

– Ça l'est. Arrête de t'en faire.

Aucune chance.

Nous transportons le canot jaune vif jusqu'à la rivière. Elle a environ quinze mètres de large et est bordée de rochers pointus et de feuillus. L'eau paraît plus noire à mesure qu'on s'en approche et ça sent le roc pulvérisé, comme si la rivière venait juste de finir de creuser la montagne adjacente. Je m'assois dans le canot à côté de Jack, en deuxième place à partir de l'avant. Steve nous pousse dans l'eau et nous ordonne de commencer à pagayer. Jack me dit d'accrocher mon pied sous la sangle qui traverse le fond du canot, comme dans le catamaran au Mexique.

– Ah, oui. On a vu les résultats que ç'a donnés, dis-je en marmonnant.

– Quoi? Tu n'as pas aimé chavirer?

– C'est le genre d'expérience que j'espère ne vivre qu'une seule fois.

Jack détourne le regard.

– Jack, c'est quoi cette expression sur ton visage?

– Quelle expression?

– Ne change pas de sujet.

Je pense tout haut.

– OK, tu as eu cette drôle d'expression quand j'ai parlé de chavirer... Merde! Ils vont faire basculer le canot?

– Noooonnn...

– Jack!

– Le guide nous fait chavirer en descendant le premier rapide, dit l'homme assis à côté de moi, en essayant d'être serviable.

– C'est vrai? Jack?

Nous approchons rapidement d'une zone d'eau blanche bouillonnante, au début d'un virage en coude. Je ne vois pas ce qu'il y a de l'autre côté du virage, mais je commence à me douter de ce qui s'y trouve. Ou de ce qui ne s'y trouve pas...

– Calme-toi, Anne. Ça ira bien.

– Je n'aime pas ça...

Le bateau commence à tanguer au rythme de l'eau qui nous secoue. Nous tournons le coin et, évidemment, la rivière disparaît à soixante-quinze mètres en avant.

– Pagayez fort! nous crie Steve.

– Jack!

– Pagaie fort, Anne, pagaie fort! me crie-t-il, avec un plaisir évident.

Je serre les dents et plonge ma pagaie dans la rivière. Ma main droite frappe l'eau glaciale à chaque coup.

– Tu vas tellement me le payer…

Alors que nous plongeons par-dessus les rapides, j'arrête de pagayer et m'agrippe au côté du canot. Tout le monde crie. Je ne pourrais pas dire si les autres crient d'excitation ou de peur, mais je sais dans quel camp je suis.

Je jette un œil en direction de Steve. Il affiche un grand sourire alors qu'il lutte pour garder le bateau au milieu des rapides. Et puis, je le vois faire. Il fait délibérément chavirer le bateau en plaçant sa pagaie dans l'eau et en la tenant fermement contre le courant.

Le canot penche d'un côté et se décharge de nous. J'essaie de me libérer, mais je suis prise sous le canot alors qu'il dévale la rivière.

Le choc de l'eau glaciale expulse l'air de mes poumons. J'essaie de garder la tête hors de l'eau, dans la poche d'air formée par le dôme jaune du canot. Je suis secouée de tous les côtés par les remous. Il y a un grondement bruyant, suivi d'un silence relatif, alors que le canot avance dans des eaux moins turbulentes.

Le canot est soulevé au-dessus de ma tête et je suis tirée dans les bras de Jack. Son visage est pâle d'inquiétude.

– Ça va, Anne?

Je me mets à claquer des dents.

– Je crois que non.

– J'ai cru que tu allais y passer.

– Ça t'apprendra à me convaincre de te suivre dans tes aventures. Je t'avais pourtant bien dit de ne pas me tuer le jour de mon lancement.

– Ça n'arrivera plus.

– Promis?

– Promis.

Je regarde autour de nous. La rivière est plus calme et le soleil brille de manière éclatante en se reflétant sur l'eau. La rivière semble plus chaude ici, moins agressive. Je réalise que, même si chavirer m'a fait flipper, j'ai du plaisir. J'aime faire ce genre d'activité avec Jack. Je suis peut-être une fille de plein air, finalement.

– Tu m'aides à remonter ?

– Tu es certaine ?

Je lui fais un grand sourire.

– Je suis prête pour l'aventure.

– Alors, tu t'es vraiment amusée ?

– Je t'ai déjà dit un million de fois que oui.

Nous sommes dans un taxi en direction de mon lancement. Nous sommes rentrés à l'appartement avec à peine le temps pour moi de me doucher, de m'habiller et de me sécher les cheveux. La nervosité que j'ai réussi à mettre de côté toute la journée revient en force. Je retire ma main de celle de Jack et la pose sur le rebord de la portière, observant le trafic.

– Je suis vraiment désolé pour le chavirage.

– Oublie ça.

– Tu es nerveuse ?

– Oui.

– Ça ira bien.

– Peut-être que tu pourrais lire à ma place ?

– Je ne crois pas que personne veuille m'entendre lire ton livre, Anne.

– Probablement pas.

– Tu n'as qu'à imaginer les gens nus.

Nous roulons sur un nid-de-poule et je me frappe le menton contre le bord de la portière. Je le frictionne, inquiète à l'idée que ça laisse une marque.

– Ça marche vraiment, ce truc ? dis-je.

– Je n'en ai aucune idée.

Le taxi s'arrête en face de la librairie. Il y a une affiche dans la vitrine sur laquelle apparaît ma photo d'auteure ainsi qu'un agrandissement de la couverture de mon livre. *À la maison*, d'Anne Blythe. Comment cela a-t-il pu arriver ?

À l'intérieur, une femme dans la mi-vingtaine — Shelley peut-on lire sur son badge — se tient derrière le comptoir, l'air anxieux. Je suis en retard de dix minutes. Je lui fais mes excuses et elle me dit où me placer pour lire, où je m'assoirai pour signer des dédicaces, puis où me tenir pour boire et manger les bouchées. Elle nous précède dans l'escalier de bois en colimaçon. Je ne peux m'empêcher de regarder ces autres livres sur les étagères, n'arrivant pas à croire que le mien sera bientôt rangé parmi eux. En fait, il doit déjà y en avoir des exemplaires quelque part dans la librairie. Flippant.

À côté du comptoir à café, les tables ont été rangées pour laisser place à des chaises pliantes, un lutrin et une grosse pile de copies de mon roman. Je marche jusqu'au lutrin, puis j'attends nerveusement à côté. Cathy et Gil sont assis à la première rangée, et Jack prend place à leurs côtés. Mes parents sont derrière eux. Mon père se penche vers l'avant et commence à parler à Jack.

Pauvre Jack ! Mon père est probablement en train de lui demander une photocopie de ses fiches dentaires.

Je sursaute alors que quelqu'un me prend dans ses bras par-derrière.

– Hé, A.B.!

Je me retourne pour faire face à William, rayonnant.

– Merci d'être venu, lui dis-je.

– Tu n'es pas sérieuse! Où voudrais-tu que je sois ce soir?

– Ailleurs, à boire un coup?

– Ce n'est pas fou. Mais l'alcool peut attendre... car il y aura de l'alcool, n'est-ce pas?

– Bien sûr.

Il va rejoindre un groupe de collègues. Ils sont plus nombreux que ce à quoi je m'attendais – même la «nazie de la mode» est là. Mon éditeur et ma relationniste sont assis à l'arrière, à côté de Janey et Nan. Susan m'a prévenue qu'elle ne pouvait être là. Je leur fais un signe de la main et elles me saluent en retour, tout excitées. J'essaie de ne pas chercher Sarah dans le public, la personne dont je souhaite vraiment la présence.

Shelley me fait signe qu'il est temps de commencer. Je prends une grande inspiration, j'avance sur l'estrade et je fixe le public. Alors que mes yeux volettent d'une personne à l'autre, c'est *moi* qui me sens nue.

Je m'éclaircis la voix.

– Bonsoir, tout le monde. Je vous remercie d'être venus. Vous ne savez pas à quel point c'est important pour moi. Je voulais dire deux choses avant de vous lire un extrait de mon livre, et avant que, bien sûr, vous en achetiez chacun deux exemplaires.

Je fais une pause pour expulser en toussant un restant de nervosité de ma gorge. Du coin de l'œil, j'aperçois Sarah et Mike qui prennent place à côté de William. Sarah me fait un sourire gêné.

– Alors, premièrement. Écrire un livre est comme j'imagine le fait d'être enceinte. On a une idée de ce que ça doit être, les gens nous disent comment c'est, mais au fond, on n'en a aucune idée. Et chaque personne à qui on en parle nous pose un tas de questions. Quel en sera le nom? Sera-t-il gros ou petit? Quand va-t-il sortir?

Après un moment, c'est tout ce dont on nous parle et il vient un moment où l'on regrette même d'en avoir parlé aux autres. Entre-temps, ça grossit, ça grossit, et tout ce qu'on veut, c'est en finir, que ça sorte. On veut voir le résultat, voir de quoi il aura l'air. Et puis le voilà. On ne sait plus trop s'il est beau, affreux ou quelque chose entre les deux. C'est probablement ici que l'analogie s'arrête, mais bon, quand on le montre à nos amis, ils nous disent tous qu'il est beau. Et même si l'on sait que nos amis disent ça pour nous faire plaisir, c'est ce qui nous donne le courage de le montrer aux autres. De tenter sa chance. Et parfois, la chance nous sourit, comme ç'a été le cas pour moi.

Donc, j'aimerais remercier tous mes amis qui m'ont aidée pendant la gestation de ce livre, et plus spécialement, Sarah, qui l'a lu plus souvent que je ne l'ai fait moi-même.

Je recommence soudainement à me sentir nerveuse.

– Et maintenant, la deuxième chose. Je sais que je devrais probablement vous l'annoncer individuellement, mais bon, tant qu'à vous avoir tous ici devant moi... Pour ceux qui ne le savent pas encore, je me suis mariée récemment, et je veux vous présenter mon mari, Jack.

Jack se lève au milieu d'étouffements de surprise, et de beaucoup de regards curieux, et il fait une révérence. Quelques personnes rient, quelques-unes applaudissent.

– Bon. Je crois que nous avons assez parlé de moi. Voici le premier chapitre de *À la maison*.

«Je sais que vous avez quelqu'un comme ça. Je le sais. Il vous a brisé le cœur et vous n'arrivez pas à l'oublier. Même si vous avez essayé. Et essayé. Alors, vous pensez à lui. Vous pensez à ce que ce serait de le croiser. À ce dont vous aurez l'air quand ça arrivera. Vous voulez qu'il vous désire de nouveau. Peu importe à quel point vous êtes heureuse avec celui qui partage votre vie, vous vous demandez toujours ce que serait votre vie si cette personne qui vous a rejetée ne l'avait pas fait. Quels changements ce petit détail aurait-il entraînés? Pour moi, c'était Ben. Nous sommes restés en contact un temps, après notre rupture, puis je l'ai complètement perdu de vue, ou c'est lui qui m'a perdue de vue, et il y a donc des choses importantes le concernant dont je ne suis plus au courant. L'endroit où il vit, qui il aime, ce qu'il fait de ses journées. Mais j'étais toujours certaine de connaître l'homme derrière cette vie que je ne connaissais pas. C'est idiot, mais c'est ça. C'est ça, et c'était comme ça. »

– Canapé?
– Oui, merci.

Je prends un rouleau aux crevettes sur le plateau et le mets dans ma bouche. La sauce piquante asiatique me brûle la langue. Je prends une grande gorgée de vin blanc, tentant d'arrêter la chaleur qui se propage dans ma bouche.

– Allo, me dit Sarah.

Elle porte un de ses tailleurs de super avocate et ses cheveux sont tirés vers l'arrière. Elle paraît sérieuse et triste.

– Allo, Sarah.

– C'était vraiment très bien.

– Ma lecture?

– Ta lecture, ton discours, ton livre. Tout.

Elle balaie la salle de sa main.

– Merci.

– Comment vas-tu?

– Bien.

– Tu n'as pas retourné mes appels.

– Je sais.

– Tu ne vas pas me rendre la tâche facile, hein?

– Non, je ne pense pas.

Elle hoche la tête de façon résignée.

– J'ai failli ne pas venir ce soir.

– Pourquoi es-tu venue, alors?

– Jack m'en a convaincue.

– Jack?

– Oui. Il m'a appelée. Il m'a dit que je devais être ici. Il a dit que ça te ferait plaisir.

– Je ne savais pas.

Sa voix est hésitante.

– Je suppose qu'il ne te connaît pas aussi bien qu'il le pense, hein?

Elle attend que je dise quelque chose. Et puisque je ne dis rien, elle se tourne pour partir.

La vue de ses épaules affaissées suffit à faire fondre le peu de colère qu'il me reste.

– Sarah, attends. Je suis vraiment contente que tu sois venue. Vraiment.

Je mets ma main sur son épaule, et elle se retourne vers moi, le soulagement écrit sur son visage. Nous nous prenons dans nos bras et je la serre très fort contre moi.

– Peut-être qu'on peut dîner ensemble à mon retour? lui dis-je.

Elle essuie une larme dans le coin de son œil.

– J'aimerais ça.

– Et peut-être que tu peux donner une chance à Jack?

– Au moins dix.

– Arrondis à la douzaine et l'affaire est conclue.

Beaucoup plus tard ce soir-là, après le souper avec Sarah, Mike, William, Janey, Nan, Gil et Cathy, et beaucoup, beaucoup, beaucoup de vin, je me bats avec la serrure de notre apparte- ment. À la troisième tentative ratée, Jack me prend les clés des mains.

– Laisse-moi faire.

Il se concentre et, en douceur, il fait entrer la clé dans la serrure. Il ouvre la porte, se redresse et me fait un sourire mou.

– Tu vois, c'était facile. Tu dois être soûle.

Je mets mes bras autour de son cou.

– Pourquoi es-tu si sexy quand tu fais ça?

– Quand je fais quoi?

– Quand tu mets la clé dans la serrure, quand tu m'ouvres la porte.

– Quoi d'autre est sexy?

– Je ne sais pas. D'autres trucs virils?

Il se penche et me soulève dans ses bras.

– Comme ça?

– Exactement.

Il franchit le seuil de l'appartement, me porte jusqu'au salon et me dépose doucement sur le divan. Il met mes pieds sur ses cuisses, enlève mes talons hauts et commence à me masser les pieds.

– Et ça?

– Oh, oui.

Je profite de la sensation de ses doigts qui pétrissent mes pieds, mes chevilles et mes mollets. Puis, ses mains commencent à remonter le long de mes jambes, ce que j'apprécie encore plus. Jack s'approche de sorte que mes jambes reposent sur ses cuisses, et il m'embrasse dans le cou.

– Y avait du monde ce soir, murmure-t-il entre deux baisers.

– Mmm, hum. En passant, j'ai quelque chose à régler avec toi, monsieur.

Je sens son sourire contre ma peau.

– Hum. Moi aussi, j'ai quelque chose à régler avec toi.

Je le repousse gentiment.

– Tu as appelé Sarah. Tu lui as demandé de venir ce soir.

– Oui.

– Pourquoi?

– Parce qu'il fallait que quelqu'un le fasse.

Il déboutonne mon chandail et se penche vers moi.

– Je suis fâchée contre toi.

– Non, tu ne l'es pas.

– Je pourrais l'être.

– Chut, dit-il dans le creux de mon oreille.

Alors, je me tais.

Ma tête repose sur le torse de Jack, qui respire profondément. La lumière de la lune danse sur le plancher de bois franc. On entend le murmure de la ville au-dehors.

– Tu dors? dis-je.

– Presque.

– Merci d'avoir appelé Sarah.

– De rien

– As-tu mis le réveil?

Il m'embrasse sur le dessus de la tête.

– Ne t'en fais pas. Je vais m'assurer que tu te lèves à temps.

– Merci pour aujourd'hui, Jack.

– Pas de problème.

Je laisse le mouvement de sa poitrine me bercer jusque dans le sommeil. Puis, alors que je suis sur le point de sombrer, je m'entends dire «Je t'aime».

Les bras de Jack se crispent autour de moi et je peux sentir les battements de son cœur s'accélérer. À moins que ce ne soit le mien. Ces mots me font le même effet que l'eau glaciale de la rivière cet après-midi, et j'ai de la difficulté à respirer.

Pourquoi ai-je dit ça? Et que pense Jack? Pourquoi n'a-t-il rien dit?

Cela ne faisait pas partie de notre entente, me dit son silence.

L'amour ne fait pas du tout partie de l'entente.

CHAPITRE 20

LA PIÈCE MANQUANTE
DU PUZZLE

Le lendemain matin, Jack me conduit à l'aéroport. Nous parlons de choses et d'autres : mon itinéraire, le nombre de séances de dédicaces dans chaque ville, ce que nous ferons la fin de semaine à mon retour. Jack promet d'arroser les plantes et de planifier une activité aventureuse, mais pas trop aventureuse. Il semble enthousiaste et n'arrête pas de parler, pendant que je me ronge les ongles et regarde par la fenêtre en essayant de ne pas le questionner sur ce que j'ai dit la veille.

– Alors, tu vas écrire ? dis-je distraitement.

– Oui, je te l'ai dit. Je suis sur une bonne lancée, ces temps-ci.

– Oui, c'est vrai. Désolée, je n'écoutais pas bien.

– Ça va ?

Je me redresse sur mon siège.

– Oui, je suis seulement un peu préoccupée.

– Nerveuse ?

– Un peu.

– Fais ce que tu as fait hier soir et tout ira bien.

Mon cœur tressaille, mais, évidemment, il parle du lancement, pas de ce qu'il s'est produit ensuite. Quand je lui ai dit que je l'aimais. J'ai été stupide, *vraiment* stupide.

Il s'arrête devant l'enseigne de ma compagnie aérienne. Nous descendons de la voiture, il sort ma valise et la pose sur le béton. Je vérifie dans mon sac pour voir si j'ai bien mon billet d'avion, mon portefeuille et mon cellulaire. Tout est à sa place, sauf moi.

– Tu as peur de l'avion ? me demande Jack.

– Non.

– Tu as l'air bizarre.

J'ai du mal à le regarder dans les yeux.

– Je suis juste un peu fatiguée.

Il pose ses mains sur mes épaules et attend que je lève les yeux vers les siens. Comme je ne le fais pas, il prend mon menton et relève ma tête pour me forcer à le regarder.

– Que se passe-t-il ?

J'articule à travers l'énorme boule dans ma gorge.

– Rien.

– Est-ce à propos de… ce que tu m'as dit hier soir ?

Alors, il m'a bien entendue. J'espérais à moitié que non, que j'avais seulement imaginé son corps crispé et son silence, lourd de sens.

– Ah, ça ? dis-je.

J'essaie de rire, mais j'ai plutôt l'air de m'étouffer. Je m'éclaircis la voix.

– J'avais trop bu, et tu sais, c'est dur de se débarrasser de vieilles habitudes… Ça ne voulait rien dire…

– Anne…

– Oublie ce que j'ai dit, OK ?

Je l'embrasse fort sur la bouche, comme pour couvrir ce que je ressens. Si seulement je pouvais savoir ce que je ressens exactement.

Il stoppe net le baiser.

– Peux-tu m'écouter une seconde?

– Je vais manquer mon avion.

– S'il te plaît, Anne.

– Je n'ai pas le temps, maintenant. On en parlera à mon retour, d'accord?

Je lui souris pour lui montrer que tout va bien, que tout ira bien. Je sens son hésitation.

– Oui, d'accord.

– Je t'appelle ce soir.

– OK. Bonne chance.

– Merci.

Je soulève la poignée en plastique de ma valise et commence à la tirer derrière moi, claquetant sur le béton jusqu'aux portes de verre coulissantes.

Lorsque je me retourne, Jack n'est plus là.

Je passe les trois jours suivants à parler, à sourire, à signer mon nom et à lire le premier chapitre de mon livre, encore et encore, jusqu'à ce que je le connaisse presque par cœur. Mon état d'esprit ne s'améliore pas au fur et à mesure que je lis à voix haute toutes ces choses qui nous font tomber amoureux la première fois. Comme l'odeur du chandail de laine d'un garçon. Comme lorsqu'on voit, dans un flash, l'image de l'homme qu'il sera un jour. Ce flash est si court qu'on a l'impression de l'avoir imaginé. Mais quelque chose entre nous change. Il y a désormais un lien qui nous unit, et nous en sommes tous les deux conscients.

On peut en sentir la traction.

– Alors, comment a été ta journée ? me demande Jack lors de notre quatrième conversation téléphonique de fin de soirée.

Je suis couchée sur le lit de ma chambre d'hôtel, le combiné appuyé sous mon oreille.

– Bonjour, je m'appelle Anne Blythe. Quoi ? Oui. Exactement. Anne Blythe. Oui, comme dans les livres d'*Anne*... Non, je suis ici pour lire un extrait de mon livre. Oui, ma mère était obsédée. Ah, vous aussi ? Oui, c'est drôle que j'aie les cheveux roux et les yeux verts. Ma mère a des pouvoirs magiques. Non, le nom de mon mari n'est pas Gilbert. C'est le nom de mon frère. Oui, ma mère est un peu bizarre. D'accord, alors, allons-y. Chapitre un...

– Une autre excellente journée, on dirait.

– C'est ce que je voulais, non ?

– Ça et beaucoup plus encore.

– Je parle comme une petite ingrate.

– Tu parles plutôt comme quelqu'un qui est fatigué.

– Je le suis.

– Pourquoi ne te couches-tu pas ?

– C'est ce que je vais faire. Mais d'abord, je dois manger. Je meurs de faim.

– Alors, je vais te laisser y aller.

Il semble déçu.

– Désolée, c'est seulement que j'ai vraiment faim.

– C'est bon. Je te parle demain. Et je te vois dans deux jours.

– Bonne nuit, Jack.

– Bonne nuit, Anne. Dors bien.

Je raccroche, prends la clé de ma chambre et descends au bar de l'hôtel pour décompresser de ma journée. C'est le genre de place au décor de chasse à courre anglaise, avec un bar en acajou et des murs vert forêt. Il y a un feu dans le foyer et l'odeur du bois qui brûle couvre presque entièrement les années de bières renversées et de whisky. Le bar est vide, à l'exception d'une serveuse en chemise blanche et tablier noir. Elle essuie le dessus du bar, l'air de s'ennuyer, en écoutant la radio. Le Top 40, d'après ce que je peux en déduire. Je décide de m'asseoir au bar plutôt qu'à l'une des petites tables. Elles donnent une impression de solitude, ce que s'asseoir au bar ne fait pas.

Je commande une pinte de Harp et un sandwich au pastrami avec un cornichon. J'ouvre le journal que j'ai apporté pour passer le temps.

– Je peux m'asseoir ici? me dit un homme avec un accent britannique.

– Bien sûr, lui dis-je en lui jetant un coup d'œil de côté.

Il a des cheveux noirs courts et un profil ordinaire.

Il se tourne vers moi.

– Merci. Vous mangez ou vous prenez seulement un verre?

Je plonge mon regard dans ses yeux bleus, bleus, bleus. Il paraissait peut-être ordinaire de profil, mais de face, on dirait un gars parfait pour moi.

– J'attends un sandwich.

Il sourit. Ses dents sont droites, éclatantes.

– Excellente idée.

Il fait un signe à la serveuse et lui commande une Guinness et un sandwich au rôti de bœuf. Pendant que son attention est attirée ailleurs, j'en profite pour le scruter de haut en bas. Il porte un costume noir très bien coupé avec une chemise bleu poudre fraîchement repassée. Il a légèrement défait le nœud de sa cravate bleu marine et détaché les deux premiers boutons de sa chemise, dévoilant juste ce qu'il faut de poils sur son torse.

Il se tourne vers moi de nouveau.

– Alors, qu'est-ce qui amène...

– Une gentille fille comme moi dans un endroit comme celui-ci? dis-je en riant. Vous pouvez certainement faire mieux !

– On pourrait le croire, mais non, je ne peux pas.

Il rit avec moi, d'un rire profond, contagieux.

Merde, merde, *merde*.

– Je suis en tournée de promotion pour mon livre.

Il lève les sourcils.

– Ce n'était pas la réponse à laquelle je m'attendais.

– Quoi? Vous pensiez que j'étais une fille de joie?

Je porte de vieux jeans trop grands et un chandail noir avec un col en V très simple.

Il secoue la tête.

– Je m'appelle Perry.

– Moi, c'est Anne.

La serveuse nous apporte nos sandwichs. Pendant que nous mangeons, Perry me parle de son voyage d'affaires (développement d'affaires) et de ce qu'il fait (enquêtes d'entreprise), et je lui parle de mon livre (pas sa tasse de thé, mais il écoute poliment tout de même) et de ma tournée de promotion (ce qui l'intéresse davantage), et nous passons une heure agréable ensemble. Entre deux bouchées de sandwich et de cornichon, et entre deux bières, je décide qu'il ressemble surtout à John, mais je n'arrive pas à dire s'il s'agit d'une bonne ou d'une mauvaise chose. Tout ce que je sais, c'est que le bruit dans ma tête s'est tu pour la première fois depuis une semaine.

– Alors, me dit-il, pendant que je finis la lie de mon troisième verre.

Nos tabourets sont suffisamment près l'un de l'autre pour que je puisse sentir sa cuisse frôler la mienne. Et c'est comme ça depuis plusieurs minutes, depuis que nous nous sommes tournés en même temps l'un vers l'autre.

– Un dernier verre?

– Je devrais aller me coucher. J'ai encore quelques séances de dédicaces demain matin.

Je me lève. Mes pieds sont instables.

– Attention.

Il met ses mains sur mes épaules. Je sens la chaleur de ses mains à travers le tissu de mon chandail, et je comprends le regard qu'il a dans les yeux. J'ai d'ailleurs peut-être le même. J'ai l'impression que tout se passe au ralenti à ce moment, et je me sens hyper éveillée. Je sens l'odeur de bière éventée et la poussière. Christina Aguilera chante à la radio.

Puis quelque chose change, et je suis frappée par une impression de déjà-vu. La fête pour mon contrat de publication. La façon dont tout chez moi – même ma peau – était attiré par Aaron. Je jette un coup d'œil rapide à la main gauche de Perry pour voir s'il porte une bague. Son doigt est nu, mais, évidemment, le mien ne l'est pas.

– Puis-je te raccompagner à ta chambre?

– Oui.

Mais que suis-je en train de faire, bordel?

– On y va?

Je me tourne pour partir, mais deux pas plus loin, je me sens étourdie.

– Laisse-moi d'abord aller me rafraîchir le visage. Je reviens tout de suite.

– Je t'attends ici.

Il se rassoit sur son tabouret, un sourire sur son visage parfait.

Je me dirige vers les toilettes à l'arrière du bar et pousse la porte battante. La musique de la radio y est acheminée par de minuscules haut-parleurs et le son rebondit sur le carrelage. J'ouvre le robinet pour me laver les mains alors que Christina tient sa dernière note, et la musique passe à un doux son de guitare. Une chanson qui parle d'oiseaux moqueurs qui s'envolent.

Je la reconnais instantanément. C'est la chanson qui jouait lorsque Jack et moi avons dansé, le soir de notre mariage. La chanson qu'il m'a chantée à l'oreille.

Je me regarde dans le miroir pendant que je laisse les mots de la chanson se déverser sur moi. Mon visage me paraît étrange, comme lorsqu'on répète un mot tellement longtemps qu'on n'est plus certain qu'il s'agit d'un vrai mot.

Mon Dieu, mon Dieu, que suis-je en train de faire? Pourquoi suis-je incapable de me libérer de cette ridicule attirance juvénile pour ce type particulier d'homme? Ça ne me ressemble pas de faire ça. Je ne suis pas infidèle. Je ne ramasse pas d'hommes dans les bars. Mais je ne suis pas non plus du genre à épouser des étrangers. Merde! Qu'est-ce que j'attends de Jack, de ce mariage? De cette journée?

Je réalise que je pleure, et j'essuie mes larmes. Mes mains sentent le savon avec lequel je viens de les laver, et ça me fait penser à Jack. Mes mains ont la même odeur que lui. Une odeur de savon et de forêt.

Je me regarde dans le miroir, et je fais face à la réalité. Je sais ce que j'essayais d'ignorer depuis des jours. Ce que j'essayais d'éviter. Ce dont j'avais si peur. Je sais pourquoi j'essayais de me divertir en flirtant avec Perry, comme une ancienne version de moi-même.

J'aime Jack.

Je passe tout droit devant Perry, qui flirte avec la serveuse en mon absence (un plan B?) et je retourne dans ma chambre pour une bonne séance d'introspection.

Après une heure de réflexion, je suis convaincue de deux choses: j'aime Jack, et ça me terrifie.

Pour l'amour, c'est facile à comprendre. J'ai été amoureuse avant. Trop souvent, même. Et Jack et moi sommes compatibles comme je ne l'ai jamais été avec quiconque auparavant. Mais pour ce qui est de la peur... D'où vient-elle? Ai-je peur que Jack ne m'aime pas? Non. Je sais, avec une confiance tranquille, qu'il m'aime. Malgré son silence l'autre nuit, nous nous ressemblons trop pour ne pas ressentir la même chose. Il essayait même probablement de me dire qu'il m'aimait à l'aéroport, mais j'étais trop paniquée pour le laisser parler. Et depuis, chaque fois qu'on s'est parlé, je l'ai maintenu à distance.

Alors, de quoi s'agit-il? Pourquoi suis-je si terrifiée?

Dieu que j'aimerais pouvoir parler à Sarah en ce moment. Mais que pourrais-je lui dire? Que je viens de réaliser que je suis amoureuse de mon mari et que ça me fait paniquer? Ça ne lui prendrait pas cinq minutes pour me faire cracher toute l'histoire sur Blythe & Compagnie. Et même si j'ai besoin de parler, je n'ai aucune envie de révéler comment nous nous sommes rencontrés.

D'ailleurs, en parlant de Blythe & Compagnie, des séances téléphoniques d'urgence avec le Dr Szwick devraient être incluses dans les frais de dix mille dollars.

Que dirait le Dr Szwick si je *pouvais* lui parler ? Il ne me laisserait pas m'en sortir avec un simple « Je ne sais pas pourquoi je suis terrifiée ». Ne devrais-je pas être capable de résoudre ça par moi-même ? Ne devrais-je pas me comprendre moi-même depuis le temps ? Savoir ce qui se passe en moi ?

Mais évidemment que je le sais. Je sais pourquoi j'ai peur de l'amour. C'est parce que, chaque fois, c'est là que ça tourne mal. C'est là que ça dévie du conte de fées. Après la fin du conte vient… la déception. Et je pense que je suis incapable de supporter une autre déception. J'ai fait cette folie d'épouser un étranger justement pour éviter la déception, pour enfin connaître une vraie fin heureuse.

Alors, sauve-toi toi-même, Anne. Encore une fois.

Dans la matinée, j'appelle la compagnie aérienne pour devancer mon vol de manière à quitter tout de suite après ma dernière séance de dédicaces.

Je décide de ne pas prévenir Jack de mon retour hâtif. Je veux lui faire la surprise. Lui faire la surprise et lui dire que je ne retire pas ce que j'ai dit, que je l'aime et que j'espère que c'est réciproque.

Après dix heures d'anticipation heureuse-anxieuse, j'ouvre la porte d'entrée et je crie son nom.

– Jack.

Mon ventre est baratté par un mélange de nervosité et de désir, mais il n'y a pas de réponse. J'essaie de refouler ma déception pendant que j'entre dans le salon. Jack y a installé un banc de scie, mais il a fait peu de progrès sur les étagères. Je souris en regardant le bordel autour de moi, parce qu'en ce moment, j'aime tout de lui, même son côté bordélique.

Je tire ma valise derrière moi jusqu'à la chambre, où il y a encore plus de chaos. Le lit est défait, il y a des vêtements partout sur le plancher et Neil Young se plaint dans le radio réveil. J'éteins la radio et je parcours la pièce du regard à la recherche d'un signe qui pourrait m'indiquer quand il sera de retour. Évidemment, je ne trouve rien, car il ne sait pas que je reviens aujourd'hui. Je pense alors à l'appeler, mais j'aperçois son cellulaire sur la table de chevet. Merde. Je ne peux même pas le prévenir que je suis là.

Frustrée, je retourne dans le salon et m'assois au bureau qu'il a installé dans le coin pour écrire. Son agenda est là, ouvert à la page du jour. Il rencontre son éditeur, Ted, à dix-sept heures trente pour prendre un verre.

Je jette un œil à ma montre. Il est dix-huit heures. Il ne rentrera probablement pas avant un bon moment. Peut-être que je devrais aller le rejoindre au bar? Non, non, c'est du délire. Relaxe, Anne, relaxe.

Je m'assois sur le divan et j'allume la télévision. Je zappe entre les chaînes, sans pouvoir m'arrêter sur l'une d'elles plus de dix secondes. Après quelques minutes, je réalise que je suis assise sur quelque chose d'inconfortable et de volumineux. Je glisse ma main sous moi et je trouve une grosse pile de feuilles retenues par une pince. Je la retourne. Il s'agit du manuscrit sur lequel Jack travaille, celui qu'il ne me laisse jamais lire.

Le titre me fait sentir nauséeuse. Les mains tremblantes, je commence à lire.

Dans la peau d'un homme marié

Prologue

Il y a six mois, je faisais le pied de grue dans le bureau de mon éditeur, attendant l'inévitable «Alors, Jackie, mon garçon, quel sera ton prochain projet ?» C'était toujours la seule raison pour laquelle il me convoquait à son bureau.

Ted est un gars formidable, mais au fil des années où nous avons travaillé ensemble, il a adopté le rôle du père préoccupé en ce qui concerne ma carrière, mon manque général de motivation et mes changements de petites amies tous les six mois. Il a aussi l'habileté agaçante de m'appeler exactement au moment où j'ai le plus besoin de me faire botter le cul. Et puisque les épreuves finales de mon dernier livre ont été approuvées, deux semaines après que Jessica, ma dernière relation de six mois, m'a redemandé sa clé en me disant avec un ton strident de ne plus jamais la rappeler, je savais que ce n'était qu'une question de temps avant que Ted me relance.

– Jackson, ta présence est requise dans mon bureau à quatorze heures pile demain.

– Oui, mon seigneur.

– Ne déconne pas, Jackass. Sois ici à l'heure.

Il a raccroché pour s'occuper d'un autre de ses ados attardés.

Il a une écurie composée d'une vingtaine d'entre nous. Tous des hommes. Tous des écrivains avec un succès moyen. Et ayant tous besoin de son amour «à la dure», sans lequel, selon lui, nous ne ferions rien de nos journées et ne produirions rien de valable. «Alors, vous feriez quoi, hein ?»

— Alors, Jackson, c'est quoi le plan ? m'a demandé Ted, maintenant qu'il m'avait en face de lui.

— Eh bien, j'ai pensé que je pourrais faire une de ces aventures de survie où on vous laisse en pleine forêt, sans rien, pendant deux semaines.

— Putain, Jack, as-tu lu des magazines féminins pour t'inspirer ?

— Que veux-tu dire ? ai-je demandé en essayant de garder mon calme.

— Gwyneth Paltrow vient juste de faire ça pour *Vogue*.

Ted est insomniaque, et il lit et mémorise tout ce qui se fait sous le soleil. C'est une vraie encyclopédie. Qu'il s'agisse de célébrités, de quasi-célébrités, de gens qui pourraient devenir des célébrités, ou même de simples quidams, il y a de fortes chances que Ted les connaisse ou qu'il sache quelque chose sur eux.

— Pourquoi ne pas m'envoyer sur le mont McKinley, alors ? Les gens n'arrêtent pas de mourir là-bas.

— Ça ne s'appelle pas Denali, maintenant ?

— Et alors ?

— Et pourquoi pas l'Everest, monsieur-je-me-prends-pour-Krakauer ?

Il savait qu'il venait d'appuyer sur un point sensible et il aimait ça. Il paraissait à l'aise, un sourire malicieux sur le visage, les pieds sur son bureau et sa tête appuyée contre le dossier de sa chaise. Je me suis aperçu que j'étais en train de rater l'évidence.

– Pourquoi, ne me dis-tu pas, toi, ce que sera mon prochain projet ?

– Bon, tu viens de comprendre.

– On dirait bien.

Il a descendu ses pieds de son bureau et s'est penché vers moi, les yeux remplis d'excitation. Il m'a demandé si j'avais déjà entendu parler de Blythe & Compagnie. Quand je lui ai dit que non, il m'a demandé de fermer la porte. Il avait une idée de bouquin pour moi qui allait me «foutre en bas de ma chaise». Et tout ce que j'avais à faire, c'était une toute petite chose.

Que dois-je faire ? ai-je demandé, avec un soupçon d'appréhension.

Il a fait une pause théâtrale.

Te marier.

CHAPITRE 21

UN PROJET INACHEVÉ

Je lis le récit de Jack jusqu'à la fin, pétrifiée sur le divan, respirant à peine, pensant à peine.

Il y a tellement d'éléments outrageants dans ce livre qu'il est difficile de savoir par où commencer.

Mais en gros :

Il a découvert de nombreux détails sur Blythe & Compagnie, des détails que je n'ai pas réussi à trouver moi-même dans ma petite recherche Internet, ce qui fait de moi soit une mauvaise journaliste, soit une fille idiote à la recherche d'un conte de fées. Ou peut-être les deux. Mais maintenant, grâce à Jack, je sais tout sur le couple de gourous âgés qui a fondé l'entreprise, sur leur grosse maison et leurs comptes en banque en Suisse. Que Blythe & Compagnie fonctionne ou non, que ce soit réel ou non, il y a quelqu'un derrière qui gagne beaucoup d'argent.

Jack a également retrouvé quelques anciens clients de Blythe & Compagnie. Certains nageaient encore en plein bonheur et parlaient de la Compagnie comme des adeptes le feraient de leur secte. D'autres se sont retrouvés appauvris, divorcés et amers. Ils parlaient du «processus» comme des adolescents parlent de leurs notes scolaires: du pur hasard, sans aucune méthode. Je ne pourrais dire si leur relation a échoué par pur hasard, ou parce qu'ils ne lui ont pas réellement donné de chance. Faisaient-ils partie du cinq pour cent d'échec? Y avait-il même un cinq pour cent?

Et puis, *et puis*, il écrit à propos de moi, de la première fois qu'il m'a vue. Oh, bien sûr, il me donne un nom différent: Diana Barry. (Allez, Jack, tu aurais pu inventer un nom au lieu d'en prendre un dans le même livre qui m'a donné le mien.) Mais on voit bien qu'il s'agit de moi.

Jack savait plein de choses sur moi avant de me rencontrer. Dès qu'il a reçu la courte description des mains de Mlle Cooper, il a demandé à un ami de s'introduire dans le système informatique de Blythe & Compagnie et a appris mon nom de famille. Il m'a ensuite *googlée* à fond et a lu tout ce qu'il a pu trouver à mon sujet.

La première fois qu'il m'a vue, ce n'était pas au Mexique. Il m'a suivie durant une journée complète, et m'a observée alors que je magasinais des vêtements pour le voyage. Il spécule sur les raisons pour lesquelles une personne comme moi (belle, éduquée, accomplie) recourrait à des services comme ceux-là. Était-ce ma faute si mes relations passées avaient échoué, ou manquais-je simplement de chance en amour?

Il a cette aptitude étonnante qu'ont les meilleurs journalistes à se rappeler les conversations mot à mot, ou presque, sans devoir prendre de notes. Ainsi, chaque fois qu'il me cite dans le livre, c'est soit quelque chose que j'ai dit, ou que j'aurais pu dire, même si je ne m'en souviens plus. Cette précision ne me rend pas plus facile le fait de voir sur papier ce que j'ai pu dire, et l'opinion qu'il en a.

Le temps que j'arrive à la lecture de notre première nuit ensemble, je suis presque déjà en hyperventilation. Et même si c'est le chapitre le plus pudique, ça me rend malade de voir un moment que je croyais privé rapporté de façon aussi austère sur le papier.

À dix pages de la fin, je jette le manuscrit par terre et cours vers la salle de bains, vomissant ce qu'il reste du dîner que j'ai mangé plusieurs heures plus tôt. Après, je m'assois sur le plancher de céramique froide et pose ma tête contre le mur. L'acte de vomir me rend furieuse. Je déteste vomir. Je déteste le goût métallique et acide dans ma bouche, et l'absence de contrôle, et...

Je déteste Jack. Je le déteste.

Je commence à pleurer.

Le plancher froid et dur fait souffrir mon postérieur. Et mon cœur souffre, il *souffre*, alors je pleure et je pleure, jusqu'à ce je n'aie plus de larmes.

Merde, merde, *merde*. Que vais-je faire? Que vais-je dire à Jack? Comment vais-je être capable de lui adresser la parole, de le voir, de partager mon espace avec lui plus d'une seconde? Je ne pense pas être même capable de ça. Une seconde, c'est déjà trop. Je dois m'en aller avant qu'il revienne. Laisser une note pour lui dire qu'il doit partir et que je ne veux plus jamais le voir. Ne me contacte pas, ne m'appelle pas. Et ne t'avise pas de publier ce putain de livre ou je vais te faire poursuivre en cours par Sarah jusqu'à la fin des temps. Tu crois que tu as eu des échecs dans le passé? Tu n'as pas idée. Je vais te tenir par les couilles et m'approprier tout ce que tu écriras jusqu'à ton dernier souffle, sale enculé!

Seigneur. Quelle heure est-il? Jack sera à la maison bientôt. Je dois me lever. Je dois me ressaisir.

Lève-toi, Anne, lève-toi.

J'entends une clé tourner dans la serrure.

Attends une seconde, Ted. Je pense que je l'ai laissé sur le divan, dit Jack.

Je l'entends clairement malgré les pièces qui nous séparent. Même sa voix me paraît trop près. Puis, j'entends un murmure, dans une voix plus grave, mais sans comprendre les mots. Grâce à un effort suprême, je me lève, je fais couler l'eau dans l'évier et tente d'effacer le chagrin de mon visage. Me sentant étourdie, je m'essuie le visage avec une serviette. Je ne veux pas voir Jack, mais surtout, je ne veux pas qu'il me trouve dans cet état.

– Anne, Anne? Es-tu là?

– Je sors tout de suite, dis-je, avec une voix rauque. Donne-moi une minute.

Ma voix est un peu plus forte.

– Je veux te présenter Ted, me dit Jack, de l'autre côté de la porte de la salle de bains.

Tu me niaises? Il veut que je rencontre *Ted*, celui-là même qui a orchestré cette mascarade de merde? L'idée me fait tellement enrager que je suis soudain remplie d'énergie.

– Une minute, dis-je aussi fermement que possible.

Alors que ses pas s'éloignent, j'ébauche un plan, une façon de faire face à la situation tout en gardant (peut-être) un minimum de dignité. Je me regarde dans le miroir. C'est un désastre, mais je peux arranger ça. Je me brosse les cheveux, j'applique un peu de mascara et replace ma chemise. Je regarde mon reflet à nouveau. J'ai l'air présentable. J'ai l'air normal, pour quiconque sauf moi.

Je redresse les épaules et quitte la salle de bains.

Jack est dans le salon avec un homme dans la fin cinquantaine. Il est à peu près de la même taille que Jack, mais avec
un gros ventre de bière qui crée une protubérance verticale
par rapport à son corps. Il a des cheveux courts grisonnants
et porte des lunettes trop grosses pour son visage. Il tient le
manuscrit de Jack sous son bras.

Je lui tends la main et lui souris de façon aimable. Si mes
yeux sont des poignards, je n'y peux rien.

– Vous devez être Ted. Jack m'a parlé de vous… En fait,
pas tant que ça, mais j'ai beaucoup lu sur vous.

Ted me serre la main, l'air perplexe. Jack s'approche de
moi et m'embrasse sur la tempe. J'essaie de ne pas broncher
quand ses lèvres touchent ma peau.

– Hé, dit-il, tu es de retour plus tôt.

Mon jour de chance.

– Oui.

– Que vouliez-vous dire quand vous disiez que vous aviez
lu sur moi? me demande Ted, perspicace.

– Oh, je parle du livre de Jack, évidemment.

Je pointe le manuscrit toujours sous son bras. Leur visage
est frappé de stupeur. La mâchoire de Jack tombe d'un seul
coup, littéralement. Je n'ai jamais vu personne faire ça avant.
C'est comme dans un dessin animé.

Je me force à rire.

– Voyons, les garçons, vous n'avez pas à être si surpris.
J'ai lu le livre de Jack et je sais maintenant que tout ça n'était
qu'une expérience, un projet.

Je fais un large geste de la main, comme si la pièce et
les étagères de Jack à moitié terminées étaient le projet en
question.

– Alors, je sais. Et maintenant, vous avez une fin pour votre livre. Elle va surgir de nulle part, paf!

Je frappe mes mains ensemble. Elles font un gros bruit de claquement.

Personne ne la verra venir.

Jack retrouve l'usage de sa langue.

– Anne, s'il te plaît...

– Sil te plaït, quol? Tu peux m'expliquer? N'essaie même pas. J'ai lu le livre, tu te rappelles? Maintenant, Ted, je pense que vous pouvez deviner que Jack et moi avons des choses dont nous devons discuter, alors pourquoi ne pas vous en aller?

Je le chasse d'un geste vers la porte. Il l'ouvre et se tourne vers moi, un air attristé sur le visage.

– Anne, laissez-moi m'excuser... Je crois qu'aucun de nous deux n'a pensé à tout ce que ça impliquait avant d'embarquer dans ce projet...

– Ne soyez pas ridicule. Bien sûr que vous y avez pensé. Vous avez seulement omis de penser à moi. Maintenant, pourquoi ne pas me rendre ce manuscrit? Il n'y a pas d'intérêt pour vous à le lire puisqu'il ne sera jamais publié, n'est-ce pas?

Il me le tend, comme un enfant qui vient de se faire prendre à voler des bonbons.

Je tiens fermement le manuscrit contre ma poitrine.

– Au revoir, Ted.

Il ouvre la bouche pour dire quelque chose, mais se ravise. Il salue Jack d'un hochement de tête et sort. Jack est assis mollement sur le divan, ses mains pendant entre ses genoux.

– Et maintenant, Jackson, à moins que tu préfères Jackass?

– Anne, bébé, s'il te plaît.

– Comment oses-tu m'appeler bébé? Ne t'avise plus jamais de m'appeler comme ça.

Jack se lève et marche vers moi. Ses paumes sont ouvertes, tendues vers moi, comme s'il se rendait à la police. Son visage fait figure de drapeau blanc.

– Que veux-tu que je fasse?

– Je vais aller chez Sarah. Et quand je reviendrai demain, je ne veux pas qu'il reste une seule trace de ton passage dans cet appartement. Ça ne devrait pas te prendre trop de temps pour sortir tes choses. Rappelle-toi ce que tu m'as dit quand tu as emménagé. Quelques heures devraient faire l'affaire. Et quand ce sera fait, je veux que tu oublies que tu m'as rencontrée.

– Anne, est-ce qu'on peut en parler?

– Non.

– Vas-tu au moins me donner une chance de m'excuser, de t'expliquer?

– Non.

Il avance de quelques pas vers moi et prend mes bras dans ses mains, juste au-dessus de mes coudes.

– Anne, je t'aime. Je sais que tu ne me crois pas en ce moment. Je sais que tu ne me croiras peut-être jamais, mais ce que j'ai écrit dans ce livre, c'est la façon dont je devais l'écrire, c'est tout.

Je me dégage de son étreinte.

– Ça, c'est des conneries, Jack. Tu n'avais pas à écrire quoi que ce soit. Et tu n'avais certainement pas besoin d'écrire sur *moi*.

– Non, tu as raison. Je n'avais pas à le faire. Mais j'avais commencé à l'écrire avant de te rencontrer. Puis, il était trop tard pour le changer… Mais je veux le changer. C'est ce que je disais à Ted.

– Jack, arrête de me mentir, d'accord? Tu étais *content* de la façon dont ton livre avançait. C'est ce que tu me disais chaque jour.

Il est sans voix, les bras ballants, pendant de chaque côté de son corps.

– C'est bien ce que je pensais.

– Anne, je t'aime. Et je sais que tu m'aimes. Nous pouvons trouver une solution.

Sa voix vacille. Ma gorge se serre. La seule raison pour laquelle je ne pleure pas est que j'ai laissé toutes mes larmes dans la salle de bains.

– Anne, je t'en prie. Peut-on recommencer à zéro? Puis-je faire ou dire quoi que ce soit pour que tu changes d'avis?

Une petite, et stupide, partie de moi voudrait que ce soit possible. Mais je ne peux pas céder. Je ne le peux pas.

Je prends une grande inspiration.

– Non.

Son regard est envahi par le doute.

– Pourquoi pas?

– Parce que… je ne t'aime pas.

Ma voix est tremblante et manque de conviction. Je m'essaie à nouveau.

– Je sais que je t'ai dit que je t'aimais, l'autre soir, mais j'étais soûle et fatiguée. Je ne le pensais pas.

– Anne…

– Non, Jack. C'est vrai. Tu n'étais que mon ami. Et maintenant, tu es cet ami qui m'a fait cette chose complètement horrible. Alors, je n'ai plus besoin de toi dans ma vie. Je veux que tu prennes tes affaires et que tu partes.

La tristesse a envahi son visage, mais le doute l'a quitté. Il me croit maintenant.

J'enlève les bagues qu'il m'a offertes et les pose sur la table. Elles s'entrechoquent en faisant un son creux. J'imagine que c'est le bruit que ferait mon cœur s'il n'était pas en mille morceaux.

– Anne, je t'en prie. Je sais que j'ai tout fait foirer. Je sais que j'ai été un salaud. Mais je t'en prie… ne pars pas.

Les voilà, ces mots que j'aurais voulu entendre il y a six mois d'un autre homme. Ces mots qui auraient pu me retenir. Mais pas maintenant. Pas aujourd'hui.

– Bye, Jack, dis-je, avant de tourner les talons et de quitter l'appartement.

Quand Sarah m'ouvre la porte, je me lance dans ses bras, comme si elle était une bouée de sauvetage.

– Anne, que se passe-t-il ? Quelqu'un est mort ? Anne ?

Je n'arrive pas à parler. Tout ce que je peux faire, c'est hoqueter en cherchant mon air. Elle me conduit au salon et me fait asseoir sur le divan.

– Anne, tu me fais peur. S'il te plaît, dis-moi ce qu'il se passe.

Je m'essuie le nez avec ma manche et prends quelques inspirations tremblantes. Mes mots sortent en éclats saccadés.

– Tu ne vas jamais… croire… tu vas penser que… je… folle…

– Est-ce à propos de Jack ? Vous vous êtes disputés ? Se disputer ne fait pas de toi une folle, Anne, c'est normal.

Je secoue ma tête et je sors le manuscrit de Jack de mon sac.

– Sarah, tu n'as pas idée.

Pendant que Sarah lit, j'enfile un de ses pyjamas, et je me roule en petite boule sur le divan pour regarder un vieil épisode des *Gilmore Girls*. C'est l'épisode où Luke et Lorelai s'embrassent enfin pour la première fois. J'adore cette émission et cet épisode en particulier. C'est parfait et romantique, et la dernière chose que je devrais regarder en ce moment. Mais que voulez-vous? J'aime les contes de fées.

À chaque page ou presque, Sarah lit quelque chose qui la fait s'exclamer: «Non, c'est pas vrai» ou «Tu me niaises?» Après trente pages – je peux deviner que c'est l'endroit où Jack spécule sur les raisons qui me font utiliser un service comme celui-là –, elle dit: «Va te faire foutre, enculé», sur un ton particulièrement brutal. Je ressens un étrange réconfort à être plongée dans ce drame, cette folle, cette incroyable histoire sensationnelle, et à écouter les réactions de Sarah.

Sarah est rendue à la moitié du livre quand Mike rentre à la maison et demande ce qu'il se passe. Sans dire un mot, Sarah lui tend les pages qu'elle a déjà lues. Il s'assoit sur le divan à côté d'elle et commence à lire. On entend son premier « Nom de Dieu! » deux minutes plus tard. Sarah lui fait signe de se taire et continue à lire. Ils lisent pendant deux autres épisodes (apparemment, c'est un marathon des *Gilmore Girls* à la télé), presque jamais à court de mots.

Sarah se rend jusqu'à la dernière page, plus loin que je ne l'ai pu moi-même. Pas surprenant. Elle a toujours été plus forte que moi. Elle lève ses yeux embués vers moi.

– Oh, Anne, mais qu'est-ce que t'as pensé?

Je resserre le jeté en laine polaire autour de mes épaules.

– Je ne sais pas. J'ai pensé que ça pourrait fonctionner.

– Mais tout cet argent. Tout l'argent de ton livre.

– Ce n'est que de l'argent, Sarah. C'était pour ma vie, et j'essayais d'en avoir une.

– Tu as une vie.

– Pas celle que je veux.

– Qui a dit qu'on pouvait avoir tout ce qu'on veut ?

– Toi.

– Oh, Anne.

J'essuie mes larmes avec mes poings.

– Ne sois pas triste pour moi. S'il te plaît.

– Mais tu es tombée amoureuse de lui, non ?

– Comment le sais-tu ?

– Je l'ai senti lors de notre dispute. Tu ne défendais pas seulement ta décision. Tu le défendais lui aussi.

– Je me sens tellement pathétique. Mais j'ai vraiment pensé que ça pourrait fonctionner. Je pensais que *ça fonctionnait*.

Je secoue la tête.

– Oh, mon Dieu. Je vais devoir divorcer.

– Non, tu n'auras pas à le faire, Anne.

– Que veux-tu dire ?

Sarah se mord la lèvre.

– Je t'en prie, ne te fâche pas.

– Quoi ?

– Eh bien... j'ai appelé l'avocat spécialisé en divorce dont je t'avais parlé, tu sais, au cas où tu changerais d'avis. Il a étudié l'affaire pour me faire une faveur... Et... j'ai comme déposé une demande d'annulation de mariage pour toi...

– Tu as quoi ?

Sarah ne sait plus où se mettre.

– Merde. Tu es fâchée, n'est-ce pas ? Je savais que tu serais fâchée. Peux-tu me laisser t'expliquer ?

– Je t'écoute.

– J'ai fait ça au moment de notre dispute. J'étais certaine que tu reprendrais tes esprits, et que les choses entre Jack et toi ne fonctionneraient pas. L'idée était que lorsque ça arriverait, tu n'aurais pas besoin de passer au travers de tout le processus. J'ai pensé que tu serais contente de ne pas avoir à attendre.

– Mais c'était il y a des mois déjà... Est-ce que ça veut dire que...

– Non, il n'y a rien de final. Tu dois signer les papiers. Jack aussi.

Je l'écoute à moitié. Jack et moi sommes à deux signatures de ne plus être mariés. Est-ce que ça rend la situation meilleure ou pire ? Je ne pourrais pas le dire.

Sarah se mord le pouce, anxieuse.

– Es-tu fâchée ?

– Je devrais l'être, mais... je ne sais pas. J'essaie de ne rien ressentir en ce moment.

– Je te comprends. Et je suis désolée.

– Ça va. Tu crois que Jack va publier son livre ?

– Pas après qu'il aura reçu ma lettre de mise en demeure.

Mike relève la tête.

– Le gars écrit vraiment bien.

Sarah lui lance un regard assassin.

– Mike ! Nous sommes du côté d'Anne.

– Évidemment. C'est un salopard. Mais, quand même. C'est bien écrit.

– Mike !

– Je pense que tu vas dormir sur le divan ce soir, mon gars, dis-je.

Il prend un air contrit.

– C'est bon, j'ai compris. Je dois payer pour les autres hommes.

Sarah lui fait un sourire amoureux, qu'elle essaie de me cacher.

– Alors, que s'est-il passé après que tu as découvert le livre ? Tu l'as affronté ?

– Oui. Je suis arrivée une journée plus tôt de ma tournée pour lui dire ce que je ressentais pour lui, pouvez-vous croire ça ? En tout cas, j'ai trouvé *ça* sur le divan. Il devait l'apporter à son éditeur, mais il l'a oublié. Alors je l'ai lu, et j'ai vomi et pleuré sans fin sur le plancher de la salle de bains. Quand il est rentré, on s'est expliqués.

– Qu'a-t-il dit ?

Je leur rejoue la scène en reprenant mon rôle, puis le sien.

– Tu m'impressionnes. Moi, je me serais roulée en petite boule.

– C'est ce que j'ai fait pendant un moment, mais après, j'étais trop en colère, et je ne voulais pas m'effondrer devant lui. Je ne suis pas certaine d'avoir réussi à le berner, mais je suis contente d'avoir essayé.

Je recommence à pleurer. Sarah attire ma tête sur son épaule et me caresse les cheveux.

– Tu avais raison, lui dis-je.

– À propos de quoi ?

– J'ai fait ça seulement parce que tu te mariais.

– Eh bien, ça t'apprendra à vouloir m'imiter...

Nous rions ensemble, à travers mes larmes.

Seigneur. Ça fait mal, rire.

CHAPITRE 22

J'EN REVIENS PAS !

– C'est la chose la plus folle que j'aie jamais entendue.

Je suis recroquevillée sur le divan dans le bureau de William, avec mes jambes ramassées sous moi. Je viens de lâcher la nouvelle du faux mariage et j'arrive à retenir mes larmes. Pour l'instant.

– C'est pourtant bien vrai.

– Im-pos-si-ble.

– Je te jure que c'est la vérité.

– Anne, ça ne se peut pas.

– Tu crois que j'inventerais un truc pareil ?

William fouille mon regard pour y déceler la preuve que je le mène en bateau. Il a l'air à la fois curieux et intensément triste. Les larmes que je refoulais commencent à remonter.

– Donc, en résumé, ton mariage était en fait un mariage arrangé. Et Jack, qui avait l'air formidable et amoureux de toi, n'était en fait qu'un auteur faisant de la recherche pour son prochain livre. Un auteur tellement dédié à son projet qu'il t'a même *épousée* pour le mener à bien. Et toi, tu as été complètement bernée. Et lorsque tu es rentrée à la maison pour lui dire que tu étais tombée amoureuse de lui, tu as trouvé son livre, découvert son secret, et tu l'as chassé de chez toi?

– C'est à peu près ça, oui.

Je tapote le manuscrit qui est sur mes cuisses.

– Tu veux lire toute l'histoire?

– Vraiment?

– C'est plutôt bien écrit, même si je déteste l'admettre.

Il tend la main.

– Eh bien, dans ce cas, passe-le-moi.

Je le lui donne. Il le prend précautionneusement et le soulève de haut en bas comme pour le soupeser.

– C'est tout?

– C'est jusqu'où il est rendu.

Jusqu'où *nous* étions rendus.

– Ça ne semble pas assez lourd pour être si dévastateur.

– Qu'est-ce que le poids vient faire là-dedans?

– Je ne sais pas, j'ai seulement l'impression qu'il n'y a pas assez de mots là-dedans pour changer ta vie au grand complet.

– Pourtant, ça n'a pris que quatre mots pour changer ma vie.

– Lesquels?

– Oui, je le veux.

Un peu plus tard dans la journée, je suis au téléphone avec Gil.

– Alors, peux-tu le dire à papa et maman?

– Pourquoi suis-je toujours ton messager?

– Parce que tu es le meilleur frère du monde?

Il glousse de rire.

– Bien sûr que je peux leur dire, Anne. Si c'est ce que tu veux.

– Merci, c'est important pour moi.

– Tu veux que je lui foute mon poing sur la gueule ?

– Tu ne peux pas savoir à quel point c'est tentant comme offre.

– Ça ne ressemble pas à la Anne que je connais.

– Je ne suis pas sûre que la Anne que tu connais existe encore.

– Tu veux venir manger à la maison ?

– Je vais y penser.

– S'il te plaît, viens.

Ma gorge se serre. Une sensation qui revient un peu trop souvent ces temps-ci.

– Je dois y aller, Gil. Je t'appelle plus tard.

Je raccroche et commence à ramasser mes affaires sur mon bureau, me préparant à rentrer chez moi. Je ne suis pas retournée à l'appartement depuis notre confrontation. Sarah est allée chercher quelques-unes de mes affaires et m'a confirmé que Jack était bel et bien parti. Elle est revenue avec des vêtements et une lettre de Jack.

J'ai fixé l'enveloppe pendant un long moment, puis je l'ai mise de côté, incertaine de vouloir lire ce qu'elle contenait. Nous avons loué un film d'action et commandé une pizza. Quand Sarah et Mike se sont couchés, j'ai finalement ouvert l'enveloppe, incapable de résister plus longtemps.

L'aspect visuel de la lettre m'a presque achevée. Jack l'avait tapée à la machine, donc elle ressemblait à son livre. Mauvais choix, même si je ne pense pas qu'il l'ait fait consciemment. Mais quand même, rien que de voir les mots, de savoir que

c'est Jack qui les avait écrits, ça me faisait trop mal soudainement et je n'ai pas pu la lire. J'avais plutôt envie de la brûler.
De la mettre dans le foyer de Sarah, d'y mettre le feu avec une
allumette et de la regarder se transformer en cendres et disparaître en fumée.

J'en ai été incapable, évidemment. Il me fallait connaître
toute l'histoire. La partie que Jack n'avait pas encore écrite. Je
voulais savoir s'il pouvait encore me surprendre. On dirait bien
que non.

Chère Anne,

Excuse-moi d'écrire cette lettre à la machine, mais
je n'arrive pas à empêcher mes mains de trembler et je
veux que tu puisses comprendre ce que j'ai besoin de
te dire.

Parce que j'ai besoin que tu saches que je suis
désolé de ce que je t'ai fait plus que je ne l'ai jamais été
dans ma vie. Je sais que tu ne peux pas me croire, que
je n'ai rien fait pour mériter ta confiance. Et je ne sais
pas si ce que j'ai fait est pardonnable.

Tu vois, tout ça est très confus pour moi, aussi.
T'épouser est à la fois la plus belle et la pire chose que
j'aie pu faire dans ma vie. Ou plutôt, la pire chose que
j'aie fait, c'est d'avoir écrit ce livre. Parce que, si je ne
l'avais pas fait, tu n'aurais pas eu à savoir tout ça. Nous
aurions pu être heureux. Je le crois sincèrement.

Je t'aime, Anne. J'espère que tu le sais, et que tu
peux arriver à le croire. Et ce avec quoi je vais devoir
vivre maintenant, c'est de me demander pourquoi ça ne
m'a pas suffi. Pourquoi ça ne m'a pas empêché d'écrire.

Pourquoi je n'ai pas jeté mes pages à la poubelle après avoir couché avec toi la première fois.

Pourquoi n'ai-je pas été assez fort pour ça?

La seule réponse que j'aie, c'est que je suis un homme faible. Je sais que je n'ai aucun droit d'espérer qu'il y ait à nouveau quelque chose entre nous. Mais je dois quand même espérer. Je dois espérer que tu es à la fois meilleure que moi et aussi faible que moi.

Je dois espérer, Anne. Je t'en prie, pardonne-moi.

Je t'aime,

Jack

Je me sentais étonnamment engourdie en lisant la lettre. Non pas parce que je ne le crois pas. Je le crois. Je sais qu'il est désolé et qu'il tient à moi. Et cette même petite, et stupide, partie de moi voudrait même lui pardonner, pour sentir encore ses bras m'entourer, ses lèvres sur les miennes, et l'entendre me dire qu'il m'aime. Mais ça, c'est la partie de moi qui croit encore aux contes de fées. La partie de moi qui attend encore que le petit garçon qui me tirait les tresses devienne l'homme parfait. C'est la partie de moi qui croyait que j'étais amoureuse de Jack.

À mi-chemin vers chez moi, je change d'idée et décide d'aller plutôt chez Gil et Cathy, pour retarder encore un peu la vue et l'odeur de mon appartement. Je hèle un taxi et le laisse se faufiler dans le trafic de fin de journée vers leur maison, sans me préoccuper du prix de la course qui sera bien sûr exorbitant.

Lorsque nous quittons l'autoroute, quelque chose en moi change. Au lieu de cette impression d'entrer en terrain étranger que j'ai d'habitude lorsque je traverse la frontière du comté, je me sens rassurée. Le battement de la pluie sur le pare-brise, le bruit des essuie-glaces et l'odeur de béton mouillé et de pelouse qui entre par la fenêtre me donnent le sentiment d'être chez moi.

Je demande au chauffeur de taxi de me laisser à quelques pâtés de maisons de ma destination. Je n'ai pas de parapluie, mais ce n'est qu'une pluie fine, inoffensive. Je marche devant les maisons confortables, observant par les fenêtres leur vie illuminée de l'intérieur.

Une voiture roule dans une flaque d'eau derrière moi, me ramenant brusquement à la réalité. J'ai déjà passé assez de temps dans le monde des rêves pour un bout.

Je marche jusqu'à la porte d'entrée de Gil et Cathy. La toujours vigilante Jane répond à l'appel de la sonnette, ouvrant la porte en coup de vent.

– J'ai ouvert la porte.

– Je vois ça, ma chérie.

– L'an prochain, au retour de l'école, je vais avoir une clé et je vais rentrer à la maison toute seule.

– Je ne sais pas pourquoi, mais ça m'étonnerait.

– Non, c'est vrai.

Elle s'arrête et m'étudie un instant.

– Matante Anne, pourquoi es-tu triste?

Ah, la perspicacité d'une enfant de presque sept ans.

– Parce que mon cœur me fait mal, ma puce.

– Est-ce que le docteur peut le réparer?

– Je ne crois pas.

Elle réfléchit.

– Peut-être qu'oncle Jack peut le réparer?

– Non, ma chérie, pas lui, non plus.

– Est-ce que moi, je peux le réparer ?

Je me penche pour la regarder dans les yeux et je reviens instantanément dans le temps, au moment où j'avais son âge. C'est bizarre, parce que tout ce dont je me souviens de cette époque, ce sont les fois où je me suis blessée. La façon dont je me suis cassé le bras chez Brownies. Comment je me suis brûlé la main sur la cuisinière. La fois où j'ai eu un empoisonnement alimentaire à l'école. Je ne me souviens pas de la douleur physique, seulement des événements l'entourant. Mais en regardant Jane, je peux me rappeler à quel point j'étais excitée à propos de tout et de rien alors. À quel point j'ignorais qu'une mauvaise chose pouvait m'arriver à moi ou à ceux qui m'entouraient.

Je l'attire à moi. Elle m'entoure le cou de ses petits bras.

– Peut-être que oui, ma puce. Peut-être que oui.

Nous sommes assis autour de la table, à finir une deuxième bouteille de vin et à parler de tout sauf de Jack. Ou plutôt : *je* suis en train de finir une deuxième bouteille de vin. Gil en a pris un verre et Cathy a plaidé la grossesse.

– Maintenant, Anne. Raconte-nous toute l'histoire, me dit Cathy, avec un air sérieux.

Je secoue la tête.

– Je ne peux pas. Mais attendez une seconde.

Je vais dans le corridor, à la recherche de mon sac. Je le trouve près de la porte d'entrée et le rapporte à la table, en titubant légèrement.

– Je n'arrive toujours pas à le croire, dit Cathy alors que je dépose le manuscrit sur la table.

– Je sais, je sais… Voilà le manuscrit, j'ai écrit un addenda.

J'ai fait ça hier soir chez Sarah, alors que j'étais incapable de dormir. L'écriture n'est pas à la hauteur de celle de Jack, mais ce n'est pas vraiment ça le plus important.

– Un addenda ?

– Exactement. Je n'en peux plus de répéter encore et encore à tout le monde ce qui s'est passé, alors j'ai écrit un addenda au livre de Jack. Au lieu de raconter toute l'histoire, je n'ai qu'à donner aux gens les deux documents. Je n'aurai plus rien à expliquer.

Cathy est sceptique.

– Anne, tu dois parler à quelqu'un. Peut-être un thérapeute ou…

– Non. Plus de thérapeute.

Je vide d'un seul trait mon verre de vin.

– J'ai lu un article l'autre jour qui disait que la plupart des gens sont incapables de distinguer le vin blanc du rouge les yeux bandés. Vous pensez que c'est vrai ?

Gil commence à ramasser les assiettes. Il prend ostensible-ment la bouteille de vin et l'emporte avec lui dans la cuisine.

– Je pense que Gil désapprouve ma consommation de vin, dis-je à Cathy en chuchotant.

Elle pose sa main sur la mienne.

– Il est seulement inquiet pour toi, Anne. Il t'aime vraiment beaucoup, tu sais. Nous t'aimons beaucoup tous les deux. Et les filles aussi.

– Je sais Cathy. Merci.

Je déglutis avec effort.

– Tu veux le lire ?

– D'accord.

Je lui tends le manuscrit et me dirige vers la cuisine pour ne pas entendre les expressions de stupeur qui vont assurément accompagner sa lecture. Gil est debout devant l'évier. Il rince les assiettes et les met dans le lave-vaisselle. Je remplis mon verre avec le reste de la bouteille.

– Tu sais que tu gaspilles de l'eau comme ça ?

– Depuis quand es-tu si préoccupée par l'environnement ?

– Je dis ça comme ça.

Il place la dernière assiette dans le lave-vaisselle, en referme la porte et se tourne vers moi. Il fronce les sourcils en voyant le verre dans ma main.

– Tu ne crois pas que tu as assez bu ?

– Tu ne devrais pas t'inquiéter autant pour moi. Je vais m'en sortir. Je suis forte. Je suis déjà passée par là avant. Je vais survivre.

J'aime m'entendre dire ça. Je vais survivre. Comme dans la chanson de Gloria Gaynor. Oui, tout à fait. *Don't be afraid, don't be petrified.* Ta-da-la-dan-dan... Oui, c'est ça ... *I'm going to have to change the god damnlocks 'cuz I forgot to make you give back your key...* et un autre couplet, puis la meilleure partie : *So, go, go, go, walk through my door, and don't turn around, no, I won't welcome you here anymore, you think I'm going to crumble, that I might want to die, but no, no, no, I will survive!* Je vais survivre !

– Mais qu'est-ce que tu fais, Anne ?

Je m'arrête en plein milieu de ma pirouette.

– Je dansais sur une chanson qui joue dans ma tête.

Gil m'enlève mon verre.

– C'est clair que tu as trop bu.

– Espèce de rabat-joie.

Je m'assois au comptoir du coin déjeuner et pose ma tête sur mes bras. Je fais claquer mes talons, essayant de retrouver le rythme de la chanson, mais je l'ai perdu. Le claquement de mes talons me rappelle cette fameuse nuit, il y a plusieurs mois. La nuit où j'ai trouvé la carte de visite de Blythe & Compagnie sur le trottoir. J'ai fait claquer mes talons trois fois, pour me retrouver ailleurs, je ne sais où. Et ça avait fonctionné, après un certain temps. Peut-être pas pour le mieux, ou d'une façon que je voudrais revivre, mais peut-être que ça pourrait fonctionner encore. Je ferme les yeux et je les fais claquer ensemble. Clac, clac, clac.

– Anne, tu fais quoi là ?

J'ouvre mes yeux.

– Je fais un vœu.

– Tu fais une drôle de fille soûle, Cordélia.

– Peut-être que oui, peut-être que non.

Il va au salon pour regarder la télévision. Après un moment, je le suis, mais pas avant d'avoir entendu un éloquent « Putain de merde ! » de la part de Cathy, toujours dans la salle à manger. L'entendre me rappelle pourquoi je suis ici, et la douleur qui m'avait quittée l'instant d'une chanson, d'un vœu, d'une blague, revient d'un seul coup et me tombe pesamment sur les épaules.

Gil est assis dans son fauteuil préféré, alors je me pelotonne sur le divan. Nous restons assis là, ensemble, sans parler, à regarder un épisode du *Daily Show* que Gil a enregistré.

– Tu sais, j'ai déjà rencontré les scripteurs de cette émission au Costa Rica, lui dis-je.

– Mais tu es pleine d'histoires intéressantes ce soir.

Je lui lance un coussin à la tête.

– Ta gueule !

– Beau langage.

– Tu devrais entendre ta femme en ce moment. Je suis certaine qu'elle dit des choses pires que ça.

– Chut, Anne, j'essaie de regarder l'émission.

Je m'enfonce dans le divan et ne dit plus un mot.

À un moment donné, je tombe dans un demi-sommeil duquel je peux entendre la télévision, mais sans pouvoir mettre les mots ensemble, ou déterminer s'ils sont drôles.

Après un long moment, Gil – ça doit être Gil – éteint la télévision et avance à pas feutrés dans la pièce. Il dépose une couverture sur mes épaules et m'embrasse sur le dessus de la tête.

– Dors bien, petite sœur.

Pas de puces, pas de punaises.

CHAPITRE 23

POLITIQUE DE REMBOURSEMENT

Je me réveille le lendemain avec un torticolis et les cheveux dressés en épi de chaque côté de la tête. Avec la nouvelle journée qui commence, je m'aperçois que j'ai passé suffisamment de temps à faire le deuil de Jack. J'ai assez pleuré, assez parlé de lui ou pensé à lui. Je n'ai connu cet homme que pendant quelques mois, nom de Dieu ! Je suis plus forte que ça. J'ai survécu à bien pire. Je ne vais pas laisser cette histoire dicter ma vie.

Je rejette la couverture et m'assois, pleine d'énergie, prête à affronter cette nouvelle journée. Ça dure environ trente secondes, jusqu'à ce que je sois attaquée par les bouteilles de vin consommées la veille. Je suis instantanément frappée par un mal de tête atroce et j'ai l'impression qu'il me reste deux, peut-être trois secondes pour me rendre aux toilettes avant que tout ce qui pourrait rester de nourriture ou d'alcool dans mon corps soit expulsé.

Je prends de grandes inspirations et me concentre de manière à calmer mon estomac. Après quelques minutes, ça commence à fonctionner. La nausée et la douleur s'estompent.

Je me lève et me dirige vers la cuisine, en suivant l'odeur de café frais. Ça sent bon, malgré le vin qui joue au trampoline dans mon estomac.

Cathy est devant la cuisinière, en train de faire cuire des œufs et du pain doré. Mary gazouille dans son parc, dans un coin de la pièce.

– Es-tu une vraie personne ou un robot? dis-je.

Cathy me regarde et s'esclaffe.

– Toi, tu ressembles davantage à Fifi Brindacier qu'à Anne de *La maison aux pignons verts* ce matin.

Je mets mes mains sur les côtés de ma tête, essayant de replacer mes cheveux, sans succès.

– Je vote pour « robot ».

– Il y a du café, me dit-elle en pointant la cafetière.

– Merci. J'essaie de savoir si ça va me faire sentir mieux ou pire.

Je m'assois sur l'un des tabourets et laisse tomber ma tête sur mes bras, en essayant de faire arrêter la Terre de tourner.

– Si terrible que ça?

Gil pose sa main sur mon épaule et la serre gentiment.

– Mais pourquoi m'as-tu laissée boire autant?

– Je suis pas mal sûr de ne pas avoir fait ça.

Je soupire bruyamment et je soulève la tête. Gil se tient derrière Cathy. Il l'entoure de ses bras et caresse son gros bedon rond.

– Bon, bon, assez avec vos mamours! Vous me rendez jalouse de mon propre frère!

– Désolée, Anne, me dit Cathy.

Gil prend la cafetière et nous sert chacun une tasse de café. Je prends la tasse dans mes deux mains et sens la chaleur les pénétrer. Je prends quelques gorgées hésitantes et laisse la caféine faire son chemin dans mes veines. Je me sens infinitésimalement mieux qu'il y a quelques minutes. Je peux sentir, brièvement, comment ce sera lorsque je serai totalement remise.

– Alors, quel est le programme pour aujourd'hui? me demande Gil en mangeant un morceau de pain doré avec ses doigts.

– Je suis censée être au travail.

– «Censée» étant le mot important dans ta phrase?

– Oui.

– Tu vas prendre une journée de maladie?

– Je pense que c'est une évidence.

Cathy dépose une assiette de pain doré devant moi et je prends quelques bouchées prudentes. Une bouchée, une grande inspiration, une gorgée de café, puis répétez. Je m'arrête après trois ou quatre répétitions pour m'assurer que ça ne remonte pas. Ça va, pour l'instant.

Jane et Elizabeth déboulent dans la cuisine dans des pyjamas à pattes assortis, remplies de leur joie matinale. Elles gambadent dans la cuisine, mangent leur déjeuner bruyamment et se disputent avec leur maman sur les vêtements qu'elles veulent porter. Jane grimpe sur mes cuisses et me fait un gros câlin.

– Qu'est-ce qui me vaut ce gros câlin?

– Pour que tu te sentes mieux, voyons. Tssss!

Elle glisse par terre et se met à courir en direction de l'autre pièce, ses petits pieds faisant *pout, pout, pout* sur le plancher, ses cheveux roux volant dans les airs.

Je remercie Cathy pour le déjeuner et la soirée de la veille, j'embrasse les filles et je prends le train pour le centre-ville avec

Gil. J'appelle au bureau pour dire que je suis malade. Je devine au ton de la réceptionniste qu'elle connaît déjà l'histoire avec Jack et qu'elle sait que mes tentatives pathétiques de tousser et d'éternuer sont une imposture. Je me promets de botter le cul de William pour son indiscrétion.

J'hésite devant ma porte, incertaine d'être capable de faire face à mon appartement déserté. Mais, comme au déjeuner, après quelques bonnes inspirations, je trouve la force pour le faire. J'entre et me mets directement au lit. Mon lit. Notre lit. De nouveau mon lit maintenant, j'imagine. Je peux encore sentir Jack sur les draps alors que je serre son oreiller contre moi, l'inspirant et l'expirant, inspirant et expirant, jusqu'à ce que je m'endorme.

Je dors plusieurs heures, remplies de rêves à propos de Jack. Quand je me réveille, je serre toujours l'oreiller qui porte son odeur dans mes bras. Je reste dans cette position encore quelques minutes, à le respirer, jusqu'à ce que ça devienne insoutenable. Je ne sais pas contre qui je suis le plus fâchée : Jack, ou moi pour m'accrocher ainsi à quelque chose qui me fait penser à lui.

Ma colère me remet dans l'état où j'étais chez Gil et Cathy, le «je-peux-passer-par-dessus-ça» et le «ce-n'est-pas-ça-qui-va-m'arrêter». Je suis prête à tout faire, peu importe ce que ça doit être, pour me ressaisir. Et cette fois, lorsque je m'assois dans mon lit et repousse les couvertures, je ne suis pas ralentie par une gueule de bois.

J'enlève les draps et les mets dans le panier à linge sale. Puis je prends une douche. Pendant que je me savonne, j'ébauche un plan. J'enfile du vieux linge et je me mets au travail.

Je commence par le plus gros obstacle : le projet d'étagères de Jack. Même à moitié fini, ça prend trop d'espace dans mon salon. J'emprunte une masse à mon concierge et détruis les étagères sans trop causer de dommages au mur. Chaque fois que je soulève la masse et l'abats sur les planches, je me sens plus forte. Quand le bruit cesse et qu'il ne reste que des décombres, je ramasse les débris, les mets dans des sacs poubelle ultra-résistants et les traîne jusqu'au bord du trottoir. Puis je déplace mes bibliothèques jusqu'au mur pour cacher les dommages, soulagée que nous n'ayons pas fusionné nos collections de livres, finalement.

Ensuite, je réarrange les meubles dans le salon, les remettant là où ils étaient avant que Jack installe son coin de travail, ce coin où il a écrit cet affreux livre. J'achète un petit arbre fruitier d'intérieur pour meubler cet espace. Je ne connais rien au *feng shui*, mais je peux sentir l'énergie circuler différemment dans la pièce, comme lorsqu'on ouvre les fenêtres pour la première fois après un long hiver.

Quand tout est terminé, je regarde autour de moi. Je veux m'assurer qu'il ne reste plus aucune trace du passage de Jack.

À part quelques marques sur le mur, c'est comme s'il n'avait même jamais été ici.

Ce soir-là, je prends la carte de visite demeurée insérée dans le cadre de mon miroir de salle de bains et la déchire en le plus de morceaux que je peux, que je jette ensuite à la poubelle. Ma carte porte-bonheur : c'est ce que j'ai toujours pensé.

Peut-être que maintenant, ma chance va tourner.

Le lendemain matin, en sirotant mon café, je trie le courrier accumulé durant ma tournée et mon séjour chez Sarah.

Facture, facture, publicité, publicité. Et puis la voilà, au milieu de la pile : une enveloppe de Blythe & Compagnie. Je l'ouvre. C'est une facture pour les séances de thérapie du dernier mois avec le Dr Szwick.

Je n'en reviens pas de leur impudence. Nous ne sommes même pas allés au dernier rendez-vous, et je ne vais certainement pas aller au prochain. Je suis furieuse contre eux, contre Jack, mais surtout contre moi, parce que je leur ai donné tellement d'argent, et parce que je me suis fait avoir. Et même s'ils n'ont aucune idée de ce qui est arrivé avec Jack, et de son livre, cette facture est la goutte d'eau qui fait déborder le vase.

Je dois faire quelque chose, obtenir quelque chose d'eux, riposter. Comment, mais comment puis-je me venger ?

Je considère mes options. Je pourrais toujours écrire un article sur eux, mais alors, je m'exposerais moi-même. Tous ceux qui sont au courant de mon mariage expéditif feront un plus un et penseront « Anne est une folle finie ». Et en plus, ça pourrait causer du tort aux autres couples qui ont utilisé le même service, et je ne veux pas faire ça.

Puis, ça me frappe d'un seul coup. Je sais quoi faire. Pourvu que j'aie le culot de le faire.

– Mademoiselle Cooper est prête à vous recevoir.

Ma tête surgit de derrière le magazine que j'étais en train de regarder. Alors que je me lève, il tombe sur le plancher dans un bruit de glissement sourd. Je le remets sur la table et suis la réceptionniste le long du chemin familier qui mène au bureau de Mlle Cooper.

– Comment allez-vous, mademoiselle Blythe ? Ou devrais-je dire madame Harmer ? me dit-elle en souriant avec son air pincé.

Qu'elle utilise le nom de famille de Jack, surtout en lien avec moi, envoie une vague de frisson courir le long de ma colonne.

– Mademoiselle Blythe fera l'affaire.

Je m'assois en repliant mes poings sur mes cuisses. Elle enchaîne aussitôt.

– Que puis-je faire pour vous ?

– Je suis ici… pour obtenir un remboursement.

Pardon ?

Je parle plus fort.

– Je suis ici pour obtenir un remboursement.

– Comme je crois vous l'avoir bien expliqué, nous ne faisons pas de remboursements.

– Eh bien, l'homme que vous m'avez trouvé ne vaut pas un clou, et je veux être remboursée.

Elle me regarde de sa manière inexpressive habituelle.

– Est-ce une blague ? Devrais-je rire ?

– Je vous assure que je suis très sérieuse. J'ai été dupée, et je veux récupérer mon argent.

– Je n'ai aucune idée de quoi vous parlez.

– Je parle du fait que vous deviez me trouver un mari. Un *vrai* mari. Vous n'étiez pas censée prendre mon argent et me jumeler à un homme écrivant un exposé sur vos très lucratifs et soi-disant services.

J'ai réussi. J'ai finalement dit quelque chose à quoi Mlle Cooper ne s'attendait pas. Elle cligne des paupières plusieurs fois et semble sans mot. Elle toussote.

– Que voulez-vous dire ?

– Je veux dire que Jack Harmer ne cherchait pas une femme, il écrivait un livre sur le mariage arrangé. Un livre du type « téléréalité », « Dans les coulisses de… », « Nous avons infiltré et découvert», à propos de cette agence, de notre mariage et de moi. Alors... je...veux... un...remboursement.

Je tape sur son bureau du plat de la main pour souligner chacun des mots. Mlle Cooper tressaille à chaque coup. Puis, elle prend le combiné de son téléphone, appuie sur un bouton, et parle.

– Faites venir la sécurité dans mon bureau immédiatement, s'il vous plaît.

– Bien sûr, c'est ça. Jetez-moi dehors, faites comme si ce que je vous ai dit n'était pas vrai. Mais c'est vrai. Et je vais obtenir mon remboursement.

Je plonge ma main dans mon sac et en ressors une copie du manuscrit de Jack. Je le jette sur son bureau alors que deux hommes en costumes noirs et cravates minces apparaissent sur le pas de la porte.

– Un peu dramatique, vous ne pensez pas? leur dis-je. Je ne pèse que cinquante-cinq kilos.

Je pointe en direction du manuscrit.

– Lisez ça, mademoiselle Cooper. Lisez-le et pensez à ce que ça va faire à votre entreprise, ce que ça va faire à votre emploi, si jamais c'est publié. Ensuite, faites-moi savoir si vous souhaitez maintenir votre politique de non-remboursement. Vous savez comment me joindre.

Je passe devant les hommes en noir, la tête haute. Ils me suivent jusqu'à la réception, où une femme dans la mi-quarantaine à la pâle beauté attend nerveusement. Je marche jusqu'à la porte d'entrée, l'ouvre, puis me retourne et dis bien fort à la femme :

– Suivez votre instinct. Ne le faites pas.

Elle a l'air interloqué.

– Pardon ?

– Ne le faites pas. Levez-vous et partez d'ici. Ils n'ont rien de bon pour vous ici.

Les hommes marchent dans ma direction, les épaules menaçantes.

– D'accord, d'accord, ne vous en faites pas, je m'en vais

J'avance à grands pas vers l'ascenseur et j'appuie sur le bouton. L'ascenseur tinte, et j'y monte. Les portes se referment derrière moi et je commence à trembler. Je tremble, mais je me sens mieux. Je me sens plus forte.

Et c'est dans ce moment de force, de mieux-être, que je réalise que je peux survivre à ça. Je le peux.

CHAPITRE 24

TOUJOURS VIVANTE

Et je le fais. Je survis à cette première semaine sans Jack. Je survis à la deuxième et à la troisième, et un mois passe, puis deux, et je ne pense plus à lui constamment, en me demandant si je vais le croiser quelque part. Le temps passe, jusqu'à ce que ça fasse plus de temps que la durée même de notre relation, plus de temps que lorsque j'ai su qu'il existait, plus de temps que lorsque je contemplais l'idée de le trouver. Le temps passé avec lui est de plus en plus distant, comme un souvenir d'enfance, comme une petite étoile à la limite de la galaxie.

Je travaille beaucoup, je vois Sarah et Mike, parfois aussi William. Je suis là quand Cathy donne naissance à sa quatrième fille. Je tiens la petite dans mes bras alors qu'elle est âgée d'à peine quelques minutes. Pendant que je berce son corps minuscule contre le mien, toute sa poitrine se soulève et s'abaisse au rythme des battements de son cœur. Elle sent propre et neuf, et quand ses yeux s'entrouvrent, ils voient tout pour la première fois. Un monde entier à découvrir. Mes larmes tombent sur sa dormeuse, sur cette enfant qui aurait pu être la mienne, qui aurait pu être la mienne et celle de Jack. Puis, je chasse cette pensée, et elle n'est plus que ma quatrième nièce adorée. Je la rends à sa mère.

Je fais quelques séances de dédicaces, mais mon livre ne révolutionne pas le monde de l'édition. Quand même, j'ai un contrat pour deux livres et un échéancier à respecter, alors mes nuits et mes fins de semaine sont consacrées à écrire furieusement et à tenter de ne pas détester chacun des mots que je mets sur papier. Mon deuxième roman parle d'une femme dont la vie est complètement bouleversée par un voyage en Afrique qui ne se déroule pas comme prévu. Rendue à la moitié, je me maudis de ne pas avoir choisi la voie facile et de ne pas avoir plutôt écrit la suite de *À la maison*. Mais une chose est certaine : l'héroïne de *ce roman* ne se fait pas sauver par un homme !

Un autre anniversaire passe. J'ai trente-quatre ans, à un an du redoutable trente-cinquième anniversaire. Sarah et Mike organisent une soirée pour moi et personne ne me demande quoi que ce soit à propos de Jack.

Tous les jours, je parcours mon courrier à l'affût d'une enveloppe de Blythe & Compagnie, dans l'espoir d'obtenir un remboursement, mais elle n'arrive jamais. Finalement, je décide de lâcher prise. L'important, c'est d'avoir eu le courage de le demander.

Il m'arrive même de sortir avec des hommes, lorsqu'ils me le demandent. Mais, même s'ils sont assez gentils, intéressés et même plutôt mignons, je ne ressens pas de connexion, et il n'y a jamais de deuxième *date*.

— Alors, c'était quoi le problème avec lui ? me demande Sarah autour d'une bière, quelques jours après ma rencontre avec Gary, son gentil nouveau collègue.

— Veux-tu voir ma liste ?

Sarah redresse la tête.

– Tu as fait une liste ? Vraiment ?

– Bien sûr.

Je prends une serviette de table et je sors mon stylo. J'écris un mot dessus et la lui tends.

– Qu'est-ce que ça signifie ?

Le mot que j'ai écrit est « moi ».

– C'était ça, son problème. Je suis incapable de juger s'il est bien ou non. Je ne suis même pas capable de faire une liste des pour et des contre. Je crois que c'est fini pour moi les *dates*.

– Tu ne peux pas décider d'arrêter de fréquenter des hommes à trente-quatre ans.

– Ah, oui ? Et c'est de qui cette règle ?

– De moi.

– Ce n'est pas toi qui gères ma vie.

– Oui, c'est moi, en fait. Rappelle-toi que c'est moi la patronne de ta vie amoureuse.

Je me suis entendue avec elle sur ça il y a un mois, après quelques bières de trop.

– Je ne crois pas que tu puisses légalement me forcer à respecter cette entente.

– Oh, oui, je t'assure que tout est légal. Je l'ai même par écrit.

– D'accord, alors. Si tu es la patronne, que vas-tu faire pour me sortir de cette situation ?

– Je vais utiliser mes pouvoirs et magiquement trouver l'homme parfait pour toi.

Elle agite sa main dans les airs comme si elle tenait une baguette magique. Elle la secoue au-dessus de moi, une, deux, trois fois.

– Si seulement c'était aussi simple.

– Ah, mais ça l'est. Je ne comprends pas pourquoi tu doutes encore de mes pouvoirs.

Je finis mon verre et change de sujet.

– Alors, tout est prêt pour le mariage?

– Oui. Je n'arrive pas à croire que nous y soyons déjà, dit-elle avec un hoquet nerveux.

– Eh oui, ça fait seulement un an que tu le planifies.

– Je sais. Je veux juste que tout se passe comme prévu. Et que tout le monde s'amuse.

– Tout ira comme prévu, et ce sera fantastique. Après tout, c'est toi qui t'en occupes.

Elle me fait une grimace.

– Sérieusement, ça me rend nerveuse.

– À propos de Mike?

– Non, à propos de toutes les petites choses qui pourraient mal tourner. Ce qui me fait penser : es-tu allée à la dernière séance d'essayage pour ta robe?

– Oui, Sarah.

– Super.

– Ça *va être* super. Tu épouses un homme formidable et tu vas vivre heureuse jusqu'à la fin de tes jours.

– Je pensais que tu ne croyais plus à ce genre de choses.

– Je n'y crois plus, mais pour toi, je fais une exception.

Elle sourit. Puis, je vois dans ses yeux ce regard, comme si elle venait de se souvenir de quelque chose qu'elle n'avait pas envie de se rappeler.

– Qu'est-ce qu'il y a?

– Quoi? Rien.

Je pose ma main sur son bras.

– Allez. Dis-moi ce qu'il y a. Ta mère est encore malade?

– Non, elle va bien.

– Quoi alors?

Elle soupire.

– J'ai vu Jack hier.

– Quoi? Où? Tu lui as parlé? Qu'est-ce qu'il t'a dit? Pourquoi as-tu attendu aussi longtemps avant de me le dire?

Mon cœur bat tellement fort que je peux l'entendre.

Sarah pousse son verre vers moi.

– Tiens, prends une gorgée.

Je prends une gorgée de sa bière en essayant de me calmer, mais je peux toujours sentir le boum boum, boum boum de mon cœur qui s'affole.

– Merci. Maintenant, crache le morceau.

– Je suis désolée de ne pas te l'avoir dit plus tôt, Anne, mais je voulais t'en parler en personne. Puis, tu as commencé à parler de ta *date* avec Gary, et nous avions tellement une soirée normale, tu sais, une soirée pré-Jack, pré-Blythe & Compagnie. Je n'avais pas envie de la ruiner.

– Ça va, je comprends. Maintenant, dis-moi tout.

– Eh bien, j'étais allée me chercher un café au Starbucks de mon immeuble. Du moins, c'était mon prétexte pour sortir de cette réunion absurde. J'étais...

– Sarah! Concentre-toi, s'il te plaît.

– Seigneur, désolée, Anne. J'ai eu une grosse journée. Donc, je me suis retournée et j'ai littéralement foncé dans Jack. J'ai presque renversé mon café fumant sur lui.

– Et?

– Eh bien... il n'avait pas l'air surpris de me voir. J'ai eu l'impression que, d'une certaine manière, il savait que j'allais être là. Il m'a demandé s'il pouvait me parler une minute, et je me suis demandé ce que tu aurais voulu que je fasse : lui dire d'aller se faire foutre en lui lançant mon café en plein visage ou écouter ce qu'il avait à me dire.

– Les deux, évidemment.

– Oui, je sais, c'est ce que j'ai pensé. Alors je me suis dit que si je l'écoutais d'abord, je pouvais toujours l'envoyer au diable après.

– Bien pensé. Donc ?

– Nous nous sommes assis et il m'a dit qu'il espérait tomber sur moi. J'imagine qu'il va souvent à ce Starbucks – c'est près du bureau de son éditeur, je crois – et il m'avait déjà vue là-bas à quelques reprises.

Je sens un début de colère monter en moi.

– Quoi, il te suit maintenant ?

Elle secoue la tête.

– Non, je ne crois pas. Ce n'est pas ce dont ça avait l'air.

– Oh, c'est certain que non. C'est un acteur digne d'un Oscar quand il veut, tu sais.

– Je sais, Anne.

– Pourquoi voulait-il te croiser ? À cause de l'annulation de mariage ?

Nous lui avons envoyé les papiers il y a des mois et il ne les a toujours pas signés.

– Non…

Elle pèse ses mots.

– Il veut te voir.

– Il veut me voir ?

Ma voix est à peine plus forte qu'un chuchotement.

– Oui.

– Et pourquoi voulait-il t'en parler au juste ? Pour te demander la permission ? Pour que tu me convainques ?

– Je n'en suis pas certaine.

– OK, mais que t'a-t-il dit exactement?

– Qu'il se sentait très mal, qu'il comprenait pourquoi tu l'avais mis dehors… Ah, et il a dit aussi qu'il essayait de respecter ton désir et de rester à l'écart, mais qu'il était malheureux.

Elle lève les yeux en l'air en disant sa dernière phrase.

Malheureux. J'aime entendre ce mot en lien avec Jack.

– Avait il l'air malheureux?

– Un peu.

– Tant mieux. Mais… je ne comprends pas. Pourquoi voulait-il t'en parler, à toi?

– Je ne sais pas, Anne. Je lui ai seulement donné trois minutes.

– Mais que lui as-tu répondu? Lui as-tu dit que tu pensais que j'accepterais de le voir? Es-tu censée me convaincre d'accepter de le voir?

– Non, non. Je n'ai rien dit. Vraiment. Je n'ai fait qu'écouter. Je n'ai même pas dit que j'allais te transmettre le message. Anne, ça va?

J'inspire et j'expire lentement, en essayant de freiner ce qui m'apparaît être le début d'une crise de panique.

– Je crois que oui.

– Alors, que vas-tu faire?

– À propos de Jack?

Elle hoche la tête.

– Je ne sais pas, lui dis-je. Je ne suis pas certaine de vouloir le revoir. Qu'est-ce qu'il peut me dire de plus? Qu'il est désolé? Qu'il m'aime? Il m'a déjà dit ces choses. Et comment puis-je croire quoi que ce soit venant de lui?

Elle fronce les sourcils.

– Je ne sais pas, Anne. Je n'ai pas de réponse.

– Tu as toujours toutes les réponses.

– Pas cette fois.

– Mais que ferais-tu à ma place?

– D'abord, je ne l'aurais jamais épousé.

– Hé!

– Désolée. Je voulais seulement dire que c'est à toi de voir. Je vais te soutenir quoi que tu fasses. Si tu veux le voir, je le comprends. Et si tu ne le veux pas, je le comprends aussi.

Je réfléchis à ce qu'elle vient de me dire.

– Et si je veux faire les deux?

– Eh bien, tu peux toujours le voir et lui dire que tu ne veux plus le voir.

Elle plonge la main dans son sac et en ressort une carte.

– Il m'a donné ça.

Elle me tend la carte. Le nom de Jack me fixe en caractères gras noirs. Je la tiens dans mes mains, en passant mes doigts sur les rebords comme je l'avais fait avec son dossier, il y a de cela des mois, dans le bureau de Mlle Cooper.

– Merci, Sarah.

– De quoi?

– Trop de choses pour que je puisse en faire la liste.

Elle me sourit.

– Tu peux *toujours* faire une liste.

– Pas cette fois.

Je passe les quelques jours suivants à essayer de prendre une décision. Je dors à peine. J'arrive à peine à écrire.

Tout ce à quoi je pense, c'est: Qu'est-ce qu'il peut avoir à me dire? Et, de quoi aurait-il l'air en me le disant?

Sa carte me hante; sa présence est un fantôme dans mon appartement. Au final, ma curiosité a raison de moi. Je lui envoie un courriel et organise une rencontre.

J'accepte de le rencontrer dans un bar. Pas *mon* bar; je choisis plutôt un endroit neutre, un pub irlandais du centre-ville où je ne suis pas allée depuis des années et où je me fous de ne plus jamais retourner. Je n'ai pas de souvenirs liés à cet endroit, et après ce soir, ce sera simplement le bar dans lequel j'ai vu Jack pour la dernière fois. J'ai la même attitude face à ce que je porte. Je choisis des jeans et un T-shirt crème dans ma pile de vêtements à donner à une œuvre de bienfaisance. Demain, ils appartiendront à quelqu'un d'autre.

Jack est arrivé avant moi. Je le trouve assis à une table pour deux, son visage à moitié éclairé par une petite chandelle posée dans une boule en verre recouverte d'un filet de billes rouges. Il a fait un effort pour son apparence et a mis une chemise rayée bien repassée et ce qui a l'air d'un nouveau pantalon. Sa barbe est taillée et ses cheveux semblent fraîchement coupés. Il se lève alors que j'approche de la table. Je crois qu'il veut m'embrasser, mais il se rassoit sans faire un mouvement lorsque je m'assois dans la chaise en face de la sienne, les bras croisés sur ma poitrine.

– Alors, qu'est-ce que tu veux? dis-je, sur le ton le plus professionnel possible.

– J'avais besoin de te voir, me dit Jack.

Il a l'air nerveux... et apeuré. Il a peur.

Je le regarde brièvement dans les yeux, mais je n'arrive pas à soutenir son regard. Je remarque qu'il a perdu quelques kilos. La partie méchante en moi s'en réjouit.

– Crois-tu que j'en ai quelque chose à foutre de ce que tu as besoin?

Ma gorge se serre.

Respire, Anne, respire.

Jack tressaille.

– Je sais, Anne. Je suis un connard égoïste. Et je ne mérite pas de m'attendre à quoi que ce soit de ta part. Je te suis vraiment reconnaissant d'avoir accepté de me voir.

Mon estomac est retourné et ballotté dans tous les sens.

– Que veux-tu?

– Tu vas bien?

J'allais bien avant de décider de te voir.

– Qu'as-tu à me dire, Jack? Pourquoi suis-je ici?

Il baisse les yeux sur ses mains. Il porte encore l'anneau de mariage que je lui ai enfilé au doigt, tous ces mois auparavant, au Mexique.

– As-tu lu ma lettre?

– Oui.

– Et?

– Et quoi?

– Crois-tu que tu peux me pardonner?

– Euh, non.

– Euh, non. C'est tout ce que j'obtiens?

– Oui.

– C'est ta réponse finale?

– Putain, Jack. Nous ne sommes pas à *Qui veut gagner des millions?* C'est de notre vie qu'on parle. De ma vie.

– Je sais, Anne. Je veux être dans ta vie.

Il pose sa main sur mon bras. Je la laisse reposer là une seconde, sentant sa peau contre la mienne. Puis, je réalise que c'est Jack qui est en train de me toucher, et je le repousse.

– Je ne peux pas t'avoir dans ma vie, Jack. Je ne peux pas.

– Mais nous sommes mariés, Anne. Tu ne crois pas qu'on devrait essayer d'arranger les choses?

– Non, nous ne le sommes pas, Jack. En tout cas, nous ne devrions plus l'être. Il faut vraiment que tu signes les papiers que Sarah t'a envoyés.

– Es-tu certaine de vouloir que je les signe? me demande-t-il sur un ton monocorde.

Oui.

– Ah.

Il soupire profondément. Son souffle éteint la chandelle devant lui. Une trace de fumée flotte entre nous.

– Puis-je te poser une question? dis-je.

– Bien sûr.

– As-tu pensé à la femme dans cette histoire avant d'accepter de t'embarquer?

Son visage rougit.

– Pas autant que j'aurais dû le faire, mais oui, j'y ai pensé.

Et... quoi? Tu as quand même pensé que c'était correct?

– Je ne dirais pas correct, exactement, mais... je ne sais pas... Ça n'allait pas être un vrai mariage, pour aucun de nous deux, alors je me suis en quelque sorte dit que ce n'était pas très grave.

– Et que pensais-tu qu'il allait se passer une fois ton livre publié?

– Tu veux dire si tu ne l'avais pas découvert avant?

– Oui.

– J'essayais de ne pas trop y penser.

– Allez, Jack. Sans déconner.

– C'est vrai. C'est comme si j'avais deux vies parallèles. La vie que j'avais avec toi en temps réel, et cette autre personne que je devenais quand j'écrivais le livre.

– Pensais-tu que tu allais pouvoir me garder ?

– Non. Avec la manière dont le livre était écrit, je savais que ce n'était pas possible. Écoute, je sais que tu ne m'as pas cru quand je t'ai dit ça avant, mais j'ai dit à Ted ce soir-là qu'il fallait repousser la date de publication parce que je devais réécrire le livre.

– Pourquoi ?

– Pendant que tu étais partie, je l'ai relu du début à la fin et j'ai compris à quel point... à quel point il était *horrible*. J'ai vu la manière dont j'écrivais à propos de nous, de toi, et je savais que je ne pouvais pas continuer. Je savais que si je laissais le livre dans cet état, je te perdrais pour toujours...

Ses lèvres se tordent en un rictus d'autodérision.

– Mais c'est ce qui m'est arrivé de toute façon, hein ?

Pour toujours. Cela sonne tellement définitif.

– Je le crois, oui.

– Y a-t-il une chance que l'on puisse recommencer à zéro ?

– Non.

Ses épaules s'affaissent.

– C'est ce que je craignais.

Je me mords la lèvre et j'attends qu'il ajoute quelque chose, mais il ne dit rien.

– C'est tout ce que tu avais à me dire ?

Le regard de Jack trouve le mien.

– Non... Je dois te parler de quelque chose d'autre, quelque chose que tu devrais entendre de moi en premier.

Mon cœur se remet à battre la chamade.

– Quoi ?

– Mon livre sort dans quelques semaines.

Je ne peux pas parler. Je peux à peine respirer.

Il pose à nouveau sa main sur mon bras.

– Anne, ça va ?

Bon Dieu, j'en ai marre que les gens me demandent ça. Je repousse sa main et j'essaie de retrouver mon souffle.

– Comment as-tu pu ?

Il a l'air atterré.

– Il le fallait. J'avais reçu une avance, que j'ai déjà dépensée. En plus, ils ont payé pour les services de Blythe & Compagnie. Mon éditeur a insisté. Si je refusais, ils allaient me poursuivre.

– Alors, c'est seulement une question d'argent ?

– Non, Anne. Pas dans le sens où tu l'entends. Mais c'est la façon dont je gagne ma vie. Si je ne publie pas ce livre, je ne publierai plus jamais rien. Et que vais-je faire de moi si je ne peux plus écrire ? C'est la seule chose que je sais faire. C'est la seule chose pour laquelle j'ai du talent.

Je ressens un accès de sympathie. Je ne suis pas certaine de ce que je ferais si je devais faire face à cette éventualité. Heureusement, ce n'est pas une erreur que, moi, j'ai commise.

– Eh bien, peut-être que ce sera ça, la conséquence.

– J'y ai pensé. Mais je sentais aussi que je devais terminer le livre. Pour moi. Pour toi. Pour nous. Mais je l'ai modifié, Anne. Je l'ai modifié.

– Tu l'as modifié ?

– Oui, j'ai pu les convaincre de me laisser le changer. C'est différent, je te jure…

Je l'interromps. Ma colère est revenue, et elle piétine le soupçon de sympathie que j'ai ressenti un peu plus tôt.

– Est-ce que c'est encore un livre à propos de toi qui as un mariage arrangé avec moi ?

– Oui, mais…

Je l'arrête d'un signe de la main.

– Et tu es toujours toi, et je suis toujours moi, et tout ce qui arrive dans le livre est ce qui nous est arrivé?

– Oui, mais…

– Tu ne comprends vraiment rien, n'est-ce pas, Jack? Je t'ai demandé de faire une seule chose pour moi. Je t'ai demandé de ne pas publier ton livre. Et te voilà, l'air piteux et repentant, mais tu le publies quand même. Tu n'as pas du tout de regrets, n'est-ce pas?

Il a l'air blessé. Vraiment blessé.

– Comment peux-tu dire ça? Regarde-moi. Je suis dévasté. Bien sûr que j'ai des regrets. Je t'aime, Anne. Je t'aime.

Mon cœur palpite de l'entendre dire ces mots, mais j'essaie de l'ignorer. Qu'est-ce que mon cœur m'a déjà apporté de bon?

– Mais tu ne fais rien différemment. Prends ce soir, par exemple : tu ne m'as pas dit que tu publiais le livre avant de m'avoir demandé si c'était possible que nous nous remettions ensemble. Tu as joué cette carte d'abord. Tu continues à me dissimuler des choses.

– Ce n'est pas ce que tu penses. La raison pour laquelle je voulais te voir, c'était pour te dire que mon livre allait être publié. Le reste m'a échappé. Parce que, eh bien, parce que je perds mes moyens quand je suis près de toi. Tous mes moyens.

– Tu es venu ici seulement pour me parler du livre?

– Oui, mais…

– Alors, je crois que nous avons terminé.

Je me lève et je trébuche presque sur mes pieds. Jack s'élance pour m'attraper, mais j'arrive à éviter qu'il me touche et je cours pratiquement vers la porte. Dehors, je prends de grandes inspirations, à pleins poumons, essayant de retrouver mon souffle, essayant de me retenir de vomir sur le trottoir, essayant de me retenir de retourner dans le bar pour donner une raclée à Jack.

– Anne.

– Laisse-moi tranquille, Jack. S'il te plaît.

Je ne veux pas le regarder. Je ne veux pas qu'il me voie pleurer. Je ne veux plus le voir.

– Anne.

Il me prend dans ses bras et me serre contre son torse.

– S'il te plaît, Jack, non, dis-je en marmonnant dans sa chemise.

Il me serre de plus près et j'arrête de lutter. Je respire son odeur : savon et forêt, cette odeur de petit garçon. Je sens ses mains remonter le long de mon dos, jusque dans mes cheveux, ses mains rudes devenant douces à leur contact. Il commence à m'embrasser sur le côté du visage, sur l'espace près de l'oreille, et il me murmure des mots que je ne peux pas entendre, des mots que je ne suis pas certaine de vouloir entendre. Un frisson parcourt ma mâchoire alors que ses lèvres effleurent ma joue. Et puis ses lèvres touchent les miennes, et nous nous embrassons.

Pendant quelques secondes, nous nous embrassons.

Je pose mes mains sur sa poitrine et je le repousse.

– Non, Jack. Je ne peux pas.

Je lui tourne le dos. Les larmes coulent sur mon visage, et je n'arrive pas à les arrêter. J'aperçois un taxi et descends dans la rue pour le héler. Je peux sentir la présence de Jack derrière moi, mais je ne me retourne pas. Le taxi s'arrête, j'ouvre la portière et me glisse sur le siège arrière.

J'entends un coup contre la vitre. Je lève les yeux. Jack a mis sa main, la paume ouverte, à plat sur son cœur. Il y a des larmes sur son visage. Il parle, et je peux entendre le timbre de sa voix et lire les mots sur ses lèvres.

– Je suis désolé, me dit-il. Je suis désolé.

CHAPITRE 25

LE SON DU GONG

La rencontre avec Jack m'a ramenée là où j'étais lorsque je lui ai demandé de partir. Je passe mes journées à essayer de ne pas penser à lui, et la nuit, les rares moments où je dors, je rêve à lui en train de m'embrasser devant le bar. Je me surprends à me demander trop souvent si nous pourrions recommencer à zéro, si je pourrais jamais arriver à lui pardonner sa trahison. Je ne ressens même pas de satisfaction à raconter notre conversation à Sarah, ou devant sa réaction de surprise quand je lui ai dit qu'il allait publier son livre. Parce que, malheureusement, la lettre de mise en demeure n'était qu'une menace en l'air : une poursuite est une procédure publique, ce qui veut dire que tout le monde – pas seulement mes amis – connaîtrait l'identité du personnage féminin principal.

Après une troisième nuit presque blanche, je réalise que j'ai besoin de parler à quelqu'un après tout. Et même si je ne suis pas certaine d'être capable de lui faire face à nouveau, je sais que le Dr Szwick est la personne que je devrais consulter. Le Dr Szwick, avec ses méthodes inusitées, son intuition aiguisée et ce qu'il sait de Jack et moi, est peut-être la seule personne à pouvoir m'aider à comprendre ce que je veux réellement.

Lorsque je téléphone pour prendre rendez-vous, la réceptionniste hésite et me demande de patienter. Je souris en pensant à la surprise que mon appel peut causer, même pour le perspicace Dr Szwick. Pendant que j'attends, il me vient à l'esprit qu'il pourrait refuser de me voir, surtout après la scène que j'ai faite dans le bureau de Mlle Cooper, mais sa réceptionniste reprend la ligne et me donne un rendez-vous dans ma case horaire habituelle du vendredi.

Alors, en début d'après-midi d'une journée de fin d'automne, avec les premiers flocons qui volettent vers le sol, je m'installe dans le fauteuil familier, en face du Dr Szwick et de son calepin noir. La ballade de Jack et Anne.

– Êtes-vous surpris de me voir ici ?

– Un peu.

– J'imagine que vous avez su pour Jack ?

– Oui.

– Et pour ma rencontre avec mademoiselle Cooper ?

Il sourit.

– Ç'a été le sujet de toutes les conversations.

– Alors pourquoi avez-vous accepté de me voir ?

– J'ai cru que je vous le devais bien, Anne. Si vous avez pensé avoir besoin de mon aide, je voulais pouvoir vous l'offrir.

– Merci.

– Ce n'est rien. Voulez-vous me dire pourquoi vous êtes ici ?

– D'accord.

Je le mets au courant de la façon dont j'ai découvert la vérité sur Jack et de notre rencontre de la semaine dernière.

Lorsque j'ai terminé, il pose son stylo et referme le calepin sur Jack et moi.

– Comment vous en sortez-vous dans tout ça?

– Il y a des moments pires que d'autres, particulièrement ces derniers jours.

– On dirait que ça vous surprend.

Je remonte mon col roulé sur mon menton.

– Je suppose que je pensais avoir fait mon deuil de lui.

– Et quand vous l'avez vu, vous avez réalisé que ce n'était pas le cas?

– Oui.

– Qu'est-ce qui vous l'a fait réaliser?

J'ai un flash-back sensoriel des lèvres de Jack sur les miennes.

– Tout ce qui s'est passé durant la rencontre. Son air triste. Le fait que c'était encore si naturel, d'une certaine façon, de lui parler. La sensation de sa main sur ma peau. Je n'arrive pas à identifier un élément en particulier. Tout est lié.

– On dirait que vous êtes toujours amoureuse de lui.

– Je sais. Mais je ne suis pas certaine de vouloir l'être.

– Parce que vous n'arrivez pas à lui pardonner?

– Le devrais-je?

– Vous allez devoir prendre cette décision par vous-même, Anne.

J'essaie de lui sourire.

– J'espérais justement que vous pourriez faire ça pour moi.

– Vous me connaissez mieux que ça.

– Je sais. Mais... peut-on faire le truc de la chaise? On dirait qu'être déstabilisée rend les choses plus claires pour moi.

– Nous pouvons le faire si vous le voulez, mais le but de cet exercice est de vous amener à vivre consciemment. Je pense que vous savez ce que vous voulez faire, et que vous n'avez pas besoin de moi, ni d'un fauteuil surdimensionné, pour vous le montrer.

– Vous avez tort. J'ai besoin d'aide.

Il reste ferme.

– Non, vous n'en avez pas besoin. Vous n'avez qu'à être honnête avec vous-même par rapport au genre de vie que vous voulez. Et lorsque ce sera fait, vous saurez ce que vous voulez et comment l'obtenir.

Très tôt le matin du mariage de Sarah, un paquet est livré à mon appartement. Je reconnais l'écriture de Jack sur la boîte. Mon nom est écrit en lettres majuscules un peu brouillonnes. Je mets le paquet sur ma table de cuisine. Pelotonnée dans ma robe de chambre, je le fixe en buvant mon café. J'ai une petite idée de ce qu'il y a dedans, et je ne suis pas certaine d'avoir la force d'y faire face.

Je finis par prendre mes ciseaux de cuisine et j'enlève le papier d'emballage. Il y a plusieurs petits paquets à l'intérieur : une pile de photos, une liasse de feuilles pliée en deux, une petite boîte, et un exemplaire du livre de Jack.

Je commence par les feuilles. C'est le formulaire d'annulation de mariage que Sarah avait préparé, celui que Jack n'avait pas signé. Seulement, là, c'est fait. Le nom «Jack Harmer» est signé sur les trois copies, juste au-dessus du mien. Et donc, voilà. Nous ne sommes plus mariés. Nous ne l'avons jamais été.

Je prends les photos et les regarde lentement. Ce sont celles que Jack a prises au Mexique. L'hôtel dans lequel nous avons séjourné. L'océan au soleil de midi, l'océan au coucher du soleil. Il y a une superbe photo de nuit du palmier entouré de lumières sur la plage. Il y a des photos de notre excursion, celles que nous avons prises du sommet de la pyramide dans la jungle. Une de nous deux prise par un touriste au bas des marches, le bras de Jack autour de mon cou et mes cheveux dans le vent. Une photo que j'ai prise de Jack en train de lire au bord de la piscine. Une autre de lui écrivant dans son cahier. Son maudit cahier. Il écrivait probablement à propos de moi.

Sur la dernière photo, nous sommes couchés dans un hamac. Je suis endormie sur le dos, mon visage rougi par le sommeil et le soleil. Jack est lové contre moi, son corps m'entourant comme s'il me protégeait. Je ne sais pas qui a pris cette photo. Quelqu'un a dû nous trouver mignons et prendre l'appareil qui était posé à côté de nous.

Je suis en train de regarder cette photo quand la sonnette retentit. Je réalise que j'ai pleuré. Je m'essuie le visage en hâte et j'ouvre la porte à William. Il me jette un coup d'œil et, sans dire un mot, il m'enveloppe de ses bras, tiens ma tête contre sa poitrine et me laisse pleurer. Il me guide vers le divan et attend que je puisse parler de nouveau.

– Que se passe-t-il? me demande-t-il gentiment.

Je lui tends la photo que je tiens encore dans ma main.

– Jack m'a envoyé ça.

– Ah.

– Il m'a aussi envoyé son livre. Et quelque chose dans une boîte. Je ne sais pas ce que c'est.

– Le salaud, dit-il sur un ton peu convaincant.

– *C'est* un salaud.

– Je sais, je viens de le dire.

Je m'extirpe de ses bras.

– C'est quoi ce ton ? On dirait que tu le défends.

– Je ne le défends pas, Anne. Mais je ne crois pas que c'est un mauvais gars parce qu'il t'a envoyé cette photo, ou son livre, ou parce qu'il essaie de te ravoir.

– Tu ne crois pas ?

– Non. Penses-y, A.B. S'il n'avait pas fait toutes ces choses, tu serais probablement encore plus fâchée contre lui.

– Oui, d'accord, petit malin. Mais ça ne veut pas dire que, fondamentalement, il n'est pas un salopard.

– Je suis d'accord. Mais ce sont ses bons côtés qu'il te montre en ce moment.

– Ça ne m'aide pas. Je n'ai pas envie de penser à ses bons côtés.

– Désolé.

– Mais pourquoi es-tu venu me voir au juste ?

– Nous avions des plans, tu te souviens ? Nous devions aller courir…

Il fait un geste en direction de son corps, et je remarque pour la première fois que William porte des pantalons de course et un chandail en Gore-Tex à manches longues.

– Tu as oublié ?

– J'ai été distraite.

Il prend un air résigné.

– Tu veux me montrer le livre ?

Je vais à la cuisine le chercher, rapportant aussi la petite boîte qui venait avec. La couverture du livre est blanche avec un bouquet de fleurs dessus. En le regardant, je réalise que le bouquet ressemble énormément à celui qu'il m'a donné le jour de notre mariage, et je ne sais pas si je dois crier ou pleurer.

Seigneur, que je suis tannée de pleurer.

Je tends le livre à Wiliam. Il commence à le feuilleter.

– Tu vas le lire ?

– Je ne pense pas.

– Comment peux-tu résister ?

– Je l'ai déjà lu, tu te souviens ?

– Mais il a dit qu'il l'avait changé, non ?

– Et alors ?

– Tu n'es pas curieuse ?

Oui. Non. Peut-être.

– Pas vraiment.

Il a l'air sceptique.

– En tout cas, pas assez pour le lire, dis-je.

– Peut-être qu'il va te surprendre.

– Te voilà encore à le défendre !

Il lève ses deux mains devant lui.

– Relaxe, Anne. Je te jure que non.

– Tu veux le lire ?

– Quoi, et te dire ce que ça raconte ?

– Oui, peut-être.

– Oh, non. Pas question.

– Pourquoi pas ?

– Je ne veux pas être le messager sur qui on tire.

– Salaud.

Il regarde la boîte que je tiens dans ma main.

– Tu vas l'ouvrir ?

– Je ne sais pas. Tu crois que ça va me rendre heureuse ou triste ?

– Je n'en ai aucune idée, A.B.

– Toujours aussi utile.

Je me mords la lèvre.

– D'accord, je vais l'ouvrir.

Je soulève le couvercle de la petite boîte couleur argent. À l'intérieur, il y a un pendentif en forme de cœur en émail rose enfilé sur une chaîne en or. Le bout de mes doigts commence à picoter.

– Qu'est-ce que ça signifie? me demande Wiliam.

– Qu'il essaie encore de me manipuler.

– Pourquoi dis-tu ça?

– Je croyais que tu disais que tu avais lu mon livre?

Il détourne le regard, l'air un peu coupable.

– J'ai dit ça?

– Oui. Et toutes sortes de choses, sur à quel point c'était bon et drôle…

– Bien, j'ai commencé à le lire, mais ce n'est pas vraiment mon genre de lecture.

– Tu t'es rendu jusqu'à quelle page?

– Vingt-neuf?

– Wow. Merci de lui avoir donné une vraie chance. En tout cas, si tu avais lu mon livre, tu saurais que Ben envoie à Lauren un collier comme celui-là quand ils sont en mauvais termes, et c'est ce qui lui fait réaliser qu'ils devraient peut-être être de nouveau ensemble… J'ai un peu pris l'idée dans un des livres d'Anne.

– Alors tu crois que c'est pour ça que Jack t'a envoyé le collier? Pour te faire changer d'idée?

– Pas mal sûre, oui.

– C'est quoi le problème? As-tu peur que ça fonctionne?

Oui. Non. Peut-être.

– Tu n'as pas besoin d'être aussi perspicace, tu sais.

– Je vais prendre ça pour un compliment.

– Alors, on va courir, oui ou non?

– Tu vas courir habillée comme ça?

– Donne-moi une minute pour me changer.

Je laisse le livre et le pendentif sur mon lit et enfile mes vêtements de course: un vieil habit de jogging que j'ai depuis l'adolescence. Je regarde le livre. Une partie de moi veut le jeter aux poubelles. Une partie de moi veut le lire. Je ne suis pas encore certaine de quelle partie va gagner. Je retourne au salon. William se met à rire.

– Quoi?

– C'est ce que tu vas porter?

Je me regarde. Je ressemble un peu à Ally Sheedy dans *Jeux de guerre*.

– Quel est le problème?

– Oh, il n'y en a aucun, Anne, si tu cours en 1984. Tu as un Walkman aussi, ou cette technologie est-elle trop avancée pour toi?

– Tu ferais mieux de courir vite, mon petit bonhomme.

William et moi revenons une demi-heure plus tard de notre tentative pathétique de course à pied. Je prends une douche rapide et je me rends en taxi au salon de coiffure pour rejoindre Sarah.

C'est un de ces vieux salons où des femmes de l'âge de ma grand-mère viennent encore chaque semaine pour leur permanente. Il y a même de ces séchoirs à cheveux en émail bleu poudre – ceux avec un cône qui descend sur la tête – alignés en une rangée à l'arrière. L'air sent les cheveux brûlés et le peroxyde. Je me demande comment Sarah a pu se retrouver ici.

Sarah est assise sur une chaise, l'air tendu. Je lui donne un baiser sur la joue.

– Que se passe-t-il ?

Elle pointe sa tête.

C'est la prise deux.

La coiffeuse semble dans un état de concentration extrême pendant qu'elle ramasse de petites mèches des cheveux de Sarah pour les épingler sur sa tête.

– C'est très joli.

– Tu me le dirais si ça ne l'était pas ?

– Pas sûr.

– Anne !

– Évidemment que je te le dirais, voyons. C'est magnifique.

Ça l'est vraiment. Une coiffure tout en douces boucles vaporeuses qui tombent de sa tête. Elle ressemble... à une mariée.

Je me fais laver les cheveux et m'assois sur la chaise à côté de la sienne, avec une serviette rose vif drapée sur mes épaules.

– Tu as l'air épuisée, me dit Sarah.

– Je suis allée courir avec William ce matin.

Elle sourit.

– As-tu encore mis ton horrible ensemble des années quatre-vingt ?

– Hé, il me va super bien.

– Tu crois que tu ressembles à Ally Sheedy.

– Et alors ?

– Tu ne lui ressembles pas.

– Sarah, si ce n'était pas le jour de ton mariage, je te ferais payer ça.

– Mais, *c'est* le jour de mon mariage.

Je lui souris dans le miroir.

– Oui. Ça y est.

– Flippant.

– Je sais.

Elle fronce les sourcils.

– Je me sens mal, d'être aussi heureuse alors que...

– Oh, mon Dieu, Sarah, ne t'en fais pas pour moi. Et c'est normal d'être nerveuse le jour de son mariage. Moi, je l'étais.

Je lui souris pour lui montrer que je vais bien.

– Ça l'est, hein ? C'est normal d'être nerveuse. C'est normal d'être nerveuse, c'est normal...

Je pose ma main sur son bras.

– Ça ira bien, tu verras.

– Je sais. Je fais quelque chose de bien aujourd'hui.

Elle paraît si heureuse. Je sens des larmes se former dans mes yeux. Je crois que ce sont des larmes de joie. Mais je pleure tellement ces jours-ci que c'est dur à dire.

– Arrête ça ! me dit Sarah. Tu vas me faire pleurer aussi et je vais devoir refaire mon maquillage.

J'essuie mes larmes.

– Désolée. Hé, tu veux entendre une histoire drôle ?

Je ne suis pas certaine que ce soit drôle, mais je veux changer de sujet.

– J'ai reçu une copie du livre de Jack par la poste aujourd'hui.

Elle a une drôle d'expression sur le visage. La même que lorsqu'elle m'a dit qu'elle avait vu Jack.

– Sarah?

– S'il te plaît, ne te fâche pas, Anne.

– Me fâcher? Pourquoi?

– Je l'ai lu.

– Que veux tu dire?

– Jack m'en a envoyé un exemplaire il y a quelques jours, et je l'ai lu.

J'essaie d'agir comme si j'étais indifférente.

– Est-ce que c'est bon?

– Pourquoi veux-tu le savoir? Vas-tu le lire?

Oui. Non. Peut-être.

– Je ne pense pas.

– Pourquoi pas?

– Je ne sais pas si j'en suis capable.

– Je crois que tu devrais le lire, Anne.

– Mais c'était quoi son idée de te l'envoyer, de toute façon? Je n'aime pas trop ce *pattern* que vous avez tous les deux. Allez-vous aller prendre un verre ensemble bientôt?

– Ne sois pas stupide. Je crois qu'il me l'a envoyé pour la même raison qu'il est venu me trouver l'autre jour: pour te convaincre de le lire.

– Sa stratégie semble fonctionner.

Mon ton est pédant, je le sais, mais j'ai envie de bouder.

– Anne, je suis ta meilleure amie. Je ne te dirais pas de faire quelque chose si je croyais que ce ne serait pas bon pour toi. Je m'en fous de lui. Mais je crois que tu vas te sentir mieux après l'avoir lu. Ça va peut-être t'aider à mettre tout ça derrière toi.

La coiffeuse prend une bonbonne de fixatif pour finaliser la coiffure de Sarah.

– Attendez. Ne mettez pas de ce truc sur elle!

Je me lève et repousse le fixatif loin de la tête de Sarah.

– Merci, me dit Sarah en tournant sa chaise vers moi. Alors, qu'en penses-tu ?

– Tu es magnifique.

Et elle l'est. Elle est belle et heureuse, et prête à se marier.

Je tape sur mon verre de vin avec un ustensile pour attirer l'attention de tout le monde. Je suis dans ma robe de demoiselle d'honneur rose pâle, face à une salle remplie de gens sur leur trente et un. De larges tables rondes sont illuminées par des chandelles et des tulipes roses et blanches.

Alors, je suis ici pour parler de Mike... je veux dire de Sarah, bien sûr, de Sarah. (Rires.) Que puis-je dire à propos de Sarah ? D'abord, je crois qu'elle mérite des applaudissements pour avoir réussi à organiser cette fête parfaite aujourd'hui. (Applaudissements.) Si vous saviez combien de listes ont contribué à cet événement, combien d'arbres ont été tués avec les interminables brouillons et réécritures. (Petits rires.) Sérieusement, la soirée a été magnifique, et je crois que tout le monde sait que la planification d'événements n'est pas la spécialité de Mike. (Cri d'un ami d'université soûl que je ne saisis pas très bien.)

Bon, fini les blagues, avant que Sarah décide de ne plus jamais me parler. J'aimerais dire quelques mots sur ma meilleure amie. Nous nous sommes rencontrées en troisième année. Je crois que le prétexte de notre rencontre impliquait une urgence de barrette (devinez qui avait besoin de la barrette et qui l'a prêtée). Tout ce que je sais, c'est que je passais la pire journée de ma jeune vie, et qu'une minute plus tard, tout allait de nouveau pour le mieux. Et depuis ce temps, j'ai eu quelqu'un dans ma vie qui est là pour moi, inconditionnelle-ment. Cela peut sembler banal, mais c'est tellement, tellement rare d'avoir cela dans sa vie. Et si vous avez quelqu'un comme ça dans votre entourage, vous avez de la chance.

– Mike a toujours été là pour elle depuis qu'ils se sont rencontrés. Il voit à quel point elle est belle et intelligente, mais je sais qu'il l'aime aussi, et surtout, pour ses petites manies. Alors je voudrais lever mon verre à Mike et Sarah. Sarah, tu es la meilleure amie que j'aie jamais eu. Je ne sais pas comment je ferais sans toi. Et Mike, je veux te dire que tu m'as redonné foi dans les fins heureuses. À Mike et Sarah.

Je lève mon verre, et la foule suit. Je prends une gorgée de champagne et je marche vers Sarah sous les applaudissements des invités. Ses yeux sont humides et brillants. Nous nous étreignons et elle me souffle quelque chose à l'oreille.

– Lis le livre, Anne.

– On dirait qu'il n'y a plus que toi et moi, me dit William en me tendant sa main pour m'inviter à danser.

Il porte un costume foncé et une rose blanche au revers de son veston. Il aurait l'air sérieux et élégant si ce n'était de sa tignasse indomptable. Je prends sa main et nous allons sur la piste de danse, parmi les cousins et les amis d'université de Sarah. Le groupe de musique joue une vieille chanson de U2. William me fait valser sur un rythme lent-vite qui me rappelle l'école secondaire. Nous avons l'air ridicule, et nous attirons un peu l'attention de la foule. Sarah et Mike, rayonnants, à moitié ivres et épuisés, sont partis il y a quelques minutes.

– Je me sens comme dans *Le mariage de mon meilleur ami*, dis-je.

– Parce que c'est le mariage de ta meilleure amie.

– Non, idiot, je parle du film avec Julia Roberts... Tu sais, celui où elle essaie de faire foirer le mariage de son meilleur ami et qu'elle se retrouve à danser avec son ami gai à la fin.

William fait un pas en arrière.

– Est-ce que c'est moi l'ami gai dans ton scénario ?

Je lève mes yeux au ciel.

– C'est seulement la même sensation.

– Je ne suis pas gai, Anne.

– Je sais, William.

– J'ai eu une *date* la semaine dernière. Avec une *femme*. Je pense même la rappeler d'ailleurs.

– Super. Donc, à la fin, elle danse avec son ami. C'est mieux comme ça ?

Il recommence à me faire valser.

– Alors ? Ça m'a l'air d'être super comme fin de soirée.

– Oui, mais la fille se retrouve seule. Elle n'a pas le gars.

– Est-ce qu'elle voulait le gars ?

– Ce n'est pas ça l'important. Elle voulait *un* gars.

– Tu veux que je te dise que tu vas l'avoir, toi, le gars ?

– Oui, peut-être.

Il touche le cœur en émail rose que je porte au cou.

– Tu peux avoir le gars si tu le veux, Anne.

CHAPITRE 26

AUTRE ESSAI

William me dépose chez moi à une heure du matin. Je m'écrase sur le divan, épuisée. J'enlève mes talons hauts qui me torturent depuis des heures, et les lance à l'autre bout de la pièce. Ils atterrissent sur le plancher de bois avec un bruit sourd satisfaisant.

Et évidemment, sans plus de distractions, je recommence à penser au livre de Jack. Il est toujours là où je l'ai laissé, dans ma chambre, à m'attendre comme Jack m'a attendue un soir que je devais travailler tard pour boucler un article. Il lisait au lit quand je suis rentrée, mais je savais qu'il m'attendait. Je me suis assise à côté de lui et je l'ai embrassé, puis il a remonté ses mains jusqu'à mon visage, de cette façon qu'il a de me toucher, et m'a embrassée, de cette façon qu'il a de m'embrasser. Ses lèvres ont parcouru mon visage, sont descendues dans mon cou, et plus bas et plus bas et partout, et nous avons fait l'amour sans dire un mot de plus. L'expérience était tellement intense que rien qu'y penser maintenant, des mois plus tard, fait rougir mes joues.

Après, nous sommes restés allongés au lit à parler pendant des heures. À parler de mon article, d'une conversation étrange qu'il avait entendue dans le parc pendant une de ses pauses d'écriture, de mon parc préféré quand j'étais petite, et de plein d'autres choses dont je ne me souviens plus maintenant. Nos échanges étaient presque aussi intenses que le sexe. Je me sentais tellement bien, blottie dans ses bras, à parler de tout ce qui me venait à l'esprit. Et je savais, avec cette certitude qu'on a parfois à propos des autres, que c'était ce que nous avions tous les deux le plus envie de faire: nous parler. Nous avons combattu le sommeil, et même l'excitation qui aurait pu nous mener à un deuxième *round*, pour continuer à parler encore et encore et encore.

Le livre dans la chambre m'appelle. Je veux entendre la voix de Jack à nouveau. Je veux entendre Jack me parler jusque tard dans la nuit. L'entendre me dire des choses que je ne sais pas ou me donner une nouvelle perspective sur celles que je connais. Je veux entendre sa perspective sur les choses. Le livre dans la chambre m'appelle.

Au final, évidemment, je me rends. Je vais dans la chambre et je le prends, passant mes mains sur la photo de notre bouquet de mariage. Je me blottis sous les couvertures, j'ouvre le livre et je commence à lire.

Dans la peau d'un homme marié

Prologue

Toute ma vie, j'ai eu cette idée de ce que la femme que j'allais épouser un jour aurait l'air, de comment elle serait. Ça peut sembler idiot, fifille même, mais c'est vrai.

Je ne sais pas d'où m'est venue cette idée. Peut-être est-ce la petite fille dont je tirais les tresses au lieu de lui dire qu'elle me plaisait. Peut-être est-ce un rêve que j'ai fait. Peut-être que je l'ai inventée. Mais je savais qu'elle existait, quelque part.

J'ai grandi. J'ai rencontré d'autres femmes. Je suis même tombé amoureux. Mais je n'ai jamais cessé de l'attendre.

Et puis, un jour, elle était là.

J'étais devant sa porte. J'étais censé cogner. J'étais censé faire d'elle ma femme. Nous nous étions rencontrés la veille. J'étais nerveux comme jamais. Nous nous étions rencontrés la veille, mais c'était comme si je l'avais attendue toute ma vie.

Je l'ai rencontrée dans une arène de gladiateurs miniatures, dans un tout-inclus à Cancún, au Mexique. J'étais allé là-bas dans le but de la rencontrer et de l'épouser. La rencontrer, l'épouser, vivre avec elle un moment, et ensuite la quitter et écrire un livre sur tout ça.

Elle était là parce qu'elle croyait que la compagnie qui nous avait amenés au Mexique nous avait jumelés en fonction de notre compatibilité et que j'étais son *match* parfait. Elle était venue pour m'épouser sans me connaître, ni connaître quoi que ce soit à propos de moi, sans même avoir vu une photo de moi.

Lorsque nous nous sommes retrouvés face à face pour la première fois, nous nous sommes serré la main comme les autres couples, tous là pour la même raison.

Je l'ai conduite à l'extérieur, dans un bar que j'avais identifié la veille comme étant l'endroit le plus romantique de la place. Nous nous sommes assis à une table, l'un en face de l'autre, mal à l'aise, chacun de nous se demandant quoi dire.

J'ai observé son visage. Elle était comme je l'avais imaginée. La peau blanche, avec une constellation de taches de rousseur sur le nez. Des yeux verts qui tournaient au gris selon la lumière. De longs cheveux roux, très roux. Un visage intelligent.

Je connaissais ce visage. Je le connaissais pour avoir passé des années à le rêver, et aussi parce que j'avais fait une recherche avant de venir au Mexique. Je n'étais pas censé connaître ce visage, ou elle, ou quoi que ce soit d'elle. Si j'avais été là pour les bonnes raisons, ç'aurait été la première fois que je la voyais.

Mais les choses étant ce qu'elles étaient, moi étant là à cause du livre que je devais écrire, je savais déjà trop de choses sur elle. J'avais toutes sortes d'avantages.

Nous avons commandé nos verres au serveur et nous sommes restés assis un moment à nous fixer, en essayant de ne pas avoir l'air de nous fixer, jusqu'à ce que je brise le silence.

– Ça fait bizarre, ai-je dit.

– Oui, vraiment bizarre, a-t-elle répondu.

– Je ne connais même pas ton nom de famille, ai-je menti en lui tendant la main. Moi, c'est Jack Harmer.

Elle m'a dit son nom de famille. J'ai menti à nouveau et lui ai demandé pourquoi son nom me semblait familier, et elle m'a dit qu'elle écrivait pour un magazine. J'ai prétendu me souvenir d'un de ses articles et j'ai fait une blague sur le sujet dont il traitait.

Elle savait que j'étais moi aussi écrivain. C'était l'un des quelques petits détails que la compagnie lui avait donnés sur moi, un des quelques petits détails qu'elle avait le droit de connaître, alors nous avons parlé d'écriture.

Et parce que j'écris souvent sur des choses qui ont rapport avec le plein air, je lui ai demandé si elle était une fille de plein air. Elle a dit parfois. Peut-être. Puis, elle m'a posé la question que j'attendais.

– Puis-je te poser une question ? m'a-t-elle demandé, agitée et nerveuse.

– Qu'est-ce que je fais ici ? ai-je répliqué.

Elle a rougi, un pâle sillon rose partant de son cou jusqu'à la pointe de ses oreilles.

– Oui.

– Eh bien… pour la même raison que la plupart des gens, je suppose. J'ai eu des relations à long terme qui n'ont pas fonctionné. Je travaille seul la plupart du temps et c'est difficile de rencontrer des gens. J'ai trente-quatre ans et j'ai toujours pensé qu'à cet âge je serais marié avec des enfants. J'ai entendu parler de ce service par une personne que je connais qui l'a utilisé, et il est toujours marié, heureux, avec des enfants, alors je me suis dit « Pourquoi pas ? »

C'était la réponse que j'avais préparée. Elle me semblait plausible, aussi plausible que je pouvais la rendre.

Elle m'a souri. Elle avait un beau sourire.

– Alors tu es totalement normal ?

J'ai ri et j'ai mis ma main sur mon cœur.

– Je suis totalement normal, je le jure. Et toi ?

Elle m'a dit pourquoi elle était là : une série d'échecs amoureux, le désir d'avoir une famille. Toutes les choses auxquelles on pourrait s'attendre

Alors, tu es totalement normale, toi aussi ? lui ai-je demandé.

Elle a fait un X avec ses doigts sur son cœur.

– Croix de bois, croix de fer, si je mens, je vais en enfer.

Nous nous sommes regardés et j'ai senti quelque chose. Une connexion, une conspiration entre nous. Un sentiment que je n'avais pas eu depuis longtemps. Peut-être jamais.

Nous sommes allés manger et nous nous sommes raconté l'histoire de notre vie, et les heures ont filé. Après le repas, elle a eu un moment de doute, et je l'ai convaincue d'aller de l'avant avec le mariage. Je l'ai embrassée pour la première fois sur la plage sous la lune presque pleine, et je lui ai donné une bague en argent sertie d'une pierre turquoise. Plus tard, je l'ai vu flirter avec un autre homme, et je me suis senti jaloux. Elle m'a dit que je n'avais pas de raison de m'en faire, et je l'ai embrassée à nouveau, en la tenant tout près.

Alors, je me suis retrouvé là, le lendemain matin, à me demander si j'allais cogner à sa porte ou non. Pouvais-je réellement épouser la femme que j'attendais depuis toutes ces années ? De cette façon ?

Et puis, je l'ai fait.

Mes jointures ont gratté à sa porte. Elle était très jolie ce matin-là dans sa robe crème. Ses cheveux étaient tirés vers l'arrière autour de son visage et tombaient dans son dos. Un soupçon de coup de soleil accentuait le vert de ses yeux.

J'ai pris une grande inspiration et j'ai dit :

– Tu es prête, Emma ?

Elle m'a fait un sourire nerveux.

– Je suis prête, Jack,

– Tu es magnifique.

Son sourire s'est agrandi.

– Tu es très bien, toi aussi.

J'ai sorti un bouquet de fleurs printanières de derrière mon dos et le lui ai tendu. Elle l'a pris et l'a porté à son visage fraîchement lavé et en a humé l'odeur.

– J'ai pensé que tu voudrais peut-être le porter.

– Merci, Jack. Il est magnifique.

Elle a accroché son bras au mien et nous avons traversé l'hôtel jusqu'à la pièce où les mariages étaient célébrés.

Nous avons été mariés par un drôle de petit homme à l'accent prononcé. Emma avait l'air d'avoir envie de rire durant toute la cérémonie. Je lui ai demandé en chuchotant ce qui la faisait rire et elle m'a dit « chut ! », qu'elle me le dirait plus tard.

– Emma Ellen Gardner, acceptez-vous, à compter de ce jour, de prendre pour époux, Johan Graham Harmer, pour le meilleur et pour le pire, et ce, jusqu'à ce que la mort vous sépare ?

Elle a souri et dit :

– Oui, je le veux.

Elle semblait nerveuse, mais elle a dit « Oui, je le veux ». Et quand le prêtre a répété les mots, j'ai dit « Oui, je le veux » moi aussi. Nous avons échangé les anneaux et il nous a déclarés

mari et femme. J'ai embrassé ses lèvres douces, et nous
étions mariés.

Mais j'anticipe. Je devrais commencer par le début. Je
devrais vous dire pourquoi j'ai fait ça. Ce que ça lui a fait.
Comment je l'ai perdue.

Je devrais vous raconter comment je me suis retrouvé
dans la peau d'un homme marié.

CHAPITRE 27

LE LIVRE DES RÉVÉLATIONS

Une semaine après le mariage de Sarah, je suis assise dans un café à attendre William quand j'aperçois Stuart franchir la porte d'entrée.

Je ne l'ai pas revu depuis le jour où j'ai quitté notre appartement, il y a un an, et ma première réaction est de me cacher sous la table.

Allez, Anne. C'est complètement ridicule. Ce n'est que Stuart.

Je prends le journal que je lisais, en me demandant nerveusement s'il va me remarquer. Est-ce même que je veux qu'il me remarque?

J'étends le bras pour saisir mon café et je le renverse sur la table. Super.

– Anne?

Je laisse tomber la serviette que j'utilise pour contenir les dégâts.

– Allo, Stuart.

Il porte le veston en velours côtelé bleu que je lui ai offert pour son anniversaire, il y a deux ans, et des jeans foncés qui lui vont comme un gant. Il a l'air de quelqu'un qui vient de passer des vacances dans un endroit chaud. Il paraît bien, comme toujours.

– Wow. Ça fait longtemps, me dit-il.

– Oui.

– Ça te dérange si je m'assois ?

– J'imagine que non.

Stuart retourne une chaise vide et s'assoit à califourchon dessus, les bras appuyés sur le dossier.

– Eh bien, eh bien, eh bien. Anne Blythe. Tu as l'air bien, Anne.

Je porte un chandail en cachemire bleu pâle que ma mère m'a offert à Noël et mes cheveux sont relevés en queue de cheval. Je ne me souviens plus si c'est comme cela que Stuart me préférait. Les cheveux attachés ou non ?

Mais, on s'en fout, Anne. C'est *Stuart*.

– Merci.

– Comment vas-tu ?

– Toujours pareil. Toi ?

– Tu sais… Toujours pareil.

Il jette un regard autour, déjà à la recherche de quelque chose d'autre sur quoi fixer son attention. Il faisait toujours ça. Il avait toujours besoin de quelque chose de plus que moi pour le stimuler. De là son infidélité, j'imagine.

Ses yeux reviennent vers moi.

– J'ai entendu dire que tu avais publié un livre.

– C'est vrai.

– Est-ce que c'est bon ?

Typique. Stuart n'a jamais rien lu de ce que j'écrivais lorsque nous étions ensemble. Bien sûr que non. Ça ne parlait pas de lui, alors ça ne l'intéressait pas.

– Il y a des gens qui semblent penser que oui, j'imagine.

Il rit.

– Toujours aussi sérieuse. Je l'ai lu.

– Tu l'as lu?

– Bien sûr. J'ai aimé ça. Et je pouvais totalement dire que c'était toi qui l'avais écrit.

– Vraiment? Comment ça?

– À cause du ton «fait-pour-être ensemble». Je me rappelle que tu as toujours pensé que tu le saurais instantanément si deux personnes étaient faites l'une pour l'autre.

Merde alors. Stuart Johnson qui me fait de la psychologie. Le ciel doit être sur le point de nous tomber sur la tête.

– Oui, j'ai déjà pensé ça.

– As-tu déjà pensé ça de nous deux?

Malheureusement, oui.

– Peut-être. Des fois, lui dis-je.

– T'es trop adorable.

Seigneur, c'est vraiment un connard de première classe. J'espérais presque que ma mémoire me fasse exagérer. Pas de chance.

Je lui fais un petit sourire crispé.

– C'est ce que tu as toujours dit.

– Tu es avec quelqu'un?

– J'étais avec quelqu'un, oui.

Il me lance un regard moqueur.

– Et étiez-vous faits l'un pour l'autre?

C'est ce que je pensais. Et pour être honnête, c'est ce que j'ai recommencé à penser depuis que j'ai passé la nuit à lire le livre de Jack.

– Oh, je ne crois plus vraiment à ça maintenant.

Stuart me regarde intensément.

– Tu es toujours amoureuse de lui.

Ouaip. Le ciel va nous tomber sur la tête.

– Pourquoi dis-tu ça?

– Voyons, Anne, je te connais depuis longtemps. Je suis capable de voir que ce gars là te fait encore de l'effet.

– Eh bien… nous avons rompu.

– C'est dommage, me dit-il, de manière étonnamment gentille.

– Merci, Stuart.

– Que tu le croies ou non, je ne veux que ce qu'il y a de meilleur pour toi.

Je le regarde, et c'est comme si je le voyais pour la première fois. Et il n'est pas un monstre. Il n'est pas un dieu. Il est seulement un homme que j'ai connu.

Il jette un œil à sa montre.

– Hé, désolé, mais je dois y aller. Ça ne te dérange pas trop?

– Aucun problème. William devrait être là d'une minute à l'autre.

– Tu sais, j'ai toujours pensé qu'il était amoureux de toi.

Je ris.

– La vie serait tellement plus simple si c'était vrai.

– On se revoit bientôt?

– Oui.

Il se lève et se retourne pour partir.

– Stuart.

– Oui?

– Merci.

– De quoi?

De m'avoir rappelé ce que je ne veux pas. Pour avoir été assez con pour me forcer à changer ma vie. Pour tout. Pour rien.

– C'est compliqué.

Il sourit.

– Tu sais que je déteste ce qui est compliqué.

– Je sais.

Quelques jours plus tard, je suis en route pour rejoindre Sarah au bar. Elle vient tout juste de revenir de son voyage de noces en Grèce. C'est une nuit fraîche, qui nous rappelle que l'hiver sera bientôt là et que je devrais vraiment porter un manteau plus chaud. Les magasins sont illuminés, attendant que les gens qui sortent du travail viennent prendre de l'avance sur leur magasinage de Noël.

J'aime toujours autant l'atmosphère de ce quartier : les gens dans la rue, les rires et les odeurs qui émanent des restaurants, les petites rues plus tranquilles derrière l'artère principale. Peu importe mon humeur, marcher dans ce quartier me fait toujours sentir plus légère, plus heureuse.

J'arrive à un coin de rue, à un pâté de maisons du bar, et je tombe sur un feu rouge. Alors que le feu de circulation change, quelque chose qui virevolte de l'autre côté de la rue attire mon regard. Pendant un instant, je pense qu'il s'agit peut-être d'une publicité pour le lancement du livre de Jack, mais quand je ramasse la feuille, je constate que c'est seulement une invitation pour une exposition au musée d'art.

Le lancement du livre de Jack a lieu ce soir à quelques pâtés de maisons d'ici. Il m'a envoyé une invitation, et je l'ai laissée traîner dans mon appartement, incapable de la jeter, voulant à moitié y aller, mais n'étant pas certaine d'être prête à le revoir. Sur l'invitation, il y avait la couverture du livre de Jack et une photo que j'ai prise de lui sur la plage au Mexique. Si on regarde la photo d'assez près (ce que j'ai fait, évidemment), on peut me voir tenir l'appareil photo dans le reflet de ses yeux.

Un coup de klaxon retentit. Je suis encore au milieu de la rue. Je traverse de l'autre côté et commence à marcher plus vite, sans faire attention à où je vais.

Je fonce dans une femme.

– Je suis désolée, dis-je en essayant de la dépasser.

– Anne, c'est toi?

Je regarde de plus près la personne que j'ai failli renverser. C'est Margaret. Elle porte un énorme manteau matelassé noir et une tuque avec un pompon sur le dessus. Son nez est rougi par le froid.

– Oui, c'est moi. Allo, Margaret.

J'essaie de sourire.

– Comment vas-tu? dis-je.

Elle me fait un grand sourire.

– Ça va super bien!

Je réalise après un moment qu'elle se caresse le ventre; elle doit être enceinte d'au moins six mois.

– C'est formidable, Margaret. Je suis tellement contente pour toi.

– Merci. Et vous deux? Des enfants?

– Non.

Elle sourit avec compassion.

– J'imagine que vous avez été trop occupés.

Elle a l'air tellement heureuse que je ne supporterais pas de lui dire ce que je sais. À propos de Jack. Que Brian a probablement été choisi pour elle au hasard et qu'il n'est pas son *match* parfait.

– Oui, quelque chose comme ça. Écoute... je dois y aller...

Elle hoche de la tête.

– Évidemment. Tu vas dans cette direction, n'est-ce pas? Je vais marcher avec toi.

Et avant que je puisse lui demander comment elle sait dans quelle direction je vais, nous marchons ensemble et Margaret a accroché son bras au mien.

– J'ai lu ton livre, Anne. C'est vraiment bon. Je l'ai recommandé à toutes mes amies et mon club de lecture va le lire le mois prochain.

– Merci.

– De rien. J'en parle à tout le monde et je dis que je te connais. Je ne dis pas d'où, bien sûr... ne t'inquiète pas.

Elle glousse comme si on conspirait toutes les deux.

– Ce n'est pas parce que tous mes amis savent où j'ai rencontré mon mari qu'ils doivent connaître la vérité à propos du tien, hein?

Je me demande quand je vais pouvoir m'esquiver. Mais où m'entraîne-t-elle au juste?

– Et, évidemment, j'ai bien hâte de lire le livre de Jack aussi. L'as-tu lu? Bien sûr que tu l'as lu. C'est trop drôle que je sois tombée sur toi, parce que j'ai vu une affiche qui annonçait une séance de dédicaces de Jack aujourd'hui. Venir ce soir était vraiment une décision spontanée, tu me connais, et là je tombe sur toi et tout...

– Excuse-moi, Margaret, mais je dois rencontrer mon amie et je pense que j'ai dépassé le bar d'à peu près un pâté de maisons.

– De quoi parles-tu, Anne? La librairie est juste ici. Tu vas au lancement du livre de Jack, non?

Elle cligne lentement de ses yeux grands ouverts et innocents.

– Euh…

Elle m'agrippe le bras de nouveau.

– Allez, voyons. Que se passe-t-il avec toi aujourd'hui ?

Elle ouvre la porte et me traîne littéralement dans la librairie. Je la laisse me guider à travers le hall d'entrée et jusqu'à la mezzanine du deuxième étage, où quelques personnes attendent en ligne pour faire signer leur exemplaire par Jack. J'entrevois sa tête penchée devant un livre ouvert et sa main qui griffonne quelque chose. Je me cache derrière la personne devant moi.

Est-ce à ça que ressemble une crise cardiaque ?

– Pourquoi ne vas-tu pas à l'avant, Anne ?

– Euh… je pensais lui faire la surprise…

Elle me dévisage.

– Vous êtes tellement drôles, vous deux.

Je regarde par-dessus l'épaule de la personne devant moi pour jeter un coup d'œil à Jack. Une femme se tient derrière lui. Elle est grande, blonde et bronzée. Très jolie. Elle se penche et met sa main sur l'épaule de Jack, lui parlant à l'oreille.

– Est-ce que c'est Cameron Diaz ? demande Margaret.

– Bien sûr que non.

Jack sourit à ce que la jolie femme vient de lui dire.

– Elle lui ressemble vraiment.

– Ce n'est pas Cameron Diaz, Margaret.

Mais… Oh, merde. Jack ne m'a-t-il pas dit, quand nous étions au Mexique, que son ex ressemblait à l'actrice ? Je croyais que c'était pour se venger de ma référence à Pierce Brosnan. Mais… cette femme doit être Kate. La Kate de son livre de rallye d'aventures. Ou peu importe quel est son vrai nom.

J'ai besoin d'air.

Mon téléphone sonne, et je fouille dans mon sac pour essayer de le trouver, en regrettant qu'il ne soit pas moins bruyant.

Je t'en prie, ne lève pas les yeux. Ne lève pas les yeux.

– Allo, dis-je en chuchotant.

– Où es-tu, Anne ? Ça fait vingt minutes que je t'attends.

– Désolée, Sarah. Je suis tombée sur quelqu'un que je connais et… peux-tu attendre une seconde ?

Je baisse la tête et m'éloigne furtivement de la file d'attente. Je me fais regarder de travers, mais je ne me relève qu'une fois sortie de la librairie.

– Désolée. Je suis tombée sur une cliente de Blythe & Compagnie, et elle en a déduit que j'allais au lancement du livre de Jack. Elle m'a comme traînée de force ici.

– As-tu vu Jack ?

– Pas vraiment. Juste de loin.

– Vas-tu aller lui parler ?

– Je ne sais pas. Je pense que son ex est ici.

– Pourquoi dis-tu ça ?

– Je l'ai vu parler avec une fille qui… C'est trop compliqué. Mais je suis pas mal certaine que c'est elle.

– Comment te sens-tu ?

– Je crois que je vais être malade.

Je m'assois sur un banc qui fait face à l'entrée de la librairie et place ma tête entre mes jambes.

– Anne ? Est-ce que ça va ? me demande Sarah.

– Je ne sais pas.

– Quoi ? Parle plus fort, je t'entends à peine.

– Anne, est-ce que ça va ? me demande une voix d'homme.

Je lève les yeux vers Jack. Mon cœur bat la chamade et j'ai la gorge sèche. Il porte un pantalon kaki, un chandail bleu foncé et un veston, le tout bien repassé. Il ressemble à ce dont il avait l'air quand nous nous sommes rencontrés tous ces mois auparavant.

– Ça reste à voir.

Merde. Pourquoi ai-je dit ça? Pourquoi est-ce que je répète un truc qu'il m'a dit quand tout allait bien entre nous?

Je peux deviner à son expression que Jack a compris que je viens de citer ce qu'il m'avait dit le matin où nous nous étions réveillés sur la plage au Mexique. Il a l'air de se demander si c'est une bonne chose.

Je ferme rapidement mon téléphone sans dire au revoir à Sarah. Elle va comprendre.

– Que se passe-t-il? me demande-t-il, hésitant.

– Je... euh... je me suis sentie mal.

Je commence à frissonner. Je ne sais pas si c'est de froid ou à cause de la présence de Jack. Peut-être les deux.

– Tu veux aller à l'intérieur?

– Je ne sais pas.

Je me lève. Mes jambes sont molles. Jack enlève son veston et m'en enveloppe les épaules. Pendant une seconde, il se tient si près que c'est comme si j'étais dans ses bras. Puis, il fait un pas en arrière, et je ne suis qu'enveloppée dans un veston trop grand pour moi qui a l'odeur de Jack. Je me sens étourdie.

– Merci.

– Voulais-tu me parler de quelque chose?

Voulais-je lui parler de quelque chose? Pourquoi ai-je laissé Margaret me guider jusqu'ici? Pourquoi suis-je ici, perdue dans son veston?

– Tu m'as invitée.

– Je sais, mais…

– Mais quoi ?

Jack expire l'air qu'il retenait dans ses poumons.

– Es-tu venue pour une raison en particulier ?

Je regarde Jack. Cet homme que j'ai épousé. Cet homme qui m'a brisé le cœur. Cet homme qui lui fait encore faire boum, boum, boum, et j'ai une révélation. Ce genre de moment où l'on regarde quelque chose d'évident et que ça devient enfin évident pour nous.

Je veux pardonner à Jack. Peut-être même que c'est déjà fait.

– J'ai lu ton livre.

Il a l'air à la fois soulagé et inquiet.

– Qu'en as-tu pensé ?

– Je pense que… c'était un meilleur livre pour moi.

– Comment ça ?

– Le premier livre m'a rendue furieuse, et triste, et furieuse. Celui-là m'a rendue triste pour nous, Jack. Triste de constater que nous avions quelque chose de spécial et que tout a été ruiné.

Il prend un air résigné.

– Parce que j'ai tout ruiné.

– Oui, mais aussi parce que je n'aurais jamais dû être là dès le départ. Je n'ai jamais acheté ce qu'ils vendaient. Je cherchais l'amour, pas l'amitié.

– Et l'as-tu trouvé ? me demande-t-il, la voix plus assurée.

La femme blonde de tout à l'heure sort la tête dehors. Elle a l'air furieuse.

– Que fais-tu là, Jack ? Il y a plein de gens qui attendent.

– J'y vais dans une minute.

– Jack…

– J'ai *dit* que j'irais dans une minute.

Elle me regarde, en fronçant légèrement les sourcils. Puis elle semble réaliser quelque chose et elle referme la porte sans dire un mot de plus.

J'arrive à peine à parler.

– Est-ce que c'est Kate ?

– Kate dans mon livre ?

– Oui, Kate dans ton livre.

– Oui.

– Quel est son nom ?

– Jessica.

– Elle est jolie.

Jack fait un pas vers moi.

– Ce n'est pas ce que tu penses.

– Non ?

– Non. On est seulement amis. Elle travaille chez mon éditeur. C'est comme ça que nous nous sommes rencontrés.

– Je croyais que c'était durant le rallye d'aventures. Comme dans le livre.

– Il ne faut pas croire tout ce qu'on lit dans les livres, Anne. Même pas dans les miens.

– Alors, vous n'êtes pas ensemble ?

– Non, Anne. Allez, tu le sais bien. Il n'aurait jamais pu y avoir personne d'autre que toi.

Mon cœur tressaille. Est-il en train de citer *Anne… la maison aux pignons verts* ?

– Non ?

– Non.

Je prends ce qui m'apparaît être la première vraie respiration depuis que j'ai vu Jessica lui parler à l'oreille dans la librairie.

– Je me souviens d'un garçon qui me tirait les tresses quand j'étais petite, dis-je en me surprenant moi-même.

Il fait un pas vers moi.

– Ah, oui?

– Il avait les cheveux bruns frisés, mais je ne me souviens pas de son nom.

– Penses-tu que c'était moi?

Il reste encore un pas entre nous. Je veux faire ce pas. Je veux le faire, mais je ne suis pas certaine d'en être capable.

– Je ne sais pas. Je me le suis demandé. Depuis que j'ai lu...

– Peut-être que *c'était* moi. Peut-être que c'est un signe.

– Peut-être. Mais je t'ai déjà dit que je ne crois pas aux signes.

Il avance son bras et replace une mèche de mes cheveux.

– Non?

– Vas-tu tirer sur mes tresses encore?

– Ça se pourrait bien.

Il me caresse le côté du visage avec son pouce et je sens à nouveau cette connexion qu'il y a toujours eue entre nous.

– Mais seulement si tu me promets de ne pas briser ton ardoise sur ma tête.

– Ne commence pas à m'appeler «Poil de carotte».

– Il rit.

– Je n'oserais jamais.

Son regard devient sérieux.

– Sais-tu ce que tu veux, Anne?

– On dirait le docteur Szwick.

Il fait une grimace.

– Eh bien… il n'a peut-être pas toujours tort.

– Il m'a dit que dès que j'aurais décidé le genre de vie que je veux, je saurais quoi faire à ton sujet.

– Quel genre de vie veux-tu? me demande-t-il, un trémolo dans la voix.

– Je pense … que je veux une vie avec toi.

Il franchit rapidement le pas qui nous sépare et ses lèvres rencontrent les miennes. Le monde autour de nous semble disparaître, jusqu'à ce que nous soyons les deux seules personnes dans cette rue, dans cette ville, dans le monde, dans l'univers.

Lorsque mes poumons commencent à manquer d'oxygène, Jack recule d'un pas. Ses mains tremblent. Il a l'air heureux. Plus heureux que je ne l'ai jamais vu. Je ne peux pas dire de quoi a l'air mon visage, mais je crois qu'il doit être pareil au sien.

Il appuie son front sur le mien.

– La dernière fois que je t'ai embrassée, tu t'es enfuie en larmes.

– Peux-tu me blâmer?

– Je ne pourrais jamais te blâmer de quoi que ce soit.

Il m'embrasse encore, doucement, et pose ses mains sur ma taille.

– Et Blythe & Compagnie? dis-je.

– Non. Je ne peux pas les blâmer non plus. Bien que j'aie entendu dire que mademoiselle Cooper avait été congédiée.

Je souris.

– Je leur ai demandé de me rendre mon argent, mais ils ont une politique de non-remboursement.

– J'imagine que je n'étais pas ce pour quoi tu avais payé.

– Non.

– Je suis désolé, Anne.

– Je sais. Et puis, de toute façon, je vais recevoir une part des ventes de ton livre lorsqu'il deviendra un best-seller.

Jack fronce les sourcils.

– Oui. J'ai eu la lettre de Sarah.

– Quoi? Elle t'a envoyé une *lettre*? Je lui ai dit de ne pas le faire… Merde, pourquoi est-ce que je tombe toujours dans le panneau?

Jack rit tout haut.

– Ne change jamais, Anne.

– C'est trop tard pour moi.

Nous nous sourions, notre souffle fait de la buée dans l'air froid.

– Est-ce bien Margaret que j'ai vue tout à l'heure avec toi?

– Oui.

– D'où sort-elle?

– Je suis tombée sur elle dans la rue. C'est elle qui m'a amenée ici.

– Je devrais la remercier alors.

– Je t'avais dit qu'elle n'était pas si terrible.

– Non, évidemment, tu as raison. Tu as toujours raison.

– Parfois oui, parfois non.

– Tu as l'air gelée.

– Ça va.

– Je t'aime, Anne.

– Je t'aime, Jack.

– Je sais.

– Vraiment, Han Solo?

– C'est évident. Comment pourrait-on ne pas m'aimer?

– Sérieusement.

Il prend un air très sérieux.

– Sérieusement. Ce sont les plus beaux mots que j'ai entendus depuis longtemps. Peut-être même depuis toujours. Il y a juste une petite chose...

– Quoi?

– Je t'ai posé une question, il y a quelque temps, Anne. Si je te faisais la même demande aujourd'hui, me donnerais-tu une réponse différente?

Oh, mon dieu. Il cite vraiment *Anne... la maison aux pignons verts*. Plus particulièrement le chapitre où Gilbert fait sa deuxième demande en mariage, dans *Anne quitte son île*.

– Tu as fait de la lecture, on dirait.

Ses lèvres s'arquent dans un sourire.

– Tu sais, ces livres ne sont pas si mal.

– Blasphème.

– Alors, ta réponse à ma question?

– Pourquoi ne pas commencer par prendre ça au jour le jour? Essayer de se fréquenter pendant un certain temps...

– Bonne idée.

– Alors, où va-t-on à partir d'ici?

– Que dirais-tu d'aller à l'intérieur? Rencontrer mes amis?

– J'aimerais vraiment ça.

REMERCIEMENTS

Parmi les avantages à publier un deuxième livre, il y a l'occasion de pouvoir remercier ceux qui ont contribué au succès du premier.

Alors, j'aimerais remercier :

Mes amis, pour avoir acheté chacun plusieurs exemplaires d'*Ivresse* et pour avoir parlé de mon livre à tous ceux qu'ils connaissent. Amy, Annie, Candice, Chad, Christie, Dan, Eric, Janet, Katie, Kevin, Lindsay, Marty, Olivier, Patrick, Phil, Presseau, Sara, Stephanie, Tanya, et Thierry ; j'ai une belle vie parce que vous en faites partie.

Ma famille. Maman, papa, Cam, Scott, Owen, Liam, Mike, grand-papa Roy et grand-maman Dorothy. Et Tasha et Phyllis, pour une amitié de toute une vie.

Tous ceux qui ont lu les premières versions du livre, spécialement Amy, qui a littéralement lu ce livre au fur et à mesure que je l'écrivais, et sans qui je ne l'aurais jamais terminé.

Chez Harper Collins Canada, mes éditeurs, Alex Schultz et Jennifer Lambert, pour avoir bonifié mon écriture. Chez Goélette, Ingrid Remazeilles, pour son amour de mes livres. Sophie Bérubé, pour sa traduction enthousiaste. Et toute l'équipe pour le succès d'*Ivresse*.

Tous les auteurs que j'ai croisés sur mon chemin et qui m'ont inspiré la force de continuer, entre autres, Cathy Marie Buchanan, Tish Cohen et Nadia Lakhdari King. Et plus particulièrement, Shawn Klonparens, pour ton amitié et pour avoir contribué à l'amélioration de ce livre.

Lucy Maud Montgomery, pour avoir créé le personnage d'Anne et pour avoir écrit tous ces merveilleux livres. Mon enfance n'aurait pas été la même sans vous.

À tous les lecteurs d'*Ivresse*, je vous remercie d'avoir contribué à son succès.

Et à David, qui est la raison pour laquelle j'ai écrit ce livre.

De la même auteure :

IVRESSE

À faire :
1. **Aller en désintox.**
2. **Espionner une star.**
3. **Écrire article brillant.**
4. **Décrocher job-de-rêve.**
Facile !

Coup de cœur du magazine Elle Canada

Katie Sandford a obtenu une entrevue auprès de son magazine préféré, *The Line*. Elle sort fêter la nouvelle et se présente le lendemain matin, encore soûle. On lui promet le poste qu'elle désire si elle accepte d'épier une célébrité dans un centre de désintox, où elle devra passer trente jours.

Là, de réelles amitiés se nouent, un mec mignon fait son apparition et Katie commence à se demander si elle n'a pas réellement besoin d'une thérapie. Elle a une décision à prendre : risquera-t-elle de perdre ceux qu'elle aime, ou le boulot de ses rêves ?

Opus savoureux et rafraîchissant.
Marie-France Bornais, *Journal de Montréal*, 20 août 2011

C'est drôle, léger. Et parfois, enivrant.
Danielle Laurin, *Elle Québec*, novembre 2011

On a été conquises par ce bouquin, qui se dévore (presque) d'une traite !
Geneviève Chartier, *Moi & cie*, janvier 2012

Une plume sympathique d'ici qui s'apprécie facilement.
Coup de pouce, janvier 2012

Marquis imprimeur inc.

Québec, Canada
2012